最もくわしい屋根・小屋組の図鑑 改訂版

建築知識＝編

INTRODUCTION

はじめに

住宅のシルエットに個性を付与する最も重要な要素は屋根である。なぜなら、壁面は部屋の輪郭をなぞるので、直方体の組み合わせにせざるを得ないが、屋根は様々な形状、角度、高さ、大きさの無数の可能性を、部屋の形状や機能に縛られず選択できるからだ。その土地の気候風土を色濃く反映した、世界各地の伝統的民家の多様性を考えてみれば、「屋根が個性をつくる」ということは疑いようがない事実だろう。

軒の出や軒の高さのちょっとしたシルエットの違いで建築の格好よさは大きく変わる。また、屋根の形状次第で、建築のなかの空間も大きく変わる。このように、屋根は意匠と空間を同時に決定づけるものなので、本来、真っ先にデザインすべき対象であるはずだ。

ところが 、実際の家づくりの現場では、間取りパズルの後で屋根の形を決めることが一般的である。そのように設計すると、間違いなく下部構造と屋根はちぐはぐになるのだが、木造軸組工法も枠組壁工法も、間取りと一切無関係に屋根を架けられるから、屋根の検討はいつも後回しになる。

広いおでこの上にちょこんと似合わない

i+i設計事務所　飯塚豊

帽子が載ったような奇妙なプロポーション、山や谷がやたらに多い雨漏りしやすそうな複雑な形状、法規制をなぞっただけの勾配……街中で見かけるそんな家は、おそらく全部、後づけで屋根を考えるという、おかしな方法で設計されている。

構造、止水、断熱、通気、法規など要求される性能や規制も多いので、クライアントが自力で屋根形状考えることは難しい。だから、敷地状況、空間性、コスト等をにらんで、屋根形状の「最適解」を提案するのは意匠設計者の重要な役割だ。屋根を決めれば架構が自ずと想定できる。

たとえば30〜40坪程度の「切妻屋根」なら、棟木の下に大黒柱を1〜2本通すかたちが構造的には最も素直だ。間取りは屋根を支えるその柱を意識しながら描けば無理がない。そうすれば耐震性も向上するし、屋根なりの空間を見せることも簡単にできる。

どんな形の屋根でも、ひとたび形状を決定すれば、無理のない架構システムや空間の使い方が暗示される。そんな「屋根の声」を聴くことが、いい建築をつくるための第一歩だ。

まず、屋根を考えよう。間取りを考えるのはその後だ。

屋根インデックス

寄棟・方形系

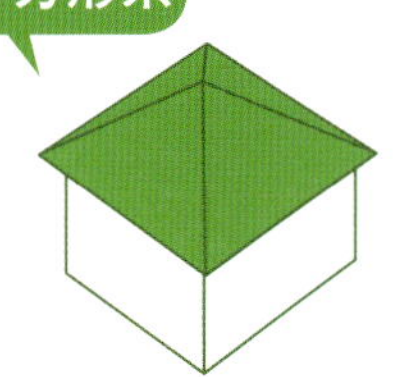

方形

正方形の平面で、4面の屋根が1つの頂点に集まるもの。明治時代には、寄棟を含めて方形と呼んだ時期もある

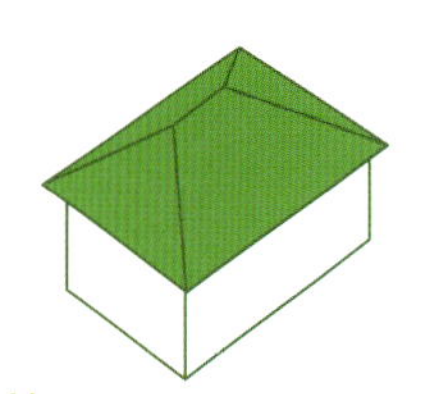

寄棟

切妻の棟を短くして寄せたような形状が名前の由来。多方向からの斜線をかわしやすい形状であり、都市部に多くみられる

切妻系

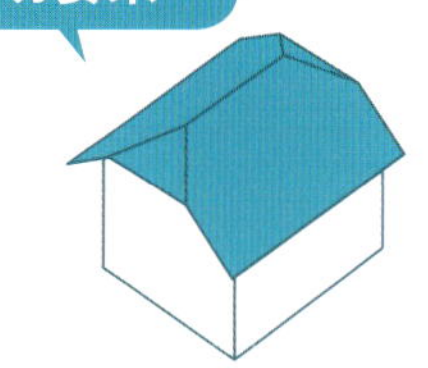

半切妻

ドイツ屋根、袴屋根とも。切妻の形態をできるだけ保ちつつ、妻方向からの各種斜線制限をかわす場合などに有効

切妻

最も簡便な屋根形状の1つ。内部空間の利用効率が高く、雨仕舞いにも優れる

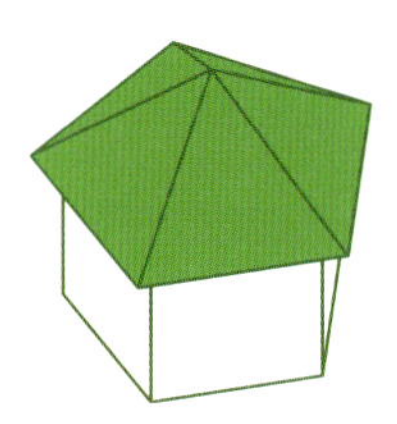

多角形屋根

五角形、六角形などさまざまな種類がある。八角形のものは八注造りと呼ばれることもある。多くの隅木が一点に集まる頂部は、納まりが複雑になる

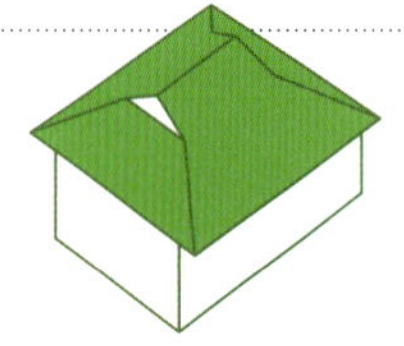

入母屋

上部が切妻で、妻側の下部が寄棟の形状になっているもの。納まりは複雑になるが和風のデザインに適している

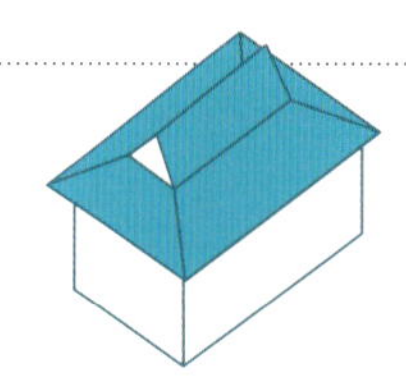

しころ

切妻の四周に庇が付き、その下部が空間化したものとされる。そのことから、入母屋への発展過程の形態とも考えられる

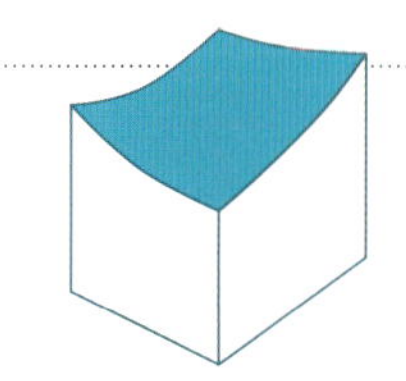

シェル

交差する2つの曲線に基づく屋根。鞍のような形状になる。小断面部材で屋根を構成できるという利点がある

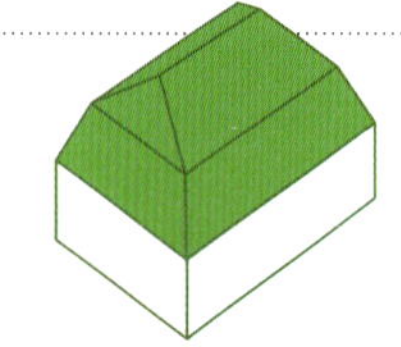

マンサード

寄棟の、4方向の屋根が中ほどから折れたもの。屋根裏の空間を大きくできる。住宅では、採光用のドーマーと組み合わせられることが多い

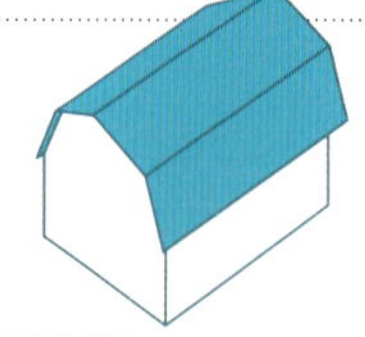

駒形屋根

切妻屋根が途中から折れたもので、別名ギャンブレル屋根。屋根裏空間を有効に利用できる

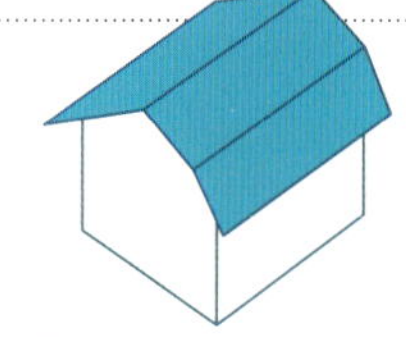

母屋下がり

切妻の片側だけが途中から折れた形状。勾配の変化を最小限に抑えることができる

「屋根の家」 設計｜手塚建築研究所

片流れ屋根は、勾配を小さくすれば上を歩くことが可能だ。その性質を最大限に生かせば、屋根上をデッキとして利用することもできる（撮影：木田勝久／FOTOTECA）

「前川國男自邸」 設計｜前川國男

伝統的な切妻屋根の外観に、モダニズムの立方体状の吹抜けを組み込み、大屋根状の構成としている（撮影：吉村行雄）

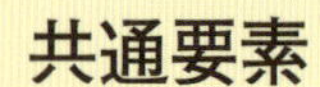

共通要素

下屋

母屋の外壁に接して設けられる片流れの屋根、ないしはその下の空間

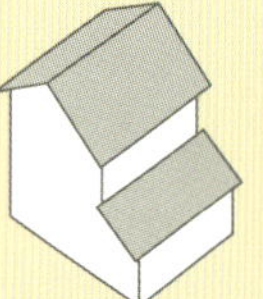

ドーマー

屋根から突き出た小さな屋根とその窓。屋根裏空間に光を採り入れるためのものだが、日本では飾り窓としてバブル期の住宅などに多く見られる

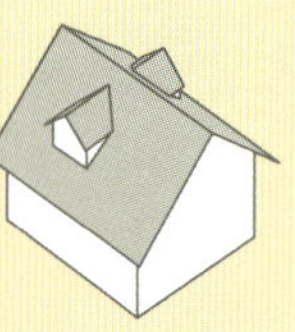

乗越し屋根

一方の棟を、それと交差するもう一方の棟が乗り越えているもの。雁行した平面をもつ書院造りなどで見られる

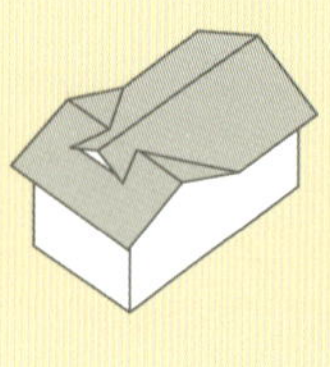

屋根の形態には、非常に多くのバリエーションが存在する。ここでは片流れ、切妻、寄棟・方形という3つの大きな分類に基づいて整理した。また、それらに付加できる共通要素も紹介する

片流れ系

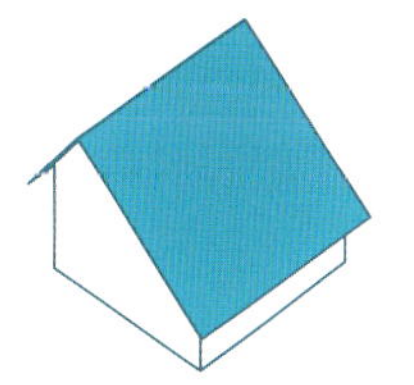

大屋根

建物の構成要素の全体を覆う屋根のこと。多くの場合、2階から1階にまたがって架かるものを指す

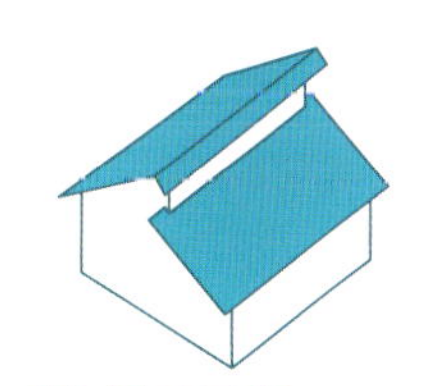

差し掛け屋根

2枚の屋根を違う高さで架けたもの。高さのずれた部分に開口を設けることで、そこからの採光・換気が可能

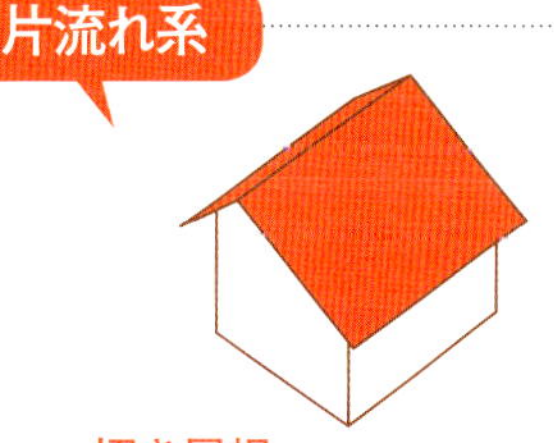

招き屋根

片流れの先端部を曲げたもの。曲げ部分が大きい場合には、切妻の変形と考えることもできる

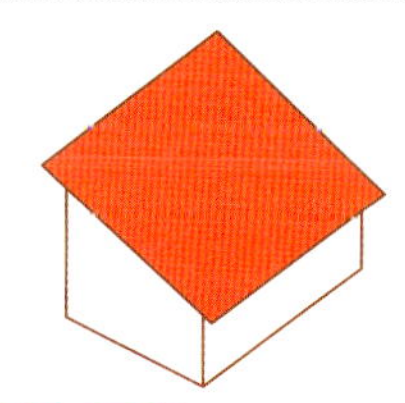

片流れ屋根

一方向のみに勾配がある屋根。施工は最も容易だが、ほかの形態に比べて壁量が多くなるので、結果的にコストがかかる場合がある

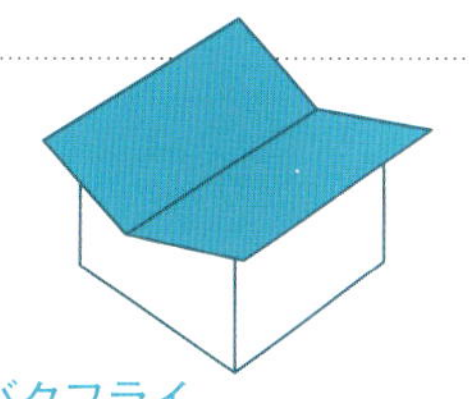

バタフライ

2枚の屋根の棟が谷になっているもの。谷部に雨水が集中する難点があるが、平側の2か所に大きく開口が取れる

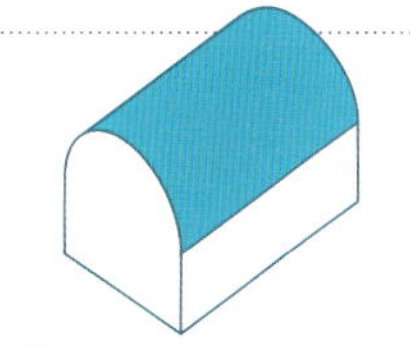

ヴォールト

本来は、石やレンガを積んだアーチをもとにした曲面天井である。近代以降は曲面天井一般をヴォールトと呼ぶ

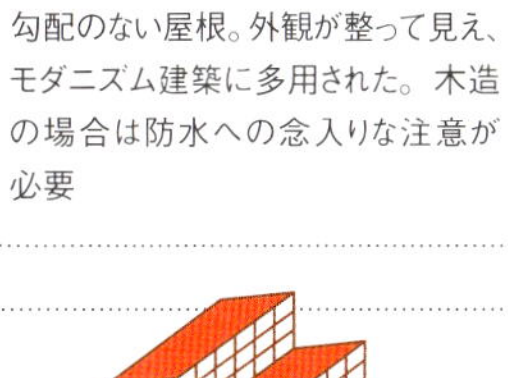

陸屋根

勾配のない屋根。外観が整って見え、モダニズム建築に多用された。木造の場合は防水への念入りな注意が必要

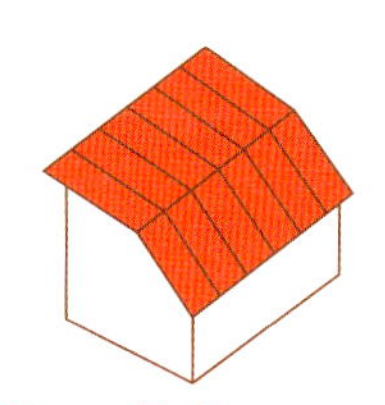

腰折れの片流れ

片流れ屋根が途中で折れたもの。斜線をかわしつつ片流れの気積を最大限確保できる

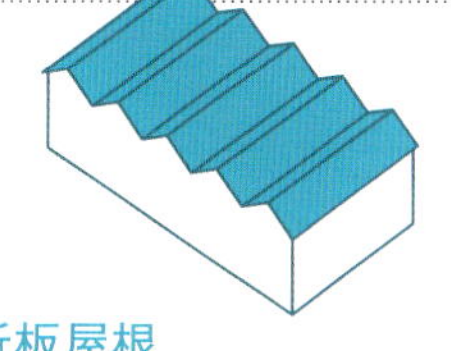

折板屋根

折板を用いた金属製屋根の代表的なもので、基本的にはS造で用いられる。施工が容易で、大空間にも適用できる

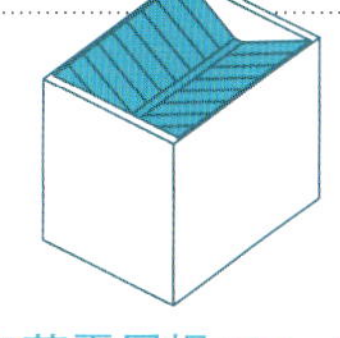

無落雪屋根（スノーダクト方式）

建物の内側にバタフライ屋根が隠れたような形状。主に積雪地帯で、屋根の谷間部分に雪を溜めるために用いられる

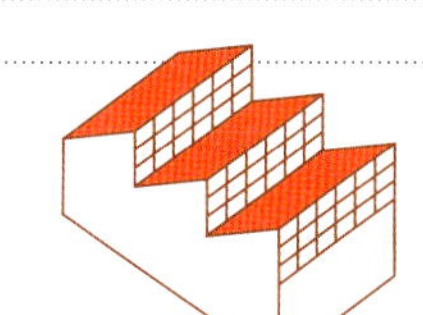

鋸屋根

片流れが鋸の歯のように並んだ屋根。屋根上部の窓から一定の間隔で採光できるため、床面積の大きい建物に適する

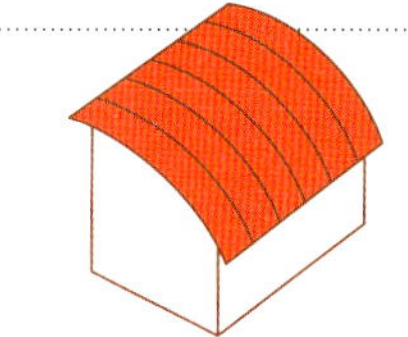

湾曲片流れ

片流れ屋根を湾曲させれば、外観、内観ともにやわらかな印象を生み出すことができる

「白の家」 設計｜篠原一男

伝統的な方形屋根の形が、白を基調とした抽象的な外壁との対比によって際立って見える。極端なまでの単純化と抽象化を実現した作品（画像提供：株式会社松下産業）

「ダブル・チムニー」 設計｜アトリエ・ワン

マンサード屋根に煙突を付けた構成。煙突部分の根元はねじれた面で構成されており、屋根と連続しているような印象を与えている（画像提供：アトリエ・ワン）

起り、反り屋根

和風の意匠の時、印象を大きく決める要素となる。平安時代に野屋根が発明されたことで、起り、反りを表現できるようになった

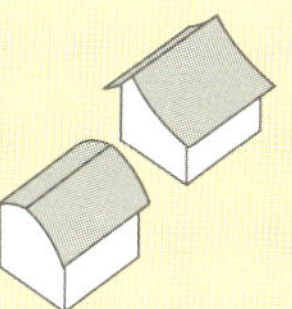

越屋根

屋根の一部が持ち上がったような形式で、その部分から換気、採光が可能。良好な環境を内部にもたらす

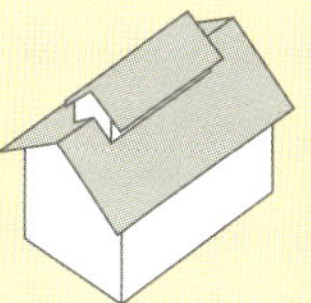

看板

表から見ると陸屋根に見えるが、後ろには切妻ないし寄棟が隠されている。都市部で外観だけを陸屋根に見せたい場合などに用いられる

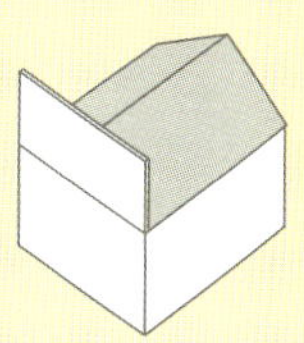

コートハウス

内部に庭があるのが特徴。雨水が外側に落ちるように屋根を架けるのが基本である

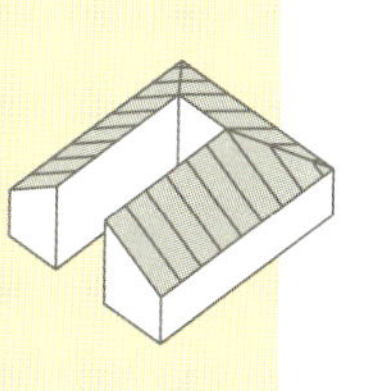

最もくわしい屋根・小屋組の図鑑 改訂版

目次

CONTENTS

1章

切妻

最もシンプルな屋根形状である切妻。
棟の角度を変える、左右の葺き長さを変えるなど
簡単な操作によってアレンジが可能である。
ここでは一工夫加えた切妻で
さまざまな建築的な問題を解決した事例を紹介する

切妻の基本

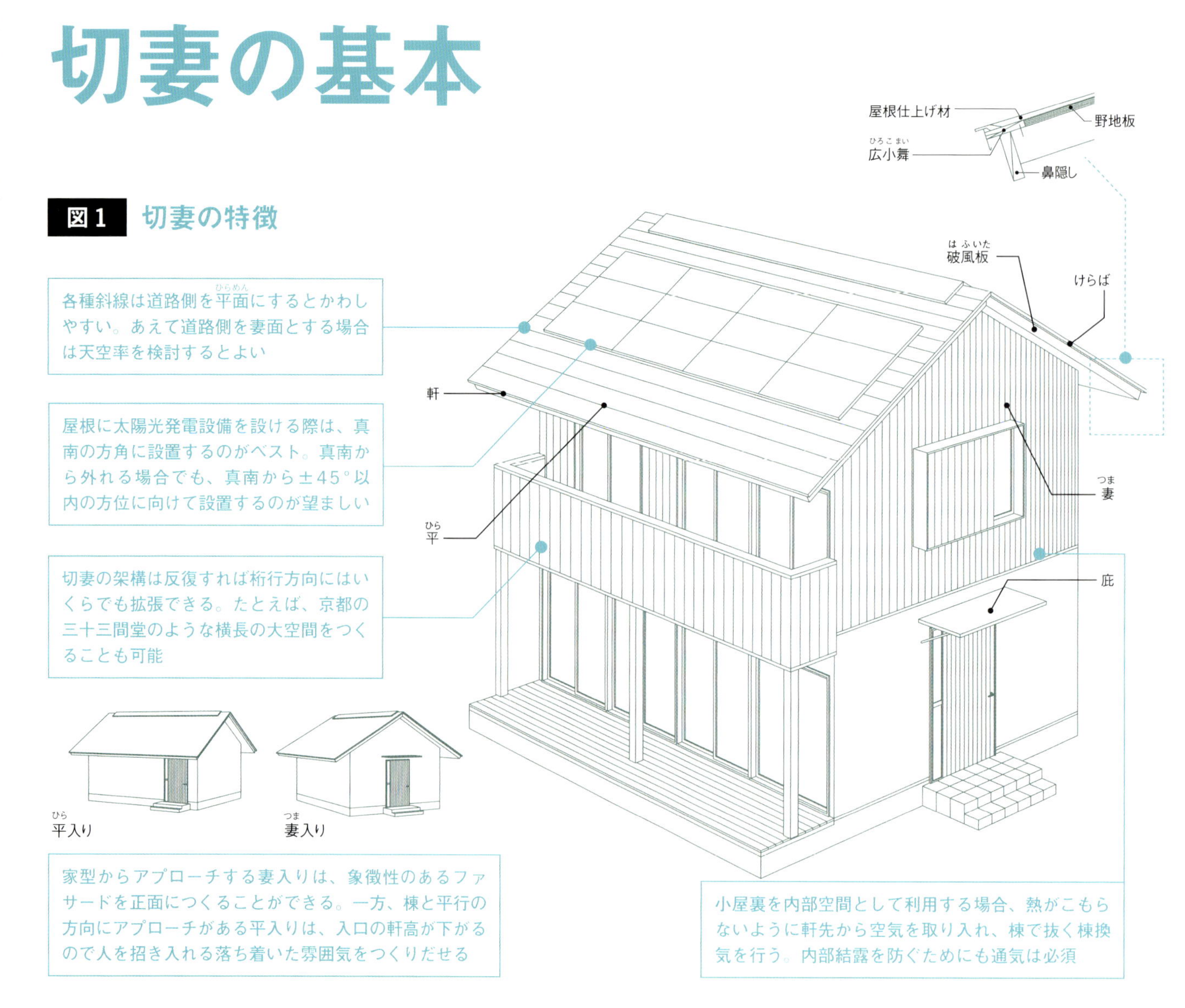
図1 切妻の特徴
各種斜線は道路側を平面（ひらめん）にするとかわしやすい。あえて道路側を妻面とする場合は天空率を検討するとよい
屋根に太陽光発電設備を設ける際は、真南の方角に設置するのがベスト。真南から外れる場合でも、真南から±45°以内の方位に向けて設置するのが望ましい
切妻の架構は反復すれば桁行方向にはいくらでも拡張できる。たとえば、京都の三十三間堂のような横長の大空間をつくることも可能
屋根仕上げ材
野地板
広小舞（ひろこまい）
鼻隠し
破風板（はふいた）
けらば
軒
平（ひら）
妻（つま）
庇
平入り（ひらいり）
妻入り（つまいり）
家型からアプローチする妻入りは、象徴性のあるファサードを正面につくることができる。一方、棟と平行の方向にアプローチがある平入りは、入口の軒高が下がるので人を招き入れる落ち着いた雰囲気をつくりだせる
小屋裏を内部空間として利用する場合、熱がこもらないように軒先から空気を取り入れ、棟で抜く棟換気を行う。内部結露を防ぐためにも通気は必須

シンプルな切妻は雨仕舞いに優れ、斜線にも対応しやすい

切妻は、いわゆる「家型」の単純な屋根で、雨や雪に強く、世界中の住宅で見られる形状である。片流れに比べ、急勾配でも建物の高さを低く抑えられるため、外観に安定感が生まれる。

切妻を美しく見せるには、①軒を十分に出し、②軒をできるだけ下げ、③桁行を長くする――がポイントとなる。また、「平入り」とするか「妻入り」とするかによっても、外観の印象は大きく変わる［図1］。

ただし、切妻の配置方向は、デザインの観点のみでは決定できないケースもある。たとえば、屋根の上に太陽光発電設備を設置する場合は、平面［※1］を真南とする必要があり、勾配も設置する地域の日射角度に合せないと効率が悪くなる。あるいは道路斜線［※2］をかわす場合には、屋根の勾配を斜線なりに調整できるよう、道路に対して平面を配置する。

標準的な切妻はシンプルな家型の形状だが、これを変形させることでさまざまな状況に対応できる［図2-A～I］。たとえば、「軒の出を深くするほど内部への採光が難しくなる」という切妻の弱点を克服する方法として、2枚の屋根の高さをずらした「差し掛け屋根」がある［図2-A］。生じた段差の壁面にハイサイドライトを設ければ、通風・採光を確保できる。また屋根の上にもう1つの小さな屋根を載せた「越屋根」も、同様の効果が得られる伝統的な手法だ［図2-I］。

斜線をかわす方法としては、葺き長さが非対称な「招き屋根」［図2-B］が一般的である。また、敷地の東境界線または西境界線の角度が振れていて、2方向から北側斜線［※3］や高度斜線［※4］がかかる場合には、頂部をカットして台形の屋根にする方法もある［図2-H］。

近年、小屋裏の天井を省略して、登り梁などの構造部材を露す設計も多く見られる。単純な形態である切妻は木造との相性がよく、美しい架構を組むことも容易なので、形態と架構の両面を吟味して設計したい［図3］。

［飯塚豊］

※1 棟と直角の側面を妻面、棟と平行の側面を平面という｜※2 道路からの斜線により建築物の高さを制限するもの。斜線勾配は用途地域によって決まり、住居系地域では1.25もしくは1.5｜※3 北側隣地の日照を確保するための斜線制限。第1種、第2種低層住居専用地域、第1種、第2種低層住居専用地域が対象で、斜線勾配は1.25。起点となる高さは地盤面から5mもしくは10m｜※4 都市計画法第8条に規定される「地域地区」の1つである高度地区にかかる斜線。建物の高さの最高限度または最低限度を定める

図2 切妻屋根の応用パターン

A ［差し掛け屋根にする］

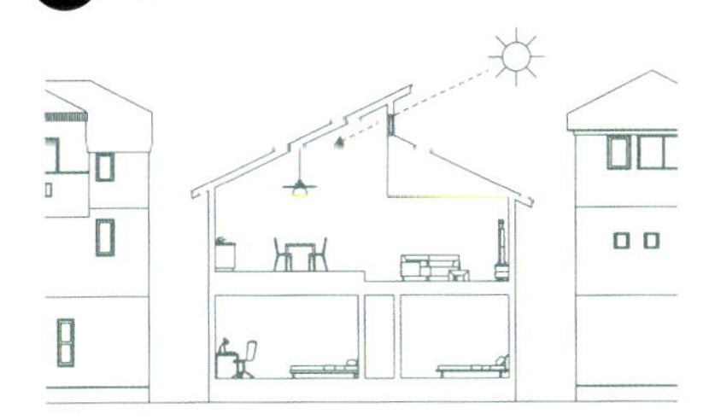

左右で棟をずらす差し掛け屋根で、ハイサイドライトを設ける。トップライトに頼らず、屋根面に沿って光をうまく導入できる

B ［招き屋根にする］

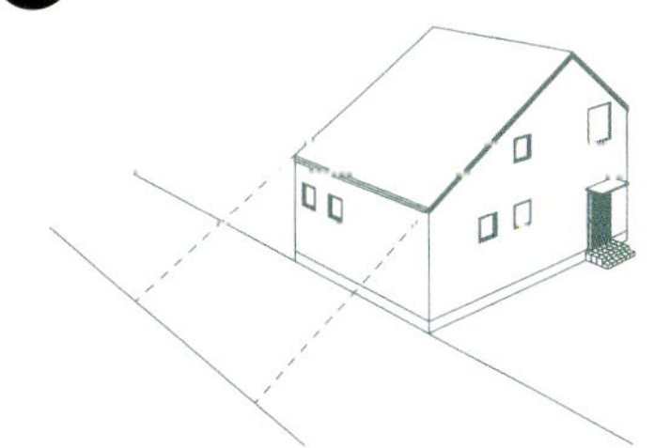

葺き長さが非対称な招き屋根や、途中で勾配が変わる屋根で斜線をかわす。斜線のぎりぎりまで建築できるため、最大限の気積を得ることができる

C ［連棟にする］

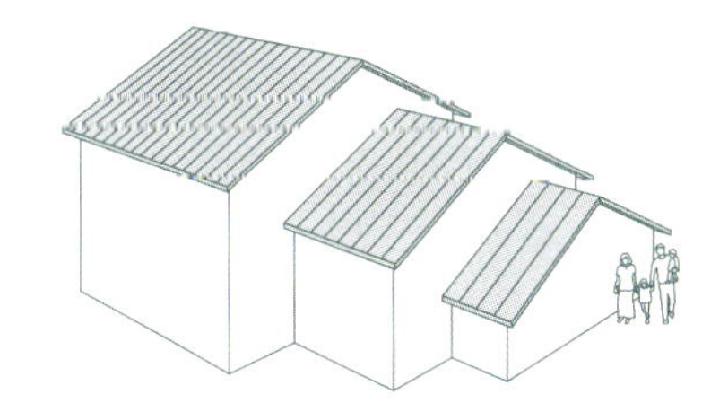

複数の切妻のボリュームを連ねるように配置。1枚の大きな屋根を架けるよりも、軒高を低く抑えることができる。建物の存在感を抑えたい場合にも有効

D ［軒の出をなくす］

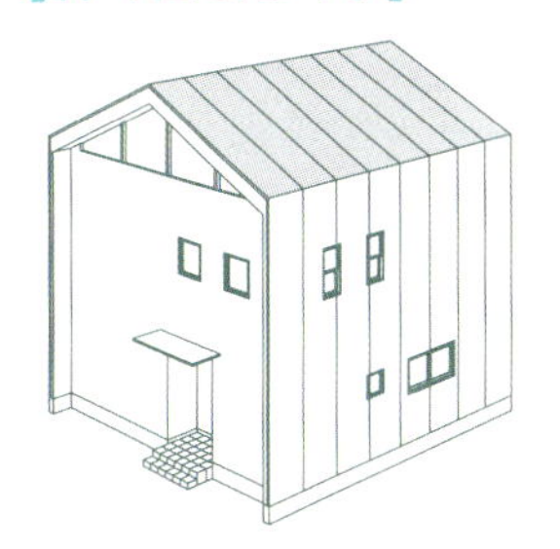

軒をまったく出さない切妻で斜線をうまくかわす。外壁と屋根の仕上げをそろえれば、統一感のある意匠に見せることができる

E ［屋根片側を延長する］

片側の軒を水平に近い緩勾配にして延長し、縁側空間をつくる。外部空間を取り入れて、内外の中間領域に豊かな表情をつくることができる

F ［下屋を設けて斜線をかわす］

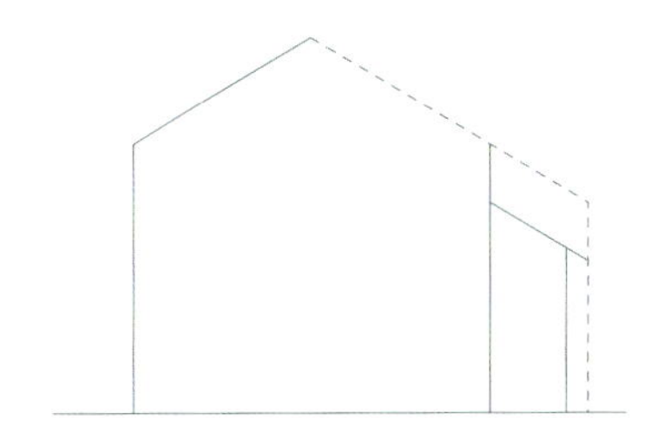

切妻の左右対称性を変えずに、下屋を設けて斜線をかわす。母屋と下屋で内部の天井高に変化をつけることができる

G ［対角線に屋根を架ける］

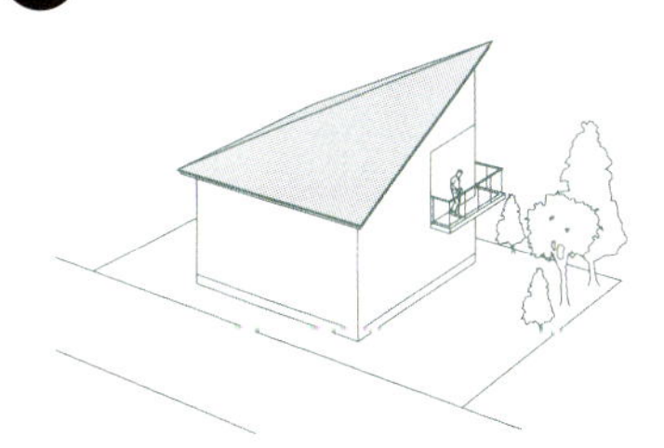

平面の対角線方向に架けた棟から左右に葺き下ろした切妻。屋根を傾ければ、コーナーに大きな開口部をつくることができる

H ［台形の屋根にする］

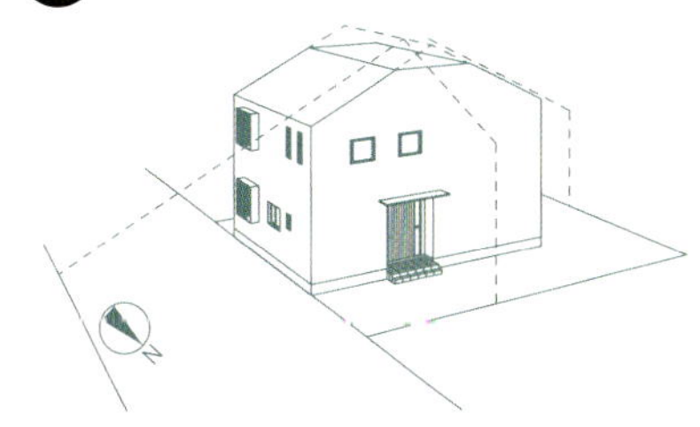

切妻の頂部を切り取った台形の屋根。切妻のもつファサードの象徴性をやわらげることができるほか、多方向からの斜線をかわすことができる

I ［越屋根にする］

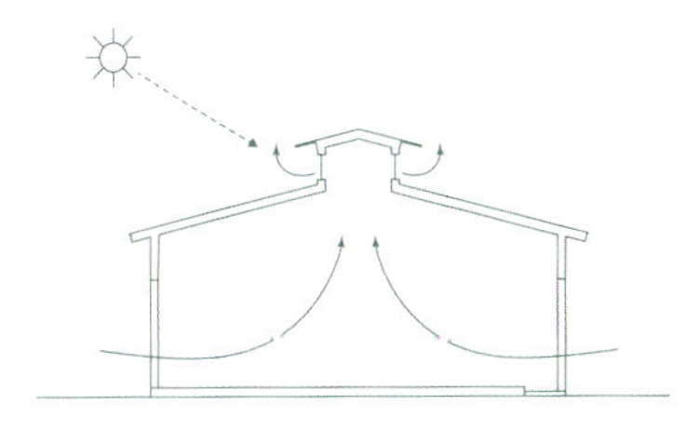

棟の上部に小屋を設ける越屋根で、採光と通気を得る。伝統的な方法であり、室内の温熱環境を快適に保つことができる

図3 和小屋か登り梁か

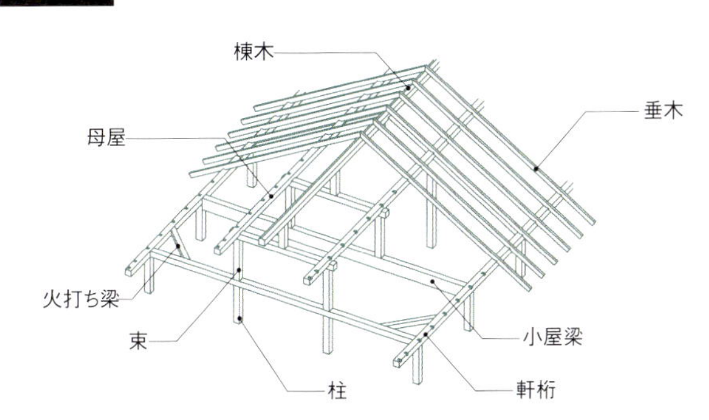
棟木
母屋
垂木
火打ち梁
束
柱
小屋梁
軒桁

桁や梁などの上に束と母屋で小屋下地をつくる形式。小屋梁と火打ち梁などで水平剛性をとる。梁の長さと強度によって得られる空間の大きさが決まる

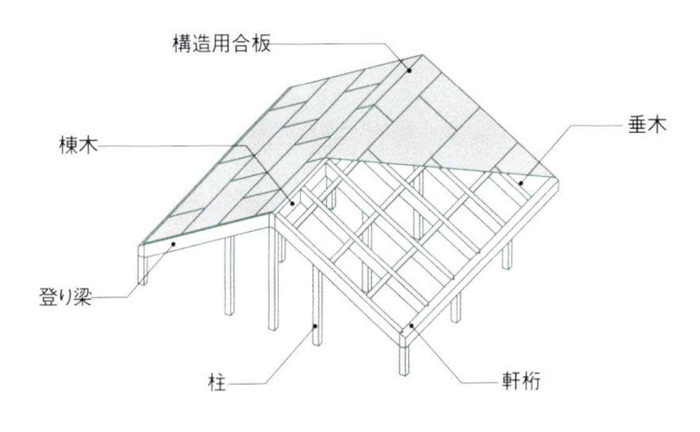
構造用合板
棟木
垂木
登り梁
柱
軒桁

屋根勾配なりに登り梁を架け、水平垂木、または母屋の上に垂木を流して小屋組とする構造。登り梁の断面積を大きくすれば、かなり大きな空間をつくることが可能

母屋下がりで道路斜線をかわす

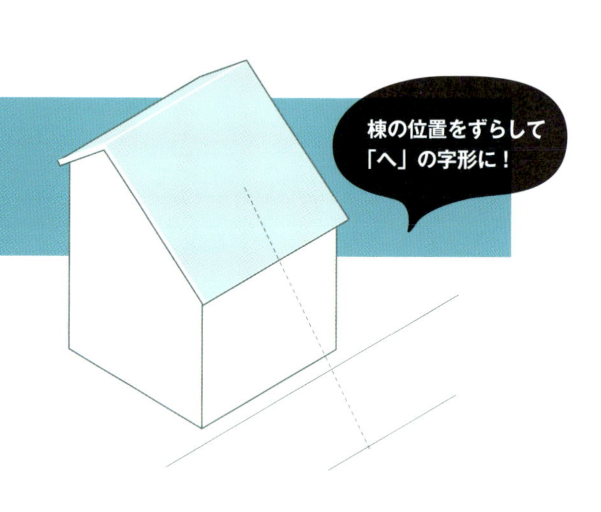
棟の位置をずらして
「へ」の字形に！

切妻の平面に斜線制限がかかる場合、本事例のように切妻を「へ」の字形に変形させる「母屋下がり」の手法が有効だ。屋根頂部（棟）の位置を中心からずらすことで、軒高を必要以上に下げることなく気積を確保できる。

ただし、屋根なりの勾配天井とする場合、棟の位置がずれる分、どうしても天井高が確保できない部分が出てくるなど、プランへの影響が生じる点には注意したい。本事例のように、一部を吹抜けとしたり、納戸を設けたりするなどの工夫が必要となる［図1・2］。

［若原一貴］

図1 北側を母屋下がりとした「へ」の字形の屋根 断面図［S＝1：120］

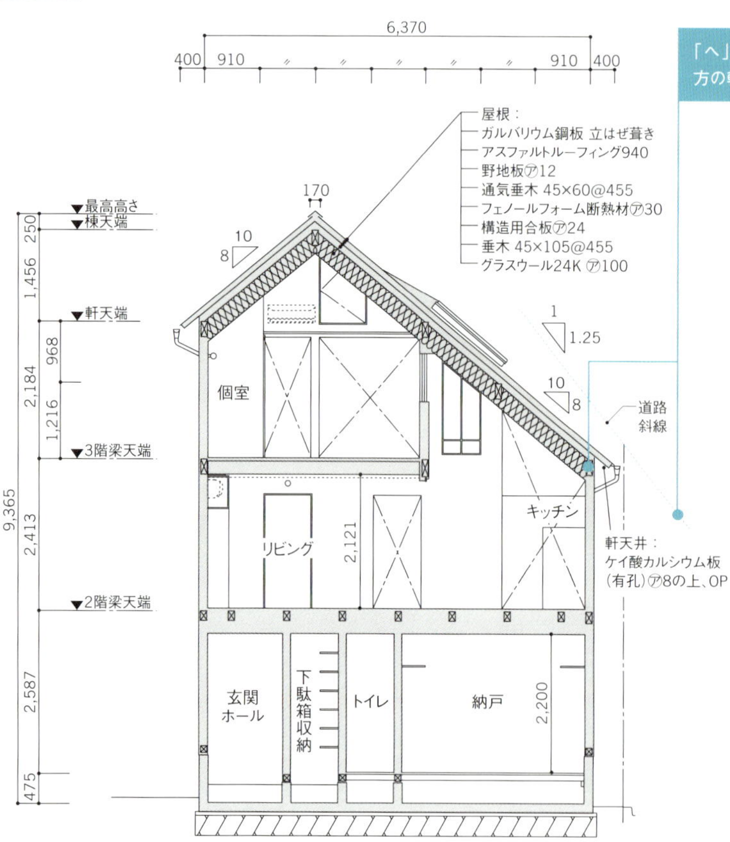
6,370
400
910
910
400
屋根：
ガルバリウム鋼板 立はぜ葺き
アスファルトルーフィング940
野地板㋐12
通気垂木 45×60@455
フェノールフォーム断熱材㋐30
構造用合板㋐24
垂木 45×105@455
グラスウール24K ㋐100
170
10
8
1
1.25
10
8
道路斜線
最高高さ
棟天端
軒天端
3階梁天端
2階梁天端
250
1,456
2,184
968
1,216
9,365
2,413
2,587
475
個室
リビング
2,121
キッチン
軒天井：
ケイ酸カルシウム板
(有孔)㋐8の上、OP
玄関ホール
下駄箱収納
トイレ
納戸
2,200

「へ」の字形の屋根として道路斜線をかわしたことで、片方の軒桁がもう一方の軒桁よりも下がった「母屋下がり」の状態となっている

建物外観。棟の位置をずらすことで屋根を変形させて道路斜線をかわしている

図2 母屋下がりの影響範囲 3階平面図［S＝1：200］｜小屋伏図［S＝1：200］

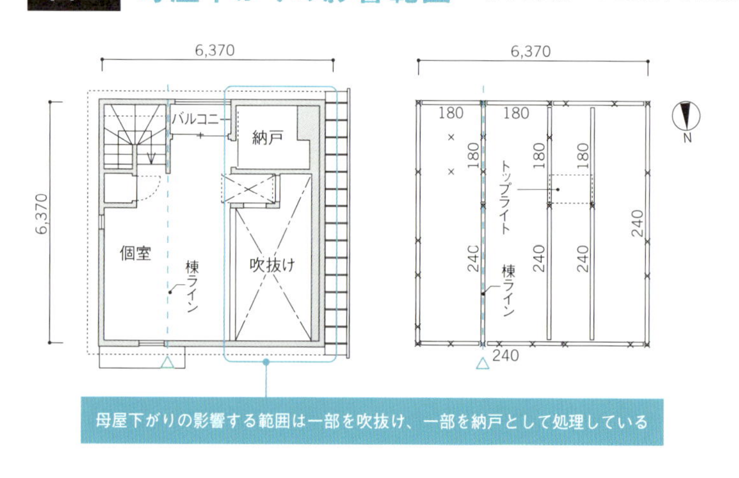
6,370
6,370
バルコニー
納戸
個室
棟ライン
吹抜け
180
180
180
180
180
トップライト
240
240
240
240
240
棟ライン
N
母屋下がりの影響する範囲は一部を吹抜け、一部を納戸として処理している

3階個室からバルコニーを見る。棟木直下のシンメトリーな切妻型の形状としつつ、開口部越しに吹抜けにつながるように計画した

『椎名町の住まい』（設計：若原アトリエ／写真：中村絵写真事務所）

折れ屋根で 高度斜線をかわす

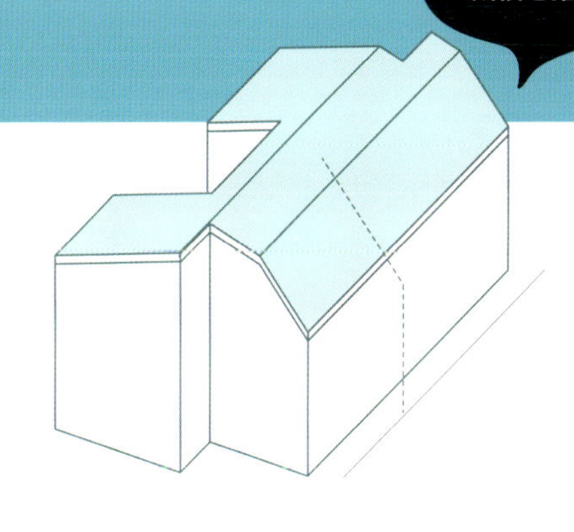
斜線をかわしつつ
気積を確保！

斜線をかわすには、単純な斜線なりの母屋下がりだけでなく、「折れ屋根」とする方法もある。

本事例では、建築主の希望で半地下の空間に趣味室を設けている。半地下で底上げした分、建物が高くなり、より厳しい高度斜線［10頁］がかかった。

そこで、北側の半間を母屋下がりとして高度斜線内の高さに納め、さらに軒を出さない納まりとすることで気積を最大限に稼いでいる［図1］。北側の屋根は途中で勾配が変化する折れ屋根とし、屋根頂点の高さを抑えている。［杉浦充］

図1 高度斜線を折れ屋根でかわす 断面図［S＝1:100］

上：建物外観。棟の位置をずらすことで屋根を変形させて高度斜線をかわしている｜下：地下の趣味室。上部のハイサイドライトから光が差す

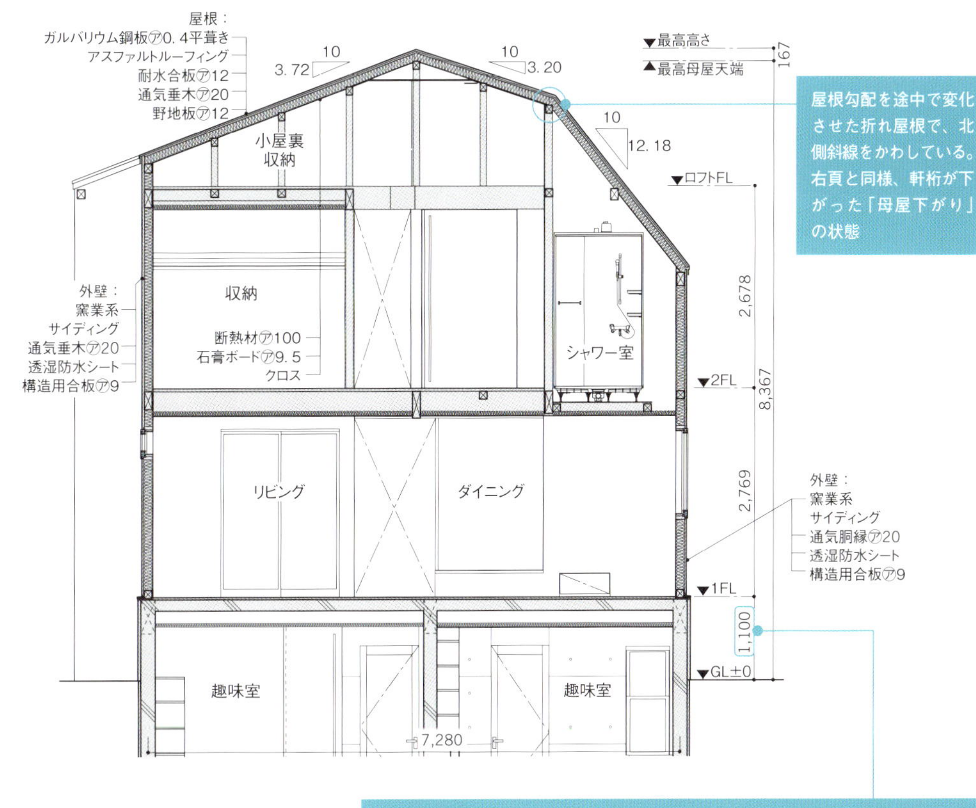
屋根：
ガルバリウム鋼板㋐0.4平葺き
アスファルトルーフィング
耐水合板㋐12
通気垂木㋐20
野地板㋐12
10
3.72
10
3.20
最高高さ
最高母屋天端
167
10
12.18
小屋裏
収納
ロフトFL
収納
断熱材㋐100
石膏ボード㋐9.5
クロス
シャワー室
外壁：
窯業系
サイディング
通気垂木㋐20
透湿防水シート
構造用合板㋐9
2,678
2FL
8,367
リビング
ダイニング
2,769
外壁：
窯業系
サイディング
通気胴縁㋐20
透湿防水シート
構造用合板㋐9
1FL
1,100
GL±0
趣味室
趣味室
7,280
屋根勾配を途中で変化させた折れ屋根で、北側斜線をかわしている。右頁と同様、軒桁が下がった「母屋下がり」の状態
ドライエリアを設けず、地下室上部を地上に残したことで、ハイサイドライトからの採光・通風を確保。加えて、擁壁が不要なのでコストの低減にもつながっている

図2 母屋下がりの影響範囲 2階平面図［S＝1:200］

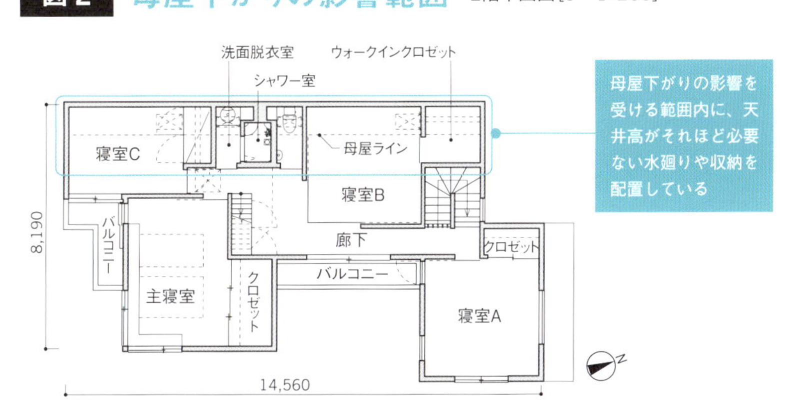
洗面脱衣室
ウォークインクロゼット
シャワー室
寝室C
母屋ライン
寝室B
バルコニー
廊下
クロゼット
バルコニー
主寝室
クロゼット
寝室A
8,190
14,560
母屋下がりの影響を受ける範囲内に、天井高がそれほど必要ない水廻りや収納を配置している

左：母屋下がりで天井が低くなった部分に配置したトイレ。母屋は天井内に隠れる｜右：2階寝室C。小屋梁や母屋、火打ち梁は隠さずあえて露しとした

切妻の片側を延長して軒下をつくる

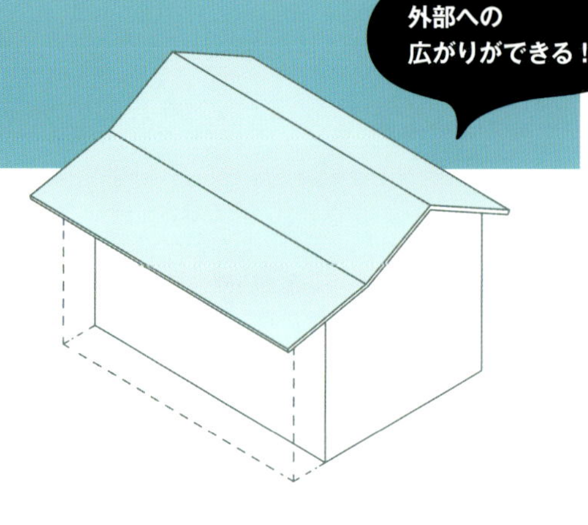
外部への
広がりができる!

大きな軒下空間を設けたい場合、本事例のように切妻屋根の片側を緩勾配にして延長し、折れ屋根として庇の役割をもたせるという方法がある。下屋とは異なり、外壁との取合いが生じないため雨仕舞いは有利だ。外観上も、寺社建築のような陰影のある印象的な立面をつくれるメリットがある[図1]。

内部の天井は構造材をすべて露しとしている。細かいピッチでルーバーのように並ぶ露しの垂木がリズムを刻み、居場所によってさまざまな表情を楽しめる[図2]。

［飯塚豊］

図1 切妻を変形させる 断面図[S=1:60]

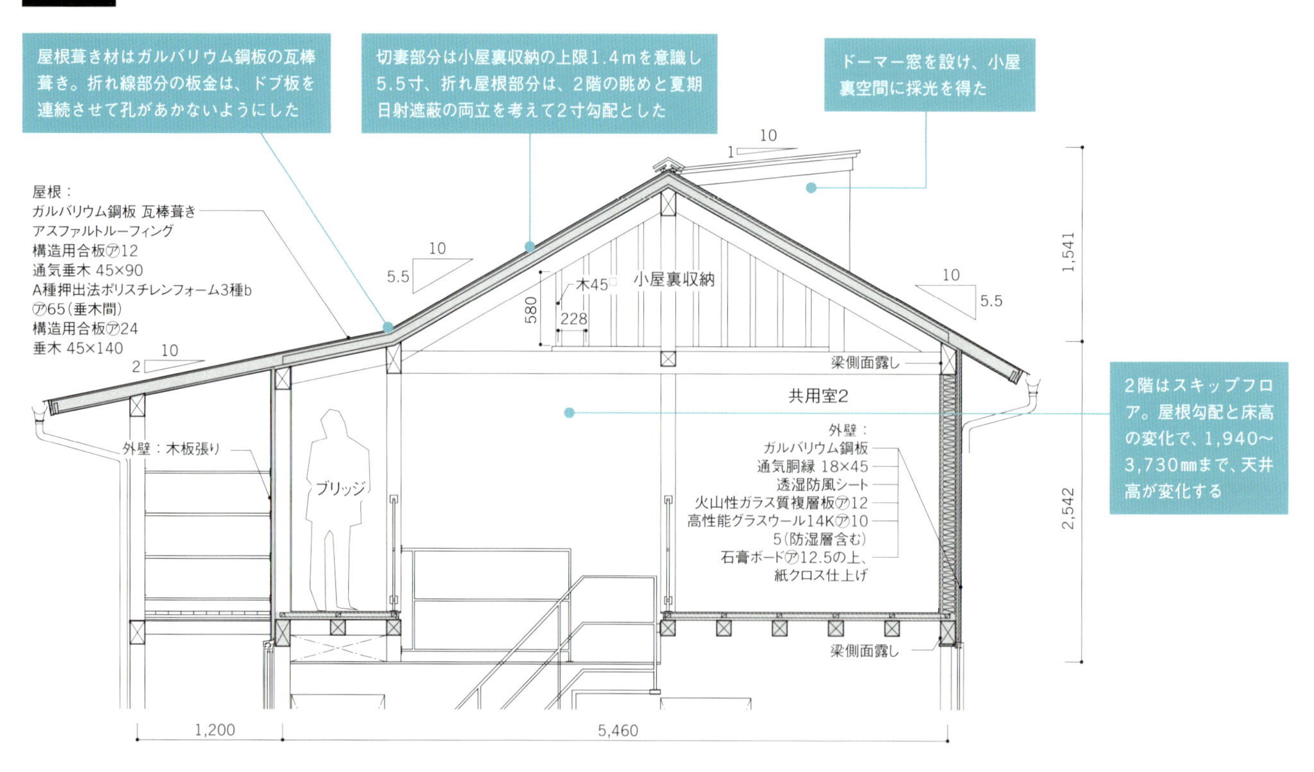
屋根葺き材はガルバリウム鋼板の瓦棒葺き。折れ線部分の板金は、ドブ板を連続させて孔があかないようにした
切妻部分は小屋裏収納の上限1.4mを意識し5.5寸、折れ屋根部分は、2階の眺めと夏期日射遮蔽の両立を考えて2寸勾配とした
ドーマー窓を設け、小屋裏空間に採光を得た
2階はスキップフロア。屋根勾配と床高の変化で、1,940～3,730㎜まで、天井高が変化する
屋根：
ガルバリウム鋼板 瓦棒葺き
アスファルトルーフィング
構造用合板㋐12
通気垂木 45×90
A種押出法ポリスチレンフォーム3種b
㋐65(垂木間)
構造用合板㋐24
垂木 45×140
小屋裏収納
木45
580
228
梁側面露し
共用室2
外壁：木板張り
ブリッジ
外壁：
ガルバリウム鋼板
通気胴縁 18×45
透湿防風シート
火山性ガラス質複層板㋐12
高性能グラスウール14K㋐105(防湿層含む)
石膏ボード㋐12.5の上、紙クロス仕上げ
梁側面露し
1,541
2,542
1,200
5,460
10
5.5
2
1

図2 垂木をルーバーのように見せる 小屋伏図[S=1:150]

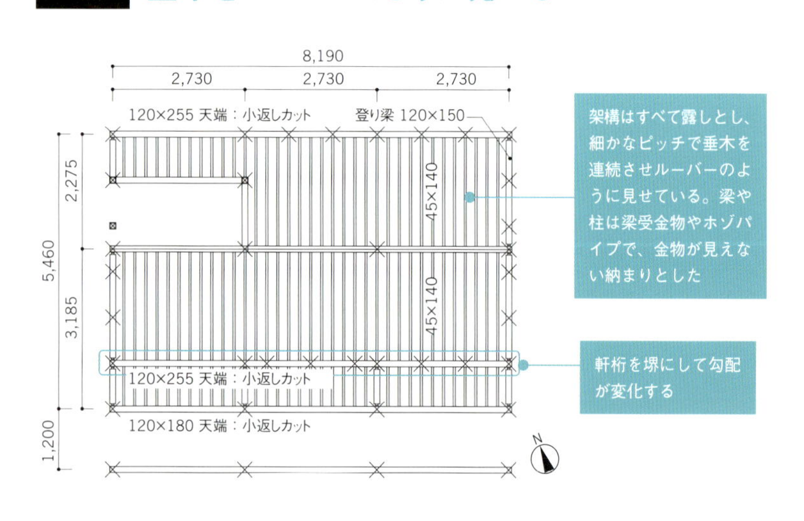
8,190
2,730
2,730
2,730
120×255 天端：小返しカット
登り梁 120×150
45×140
45×140
120×255 天端：小返しカット
120×180 天端：小返しカット
2,275
5,460
3,185
1,200
架構はすべて露しとし、細かなピッチで垂木を連続させルーバーのように見せている。梁や柱は梁受金物やホゾパイプで、金物が見えない納まりとした
軒桁を堺にして勾配が変化する
N

上：リビングからデッキを見る。内外とも、吹き抜けで屋根の高さを強調している｜下：外壁は愛知県常滑旧市街でよく見られる、黒い波板や焼スギを採用

『常滑N邸』(設計・写真：i＋i設計事務所)

左右対称の台形屋根で斜線をかわす

安定した形状を保ちつつ、斜線をかわせる!

複数の方向から斜線制限がかかる場合、一方の斜線をぎりぎりでかわしたとしても、ほかの斜線制限によって屋根頂部付近が削られることも少なくない。

本事例は、3方向からの道路斜線に加え、建物が真北からやや振れているため、高度地区の斜線も2方向からかかる。そこで切妻の上部を水平にカットした台形の屋根とすることで、左右対称で安定感のある形状とし、すべての斜線をかわしている［図1］。内部の天井は屋根なりとしたが、一部が水平になり、落着きのある空間となった［図2］。

［飯塚豊］

図1 安定したプロポーションで斜線をかわす 断面図［S＝1:100］

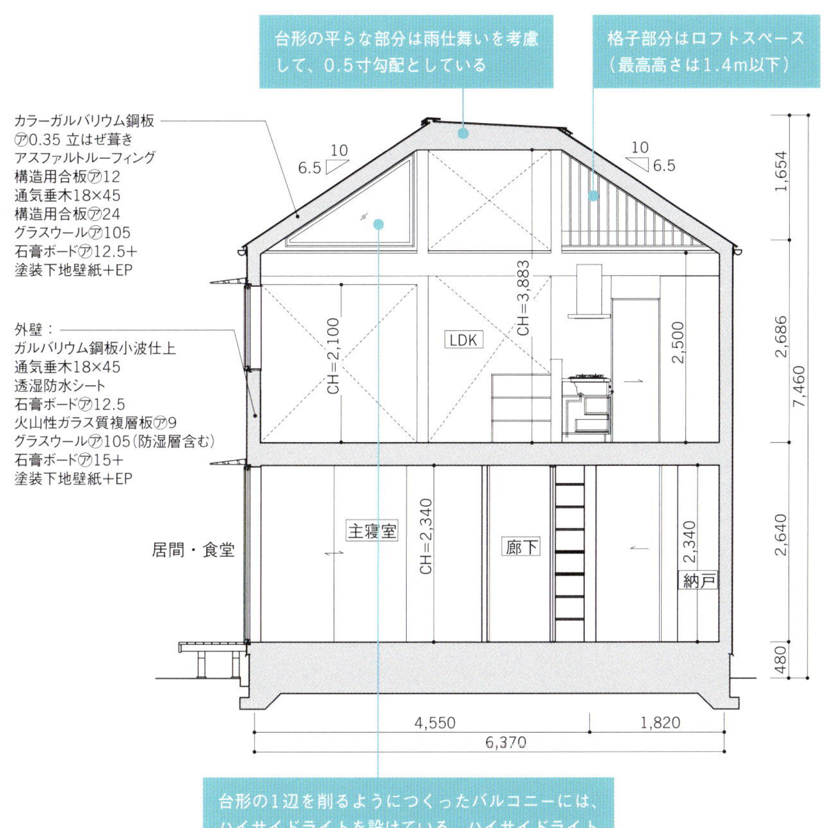
台形の平らな部分は雨仕舞いを考慮して、0.5寸勾配としている
格子部分はロフトスペース（最高高さは1.4m以下）
カラーガルバリウム鋼板
㋐0.35 立はぜ葺き
アスファルトルーフィング
構造用合板㋐12
通気垂木18×45
構造用合板㋐24
グラスウール㋐105
石膏ボード㋐12.5+
塗装下地壁紙+EP
外壁：
ガルバリウム鋼板小波仕上
通気垂木18×45
透湿防水シート
石膏ボード㋐12.5
火山性ガラス質複層板㋐9
グラスウール㋐105（防湿層含む）
石膏ボード㋐15+
塗装下地壁紙+EP
10
6.5
10
6.5
LDK
CH=2,100
CH=3,883
2,500
居間・食堂
主寝室
CH=2,340
廊下
2,340
納戸
1,654
2,686
7,460
2,640
480
4,550
1,820
6,370

台形の1辺を削るようにつくったバルコニーには、ハイサイドライトを設けている。ハイサイドライトから得た光は階段室を介して階下へ届く

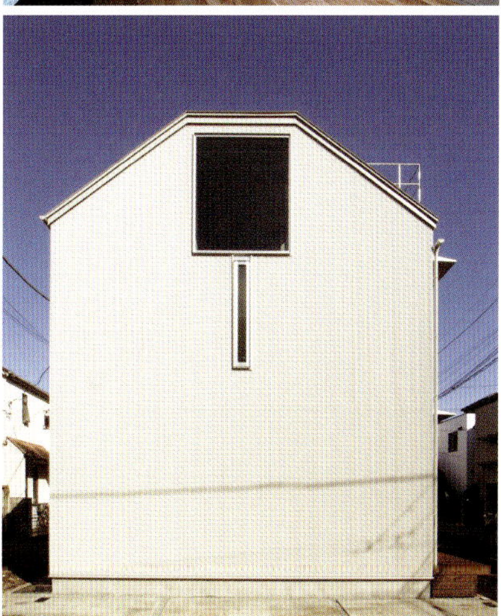

上：水平な天井に沿ってハイサイドライトの光が入るため、居室全体が明るくなる｜下：外観。屋根頂部の大窓をアクセントとして個性的な外観に仕上げた

図2 小屋梁を設けて柱を減らす 小屋伏図［S＝1:200］

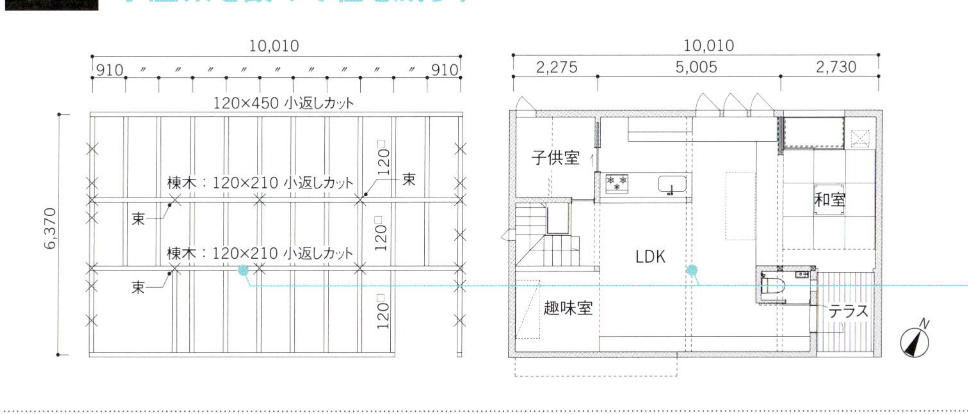
10,010
910
910
120×450 小返しカット
棟木：120×210 小返しカット
棟木：120×210 小返しカット
束
束
束
120□
120□
120□
6,370
10,010
2,275
5,005
2,730
子供室
和室
LDK
趣味室
テラス
N

台形断面の屋根なので、2つの棟木を支持する柱が必要となる。しかし、間取り上、柱を立てたくない個所があったため、棟木と直交するように小屋梁を3本架け、その上部に2本の束を立てて柱を省略した

招き屋根でボリュームを調整する

内部ボリュームを
考慮して屋根を
決める！

切妻は、棟の位置を中心からずらした招き屋根とすることで、内部の気積を調整できる。本事例は、リビングと玄関の間の棟を玄関側にずらし、屋根なりの勾配天井をもつ大きなリビングをつくっている。天井高は隣接する公園を借景にした開口部に向けて低くし、視界をしぼっていくイメージとした［図1～3］。

招き屋根の南東側は、車庫に大きな開口部を設けるためマンサード［※］とした［図3］。中2階の洋室部分にはドーマーを設けて、天井高と採光を確保している［図4］。

［三澤文子］

図1 空間イメージから架構を描いた 小屋伏図［S＝1:150］

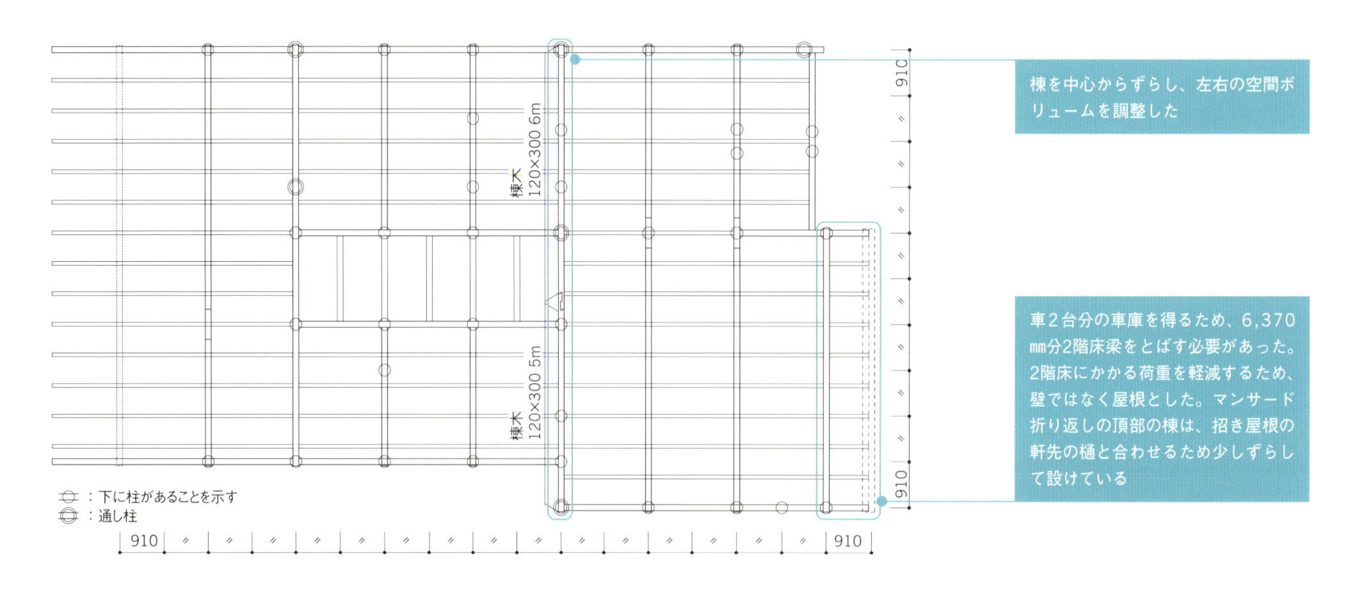
棟木 120×300 6m
棟木 120×300 5m
910
910
910
910
：下に柱があることを示す
：通し柱
棟を中心からずらし、左右の空間ボリュームを調整した
車2台分の車庫を得るため、6,370㎜分2階床梁をとばす必要があった。2階床にかかる荷重を軽減するため、壁ではなく屋根とした。マンサード折り返しの頂部の棟は、招き屋根の軒先の樋と合わせるため少しずらして設けている

図2 架構に間取りを当てはめる 平面図［S＝1:400］

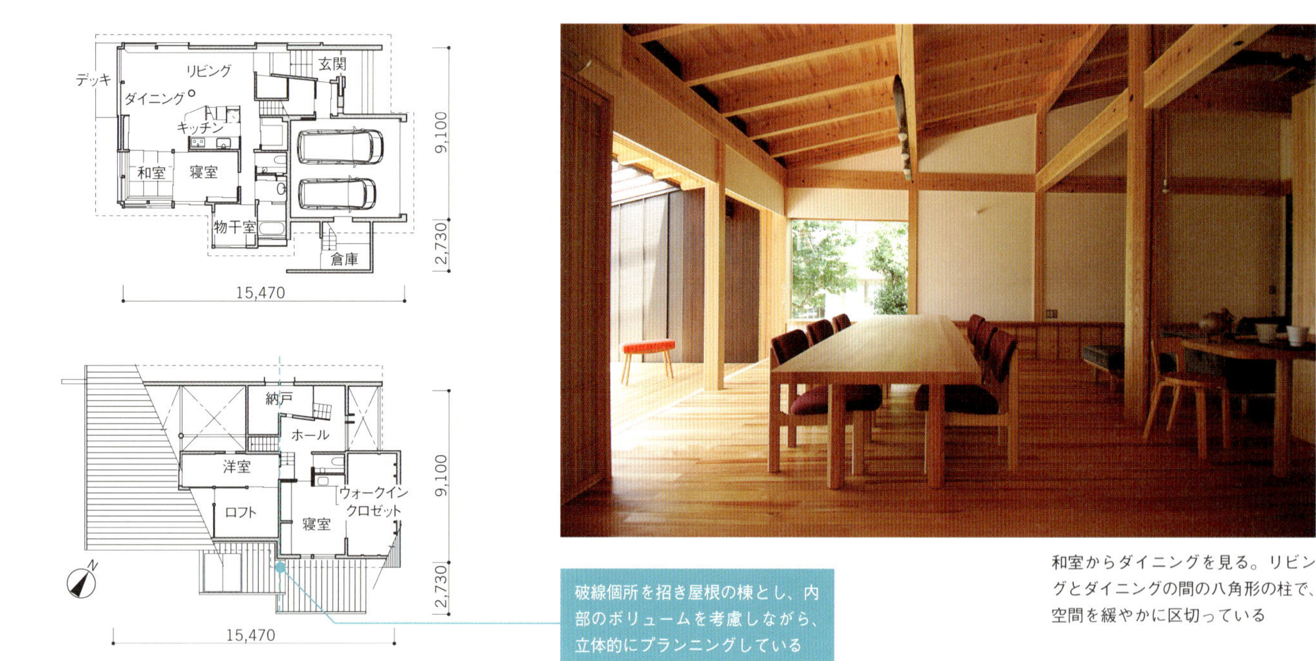
デッキ
リビング
ダイニング
玄関
キッチン
和室
寝室
物干室
倉庫
9,100
2,730
15,470
納戸
ホール
洋室
ロフト
寝室
ウォークイン
クロゼット
9,100
2,730
15,470
N
破線個所を招き屋根の棟とし、内部のボリュームを考慮しながら、立体的にプランニングしている

和室からダイニングを見る。リビングとダイニングの間の八角形の柱で、空間を緩やかに区切っている

※ 切妻屋根の屋根勾配を左右で変え、かつ屋根の途中でも勾配を変えた屋根

図3 招き屋根にマンサードを合わせた屋根 断面図[S＝1:150]

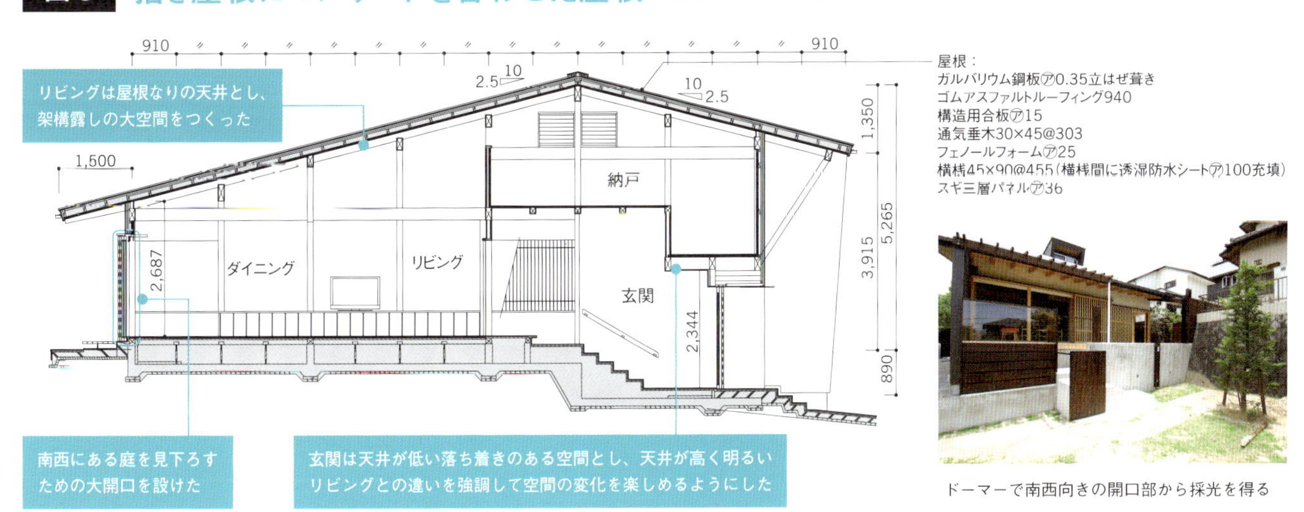

910
910
2.5
10
10
2.5
1,500
1,350
5,265
3,915
890
2,687
2,344
納戸
ダイニング
リビング
玄関
リビングは屋根なりの天井とし、架構露しの大空間をつくった
南西にある庭を見下ろすための大開口を設けた
玄関は天井が低い落ち着きのある空間とし、天井が高く明るいリビングとの違いを強調して空間の変化を楽しめるようにした
屋根：
ガルバリウム鋼板⑦0.35立はぜ葺き
ゴムアスファルトルーフィング940
構造用合板⑦15
通気垂木30×45@303
フェノールフォーム⑦25
横桟45×90@455（横桟間に透湿防水シート⑦100充填）
スギ三層パネル⑦36

ドーマーで南西向きの開口部から採光を得る

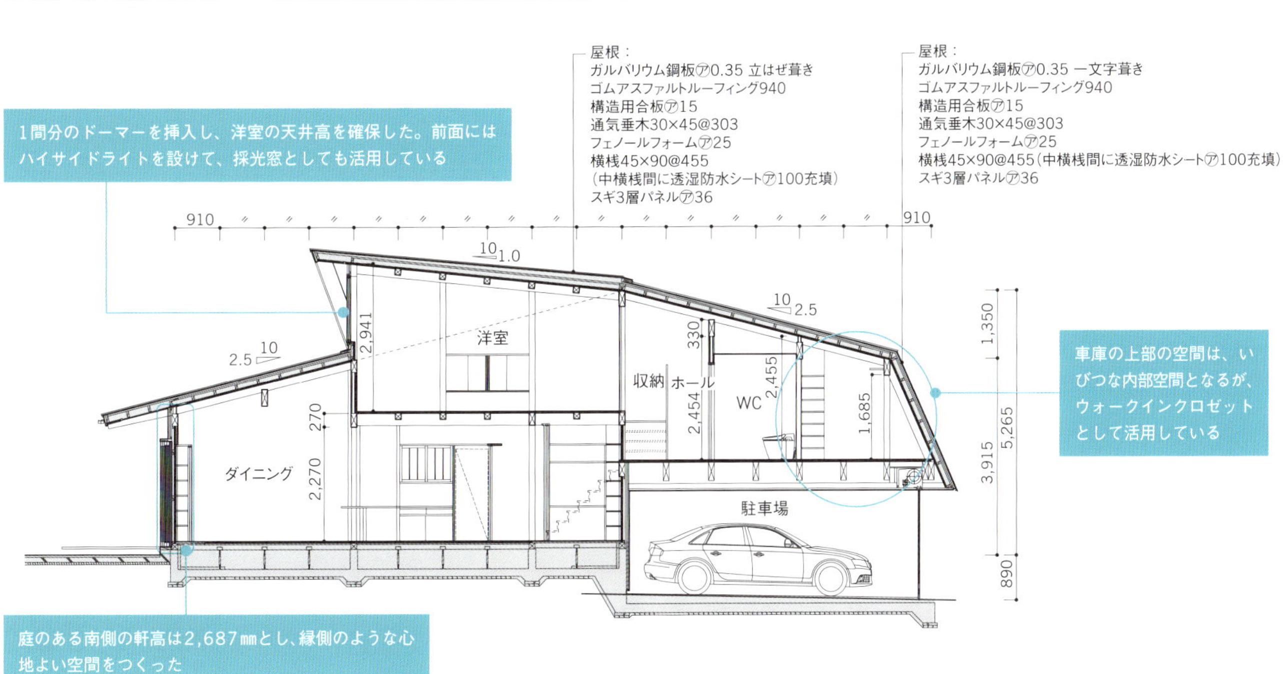

屋根：
ガルバリウム鋼板⑦0.35 立はぜ葺き
ゴムアスファルトルーフィング940
構造用合板⑦15
通気垂木30×45@303
フェノールフォーム⑦25
横桟45×90@455
（中横桟間に透湿防水シート⑦100充填）
スギ3層パネル⑦36
屋根：
ガルバリウム鋼板⑦0.35 一文字葺き
ゴムアスファルトルーフィング940
構造用合板⑦15
通気垂木30×45@303
フェノールフォーム⑦25
横桟45×90@455（中横桟間に透湿防水シート⑦100充填）
スギ3層パネル⑦36
1間分のドーマーを挿入し、洋室の天井高を確保した。前面にはハイサイドライトを設けて、採光窓としても活用している
910
910
10
1.0
10
2.5
2.5
10
2,941
330
2,455
2,454
1,685
270
2,270
1,350
5,265
3,915
890
洋室
収納
ホール
WC
ダイニング
駐車場
車庫の上部の空間は、いびつな内部空間となるが、ウォークインクロゼットとして活用している
庭のある南側の軒高は2,687㎜とし、縁側のような心地よい空間をつくった

図4 複数の屋根を架ける 屋根伏図[S＝1:400]

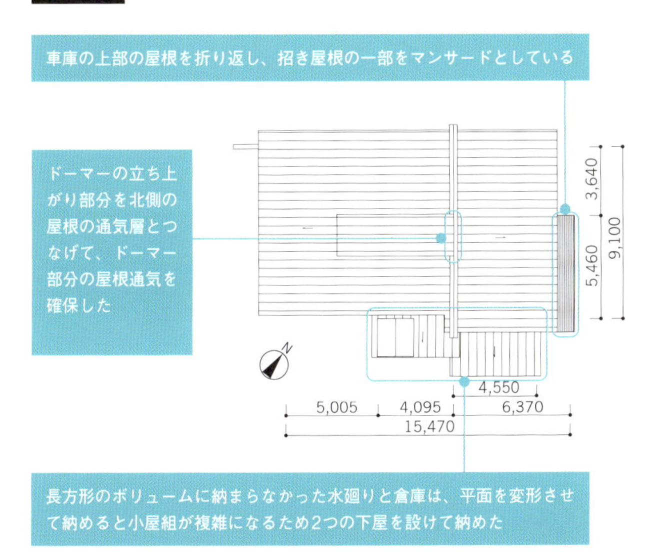

車庫の上部の屋根を折り返し、招き屋根の一部をマンサードとしている
ドーマーの立ち上がり部分を北側の屋根の通気層とつなげて、ドーマー部分の屋根通気を確保した
3,640
9,100
5,460
4,550
5,005
4,095
6,370
15,470
長方形のボリュームに納まらなかった水廻りと倉庫は、平面を変形させて納めると小屋組が複雑になるため2つの下屋を設けて納めた

外観。マンサードの屋根が折り返した部分は、道路側に平面が向くため、人を招き入れる雰囲気が演出された

屋根の高さをずらして採光を得る

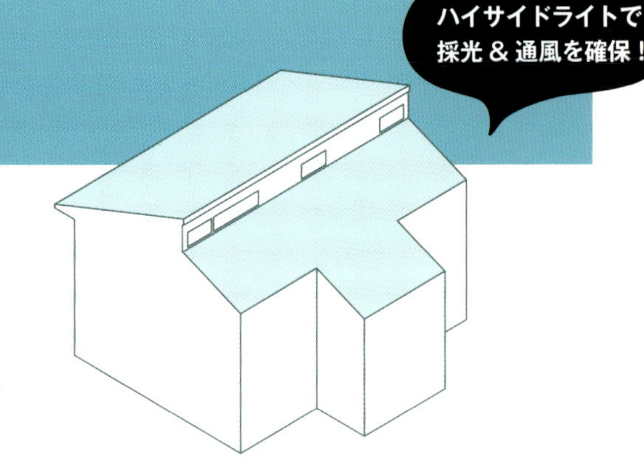
ハイサイドライトで採光＆通風を確保！

上階にリビングを配置する場合、単純な切妻屋根を架けると、部屋中央部が暗くなるという問題に直面する。こうしたケースでは、切妻屋根の片側を下げ、生じた壁面にハイサイドライトを設ける方法が効果的だ。通風・採光に加え、視線の抜けも確保できる[図1・2]。

事例の住宅では斜線制限のため2つの屋根を同じ勾配としているが、妻側をファサードとして見せる場合、片方を6寸勾配、もう片方を3寸勾配といったように、2：1の比率で勾配を変えるとメリハリのある外観になる。　[関本竜太]

図1 屋根の段差にハイサイドライトを設ける 断面図[S＝1:50]

ダイニング・キッチン側は登り梁を露した開放的な空間。野地板の上部には登り梁と同寸の垂木を直交方向に流し、その隙間に断熱材を施工した

屋根：
ガルバリウム鋼板㋐0.35立はぜ葺き
野地板㋐12
通気胴縁40×18
透湿防水シート
直交垂木38×184@455
断熱材㋐180

この区間力垂木38×184@606
1,500
1,045
455
鼻隠し：
ベイマツ㋐30の上、木材保護塗料
雪止めアングル
最高軒高
(400)
50
145
15
205
30
160
235
(192)
80
構造用合板㋐12
シナ合板㋐3
無塗装
登り梁（ディメンションランバー）
38×184@303
軒天井：
ケイ酸カルシウム板㋐6
目透かし張り EP
一部下地補強
断熱材㋐100
ブラインドボックス：
ベイマツ㋐15の上、木材保護塗料
ダイニング・キッチン
150
10
4
86
(192)
1,004
500
1,820
816
1,085
315
10
4

屋根：
ガルバリウム鋼板
㋐0.35立はぜ葺き
野地板㋐12
通気胴縁40×18
透湿防水シート
構造用合板㋐12
垂木45×105@455
リビング
断熱材㋐180

登り梁の先端は軒桁上部の構造用面戸でつないでいる。登り梁の転び止めとなるとともに、屋根の荷重を軒桁に伝えている

建物外観。段差部分には東向きのハイサイドライトが3つ設けられている

段差によって生じた壁面にハイサイドライトを設け、採光・通風を確保している

図2 勾配天井と平天井 小屋伏図[S＝1:150]

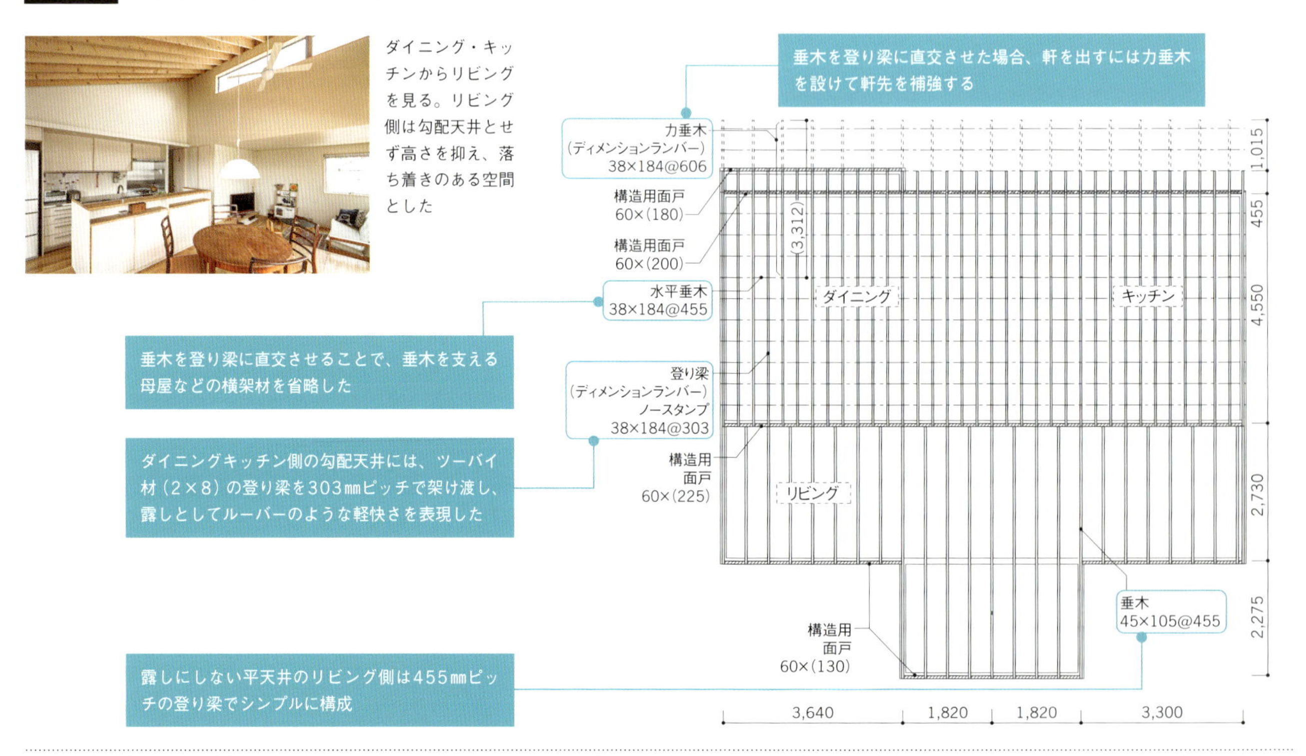
垂木を登り梁に直交させた場合、軒を出すには力垂木を設けて軒先を補強する
力垂木
（ディメンションランバー）
38×184@606
構造用面戸
60×(180)
構造用面戸
60×(200)
(3,312)
水平垂木
38×184@455
ダイニング
キッチン
垂木を登り梁に直交させることで、垂木を支える母屋などの横架材を省略した
登り梁
（ディメンションランバー）
ノースタンプ
38×184@303
ダイニングキッチン側の勾配天井には、ツーバイ材（2×8）の登り梁を303㎜ピッチで架け渡し、露しとしてルーバーのような軽快さを表現した
構造用
面戸
60×(225)
リビング
垂木
45×105@455
構造用
面戸
60×(130)
露しにしない平天井のリビング側は455㎜ピッチの登り梁でシンプルに構成
1,015
455
4,550
2,730
2,275
3,640
1,820
1,820
3,300

ダイニング・キッチンからリビングを見る。リビング側は勾配天井とせず高さを抑え、落ち着きのある空間とした

『湘南台の家』（設計：リオタデザイン／写真：バウハウスネオ 後関勝也）

合わせ梁で切妻屋根に段差を設ける

内部の柱は不要に！

切妻屋根で内部を屋根なりの勾配天井とする場合、小屋梁・束のない登り梁で空間を少しでも広く、高く見せたい。

本事例は、眼下に海が広がる崖地に建つ別荘。過酷な自然環境に耐えるよう、シンプルな3.5寸勾配の切妻屋根を架けた。架構には105㎜厚の登り梁を52.5㎜厚の2本の登り梁で挟み、ドリフトピンで固定した合わせ梁を採用した［図1］。これにより、中央に柱のない空間を実現した。合わせ梁で生じた段差部分にはハイサイドライトを設け、通風と採光している［図2］。 ［北野博宣］

図1 合わせ梁でつくる屋根 小屋伏図［S＝1:120］

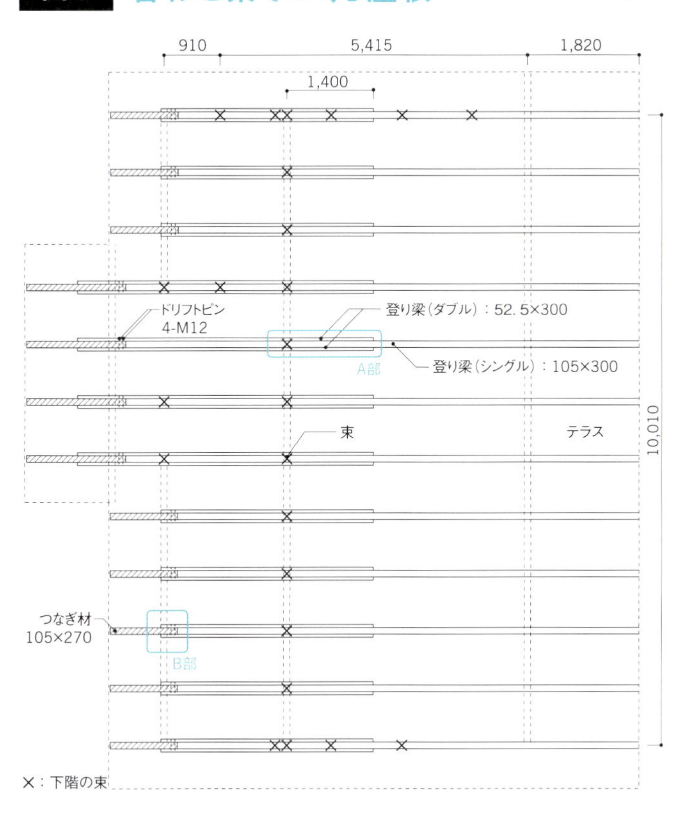

910
5,415
1,820
1,400
ドリフトピン
4-M12
登り梁（ダブル）：52.5×300
A部
登り梁（シングル）：105×300
束
テラス
10,010
つなぎ材
105×270
B部
×：下階の束

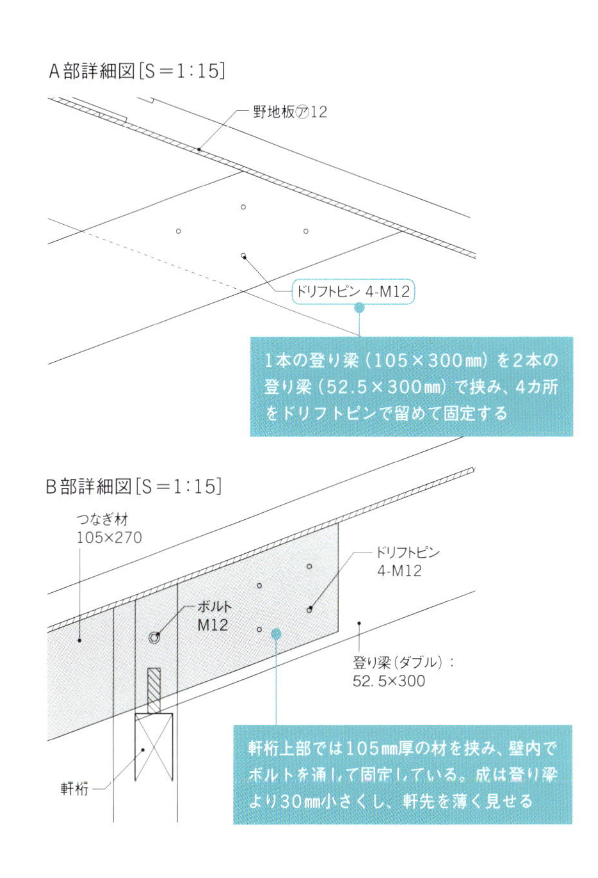

A部詳細図［S＝1:15］
野地板㋐12
ドリフトピン 4-M12
1本の登り梁（105×300㎜）を2本の登り梁（52.5×300㎜）で挟み、4カ所をドリフトピンで留めて固定する
B部詳細図［S＝1:15］
つなぎ材
105×270
ドリフトピン
4-M12
ボルト
M12
登り梁（ダブル）：
52.5×300
軒桁
軒桁上部では105㎜厚の材を挟み、壁内でボルトを通して固定している。成は登り梁より30㎜小さくし、軒先を薄く見せる

図2 段差にハイサイドライトを設ける 断面図［S＝1:120］

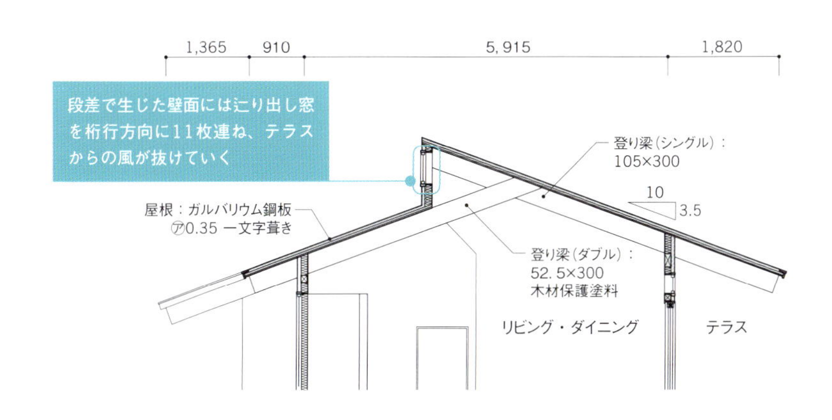

1,365
910
5,915
1,820
段差で生じた壁面には辷り出し窓を桁行方向に11枚連ね、テラスからの風が抜けていく
登り梁（シングル）：
105×300
10
3.5
屋根：ガルバリウム鋼板
㋐0.35 一文字葺き
登り梁（ダブル）：
52.5×300
木材保護塗料
リビング・ダイニング
テラス

テラスの大開口と小屋組のない架構で開放的なリビングが実現した。合わせ梁の段差部に加え、妻側にもハイサイドライトを設けたことで視線が四方に抜ける

『伊豆の家』（設計：北野博宣建築設計事務所／写真：小川重雄）

屏風(びょうぶ)形屋根で光を乱反射させる

壁も屋根も屏風型！

平面が不整形な建物では、屋根をどう架けるかが課題となる。

本事例は、屏風(びょうぶ)のように折れ曲がった外壁をもつ複雑な形状である［図1］。屋根もこれに呼応するように屏風形に折り曲げた［図2］。壁面に設けられたいくつもの開口部からさまざまな角度で光が差し込み、屏風形の屋根・外壁に乱反射して内部に複雑な光の陰影を映しだす。

屏風形としたことで屋根面中央付近には勾配の緩い「谷」が1本生じるため、雨仕舞いへの配慮は不可欠である。［赤坂真一郎］

図1 屏風型の複雑な外壁 2階平面図［S＝1:150］

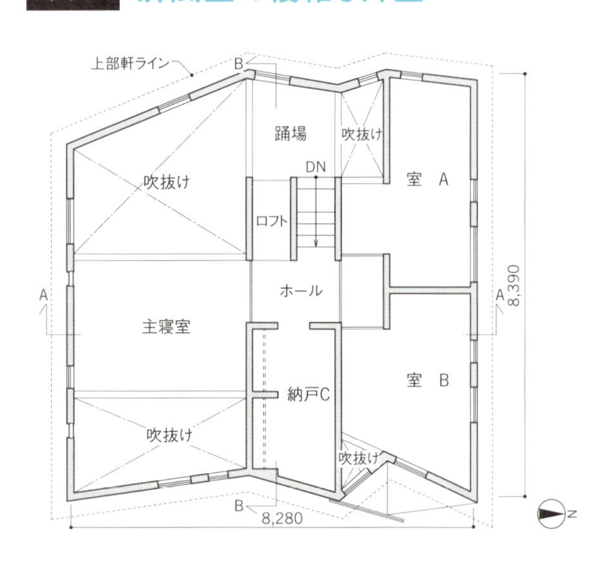

上部軒ライン
B
踊場
吹抜け
DN
室 A
吹抜け
ロフト
ホール
A
主寝室
8,390
納戸C
室 B
吹抜け
吹抜け
B
8,280

左：建物外観。豪雪地帯にあるが、周囲の樹木を残したいという建築主の要望から、落雪方向を分散させ、それぞれの屋根下に落ちる雪の量を減らした｜右：踊場から吹抜けを見下ろす。光の反射が楽しめるよう、内壁・天井ともに針葉樹系の構造用合板にクリア系の塗装で仕上げている

図2 「谷」の雨仕舞い 矩計図［S＝1:80］

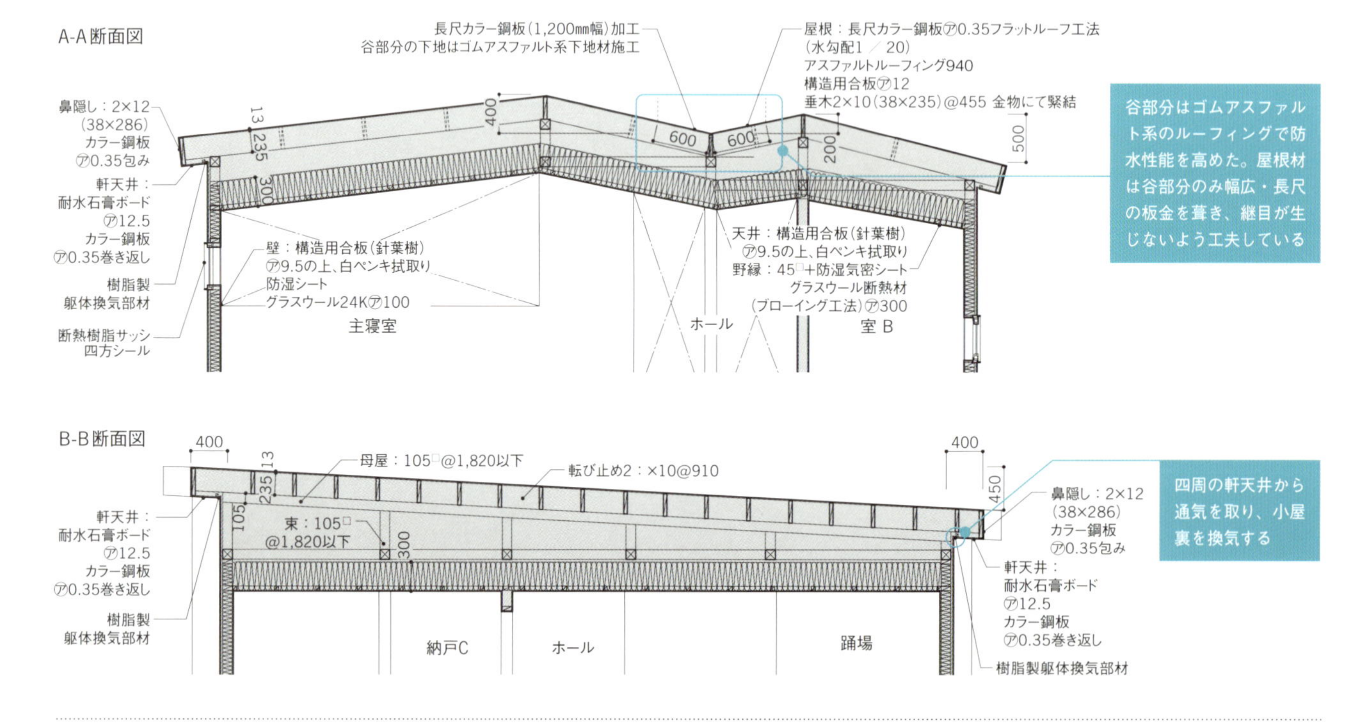

A-A断面図
長尺カラー鋼板(1,200㎜幅)加工
谷部分の下地はゴムアスファルト系下地材施工
屋根：長尺カラー鋼板㋐0.35フラットルーフ工法
(水勾配1／20)
アスファルトルーフィング940
構造用合板㋐12
垂木2×10(38×235)@455 金物にて緊結
鼻隠し：2×12
(38×286)
カラー鋼板
㋐0.35包み
軒天井：
耐水石膏ボード
㋐12.5
カラー鋼板
㋐0.35巻き返し
樹脂製
躯体換気部材
断熱樹脂サッシ
四方シール
壁：構造用合板(針葉樹)
㋐9.5の上、白ペンキ拭取り
防湿シート
グラスウール24K㋐100
主寝室
天井：構造用合板(針葉樹)
㋐9.5の上、白ペンキ拭取り
野縁：45□+防湿気密シート
グラスウール断熱材
(ブローイング工法)㋐300
ホール
室 B
13
235
300
400
600
600
200
500
谷部分はゴムアスファルト系のルーフィングで防水性能を高めた。屋根材は谷部分のみ幅広・長尺の板金を葺き、継目が生じないよう工夫している
B-B断面図
400
13
235
母屋：105□@1,820以下
転び止め2×10@910
400
450
105
束：105□
@1,820以下
300
軒天井：
耐水石膏ボード
㋐12.5
カラー鋼板
㋐0.35巻き返し
樹脂製
躯体換気部材
鼻隠し：2×12
(38×286)
カラー鋼板
㋐0.35包み
軒天井：
耐水石膏ボード
㋐12.5
カラー鋼板
㋐0.35巻き返し
樹脂製躯体換気部材
納戸C
ホール
踊場
四周の軒天井から通気を取り、小屋裏を換気する

『オレセン・ノイエ』（設計：アカサカシンイチロウアトリエ／写真：グレイトーンフォトグラフス 酒井広司）

切妻＋下屋で
形状を崩さず斜線をかわす

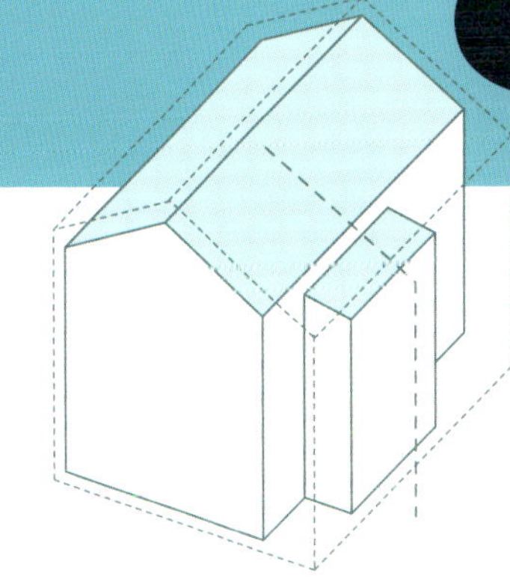
北側を下屋にして
家型をキープ！

意匠上、切妻の形状を維持したくても、斜線によって変形してしまうことが多い。これを防ぐため、本事例では、切妻のボリュームの北側に下屋を設け、シンメトリーな切妻の安定した形状を保ちながら、高度斜線［10頁］をかわしている［図1］。切妻の母屋と下屋は斜線をかわす最大の高さとし、必要な容積を確保した。

内部は架構露しとしているため、母屋と下屋で天井高が変化する。母屋は天井の高いリビングとして開放感を高め、下屋は天井の低い和室として空間に落着きをもたらしている［図2・3］。

［石黒隆康］

図1 切妻と下屋で斜線をかわす 断面図［S＝1:100］

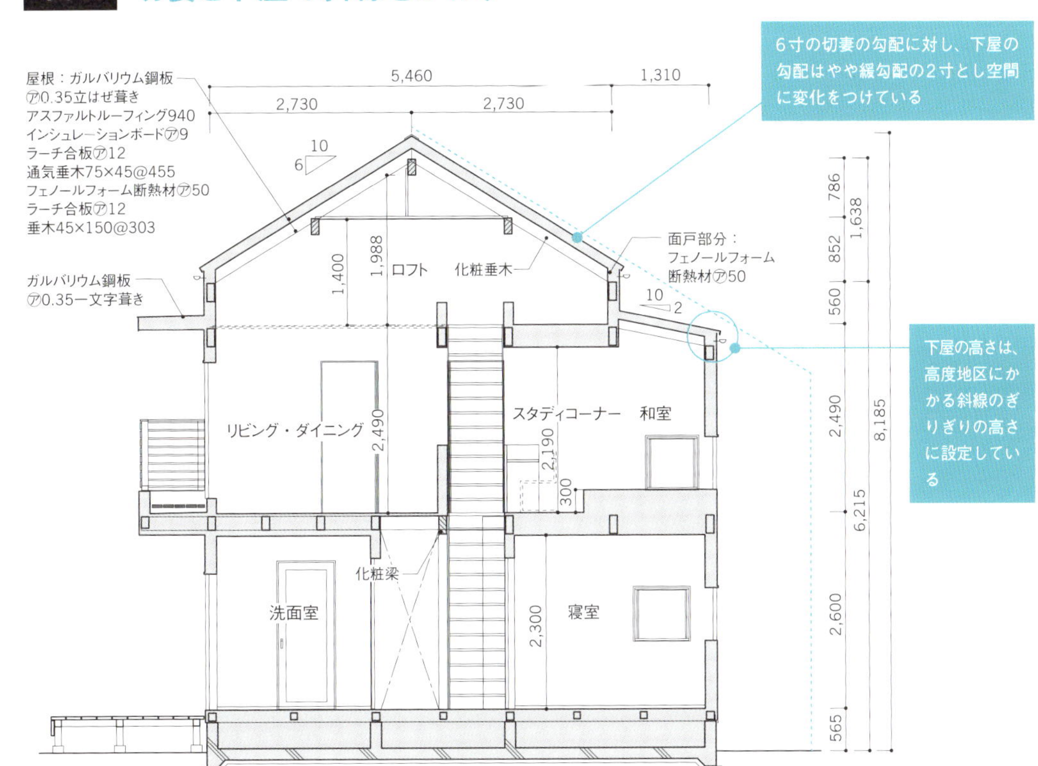
屋根：ガルバリウム鋼板
㋐0.35立はぜ葺き
アスファルトルーフィング940
インシュレーションボード㋐9
ラーチ合板㋐12
通気垂木75×45@455
フェノールフォーム断熱材㋐50
ラーチ合板㋐12
垂木45×150@303
ガルバリウム鋼板
㋐0.35一文字葺き
6寸の切妻の勾配に対し、下屋の勾配はやや緩勾配の2寸とし空間に変化をつけている
面戸部分：
フェノールフォーム
断熱材㋐50
下屋の高さは、高度地区にかかる斜線のぎりぎりの高さに設定している
ロフト
化粧垂木
リビング・ダイニング
スタディコーナー
和室
化粧梁
洗面室
寝室
5,460
1,310
2,730
2,730
1,400
1,988
2,490
2,190
300
2,300
786
852
560
1,638
2,490
2,600
565
6,215
8,185

上：建物外観。屋根・外壁はともにガルバリウム鋼板の一文字葺きとして一体感をだす｜下：切妻の内部は天井を露しにして、シンメトリーの屋根勾配なりに垂木を連続させている

図2 下屋は落着きのある和室に 2階平面図［S＝1:200］

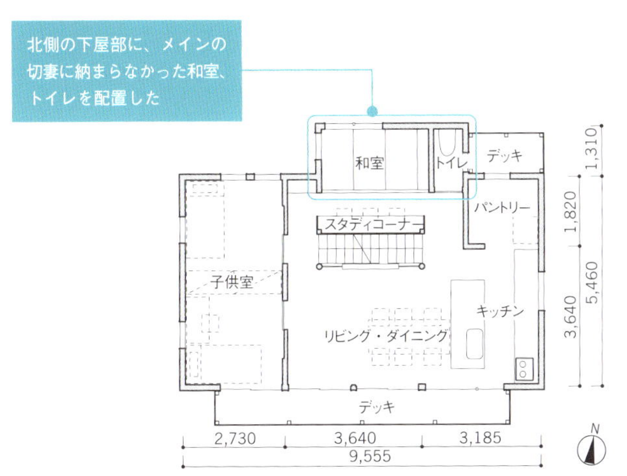
北側の下屋部に、メインの切妻に納まらなかった和室、トイレを配置した
和室
トイレ
デッキ
パントリー
スタディコーナー
子供室
キッチン
リビング・ダイニング
デッキ
1,310
1,820
5,460
3,640
2,730
3,640
3,185
9,555
N

図3 架構露しの天井を美しく見せる 小屋伏図［S＝1:200］

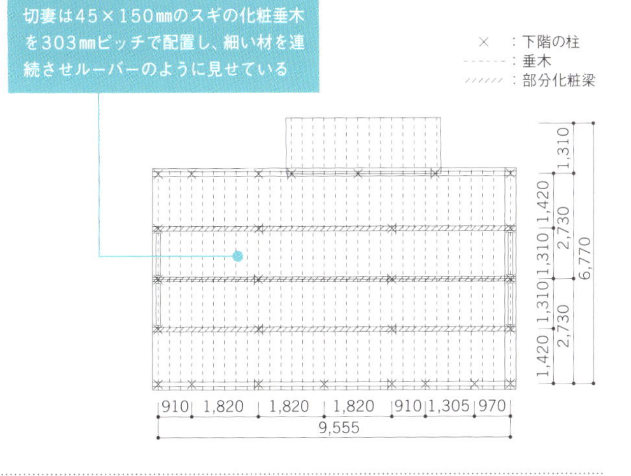
切妻は45×150㎜のスギの化粧垂木を303㎜ピッチで配置し、細い材を連続させルーバーのように見せている
×：下階の柱
：垂木
：部分化粧梁
1,310
1,420
1,310
1,310
1,420
2,730
2,730
6,770
910
1,820
1,820
1,820
910
1,305
970
9,555

妻側の下屋で玄関庇を低く抑える

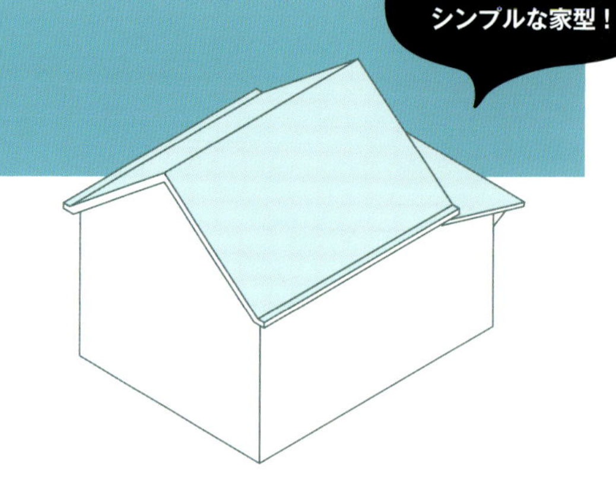
ファサードはシンプルな家型！

周囲の建物や景観に合わせて外観をコンパクトに見せながらも、内部に開放的な空間を求められることは少なくない。こうしたケースでは、登り梁などを用いて小屋組を省略し、シンプルな切妻屋根を架けて屋根勾配なりの天井を張る方法が効果的だ［図1・3・5］。

本事例では、垂木＋母屋による架構で8寸勾配の切妻屋根を架け、リビングに吹抜けを設けた。また2階建ての母屋(おもや)に対し、西側に1層分のボリュームを配置して下屋を架け、下屋の軒が玄関庇を兼ねるようにした［図2］。［若原一貴］

図1 妻側に下屋を設けて軒高を抑える 断面図［S＝1:100］

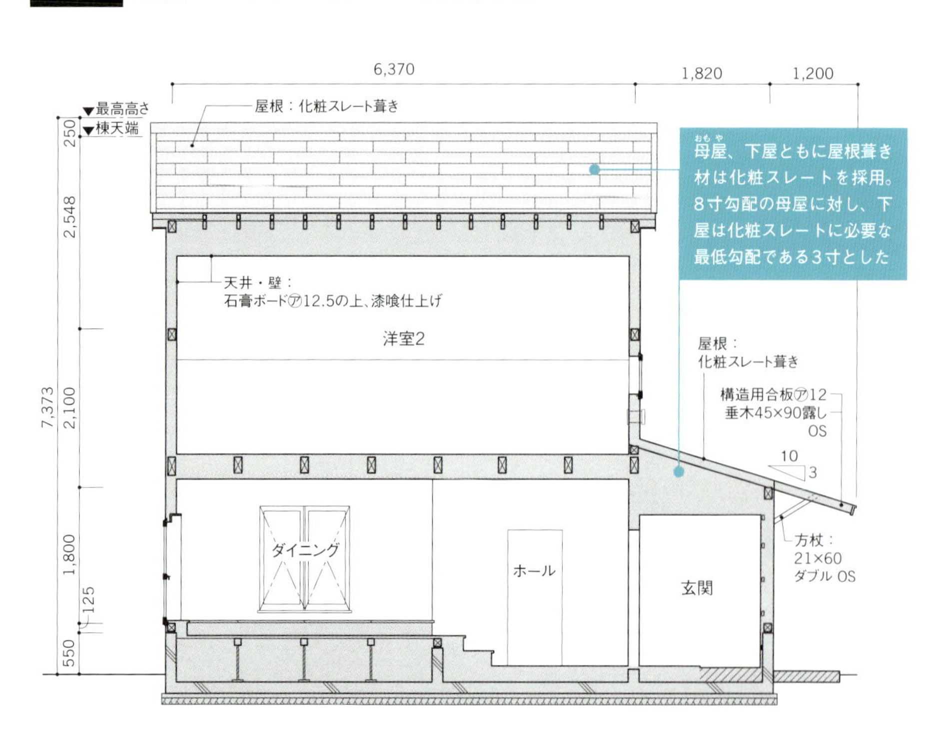
6,370
1,820
1,200
最高高さ
棟天端
屋根：化粧スレート葺き
250
2,548
7,373
2,100
1,800
125
550
母屋、下屋ともに屋根葺き材は化粧スレートを採用。8寸勾配の母屋に対し、下屋は化粧スレートに必要な最低勾配である3寸とした
天井・壁：
石膏ボード㋐12.5の上、漆喰仕上げ
洋室2
屋根：
化粧スレート葺き
構造用合板㋐12
垂木45×90露し
OS
10
3
方杖：
21×60
ダブル OS
ダイニング
ホール
玄関

建物西側の妻面に配置された下屋の軒。1.2mと大きめに出した軒を間口いっぱいに伸ばし、落ち着きのある軒下空間を演出している。軒を支えるために方杖を張り出し、垂木を挟む納まりとしたことで、軒天井にリズム感が生まれる。シンプルな半丸の横樋を渡し、端部の鎖樋で雨水を落としている

図2 下屋を支える方杖の納まり 軒先詳細図［S＝1:20］｜方杖部断面図［S＝1:20］

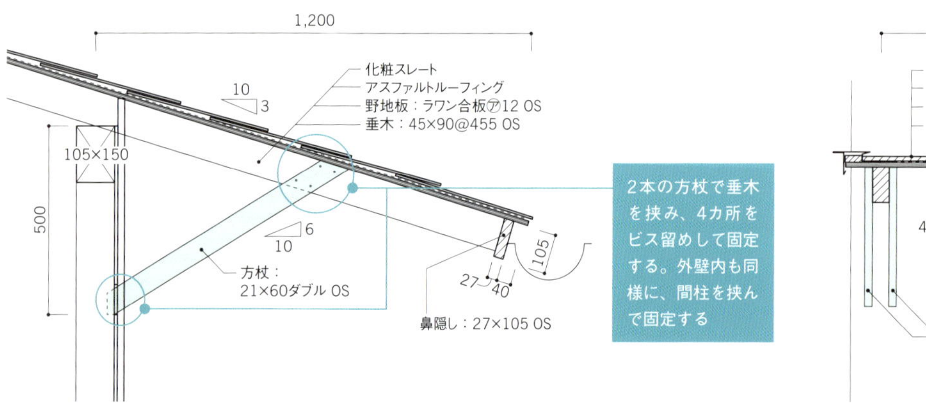
1,200
化粧スレート
アスファルトルーフィング
野地板：ラワン合板㋐12 OS
垂木：45×90@455 OS
10
3
105×150
500
6
10
方杖：
21×60ダブル OS
105
27
40
鼻隠し：27×105 OS
2本の方杖で垂木を挟み、4カ所をビス留めして固定する。外壁内も同様に、間柱を挟んで固定する
455
455
化粧スレート
アスファルトルーフィング
野地板：ラワン合板㋐12 OS
垂木：45×90@455 OS
垂木：
45×90@455
OS
方杖：21×60ダブル OS

図3 コンパクトながら開放的な空間をつくる 断面図[S＝1:100]

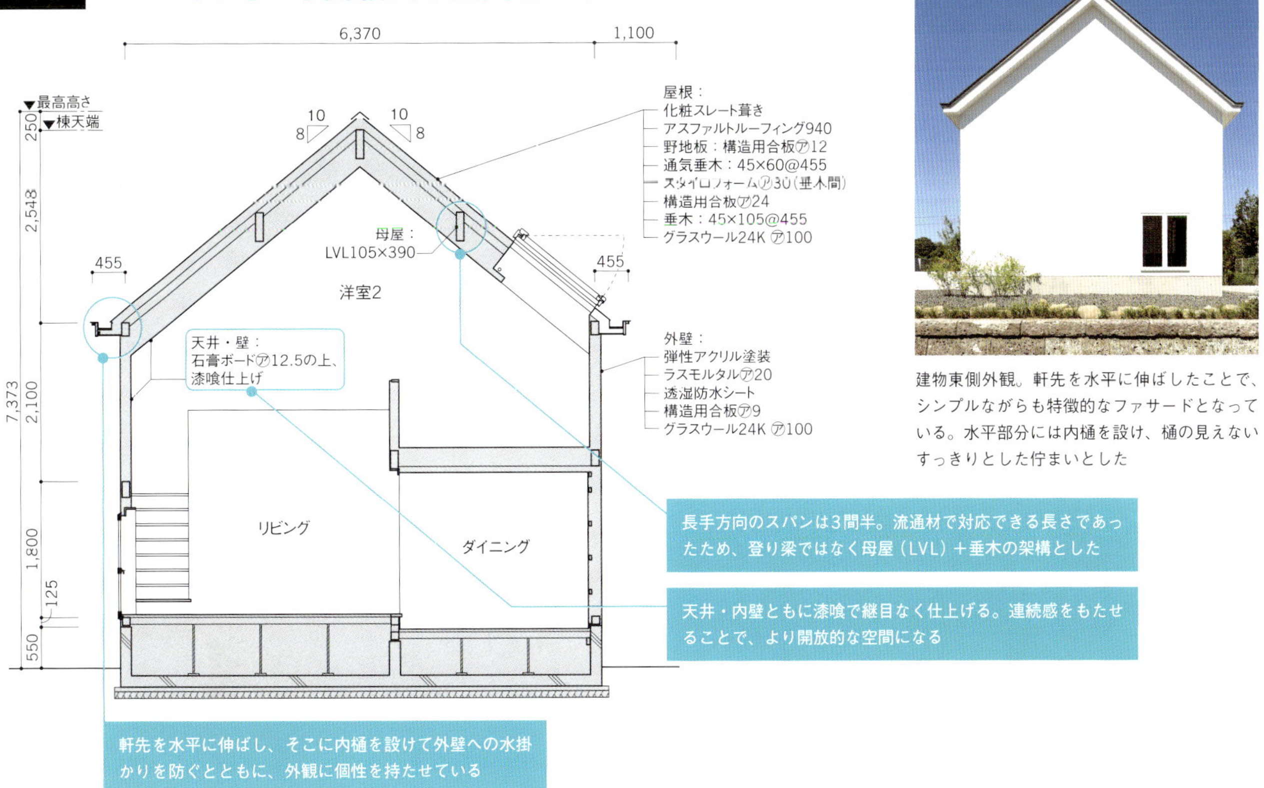

6,370
1,100
最高高さ
棟天端
250
2,548
7,373
2,100
1,800
125
550
10
8
455
屋根：
化粧スレート葺き
アスファルトルーフィング940
野地板：構造用合板㋐12
通気垂木：45×60@455
スタイロフォーム㋐30（垂木間）
構造用合板㋐24
垂木：45×105@455
グラスウール24K ㋐100
母屋：
LVL105×390
洋室2
天井・壁：
石膏ボード㋐12.5の上、
漆喰仕上げ
外壁：
弾性アクリル塗装
ラスモルタル㋐20
透湿防水シート
構造用合板㋐9
グラスウール24K ㋐100
リビング
ダイニング
長手方向のスパンは3間半。流通材で対応できる長さであったため、登り梁ではなく母屋（LVL）＋垂木の架構とした
天井・内壁ともに漆喰で継目なく仕上げる。連続感をもたせることで、より開放的な空間になる
軒先を水平に伸ばし、そこに内樋を設けて外壁への水掛かりを防ぐとともに、外観に個性を持たせている

建物東側外観。軒先を水平に伸ばしたことで、シンプルながらも特徴的なファサードとなっている。水平部分には内樋を設け、樋の見えないすっきりとした佇まいとした

図4 軒先・内樋の納まり 断面詳細図[S＝1:10]

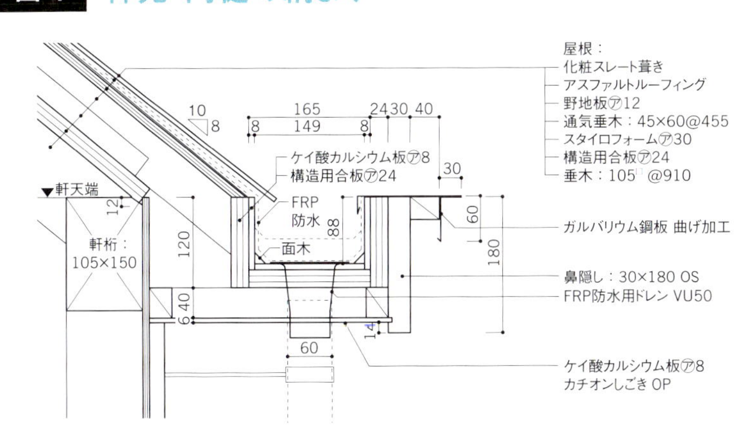

屋根：
化粧スレート葺き
アスファルトルーフィング
野地板㋐12
通気垂木：45×60@455
スタイロフォーム㋐30
構造用合板㋐24
垂木：105 @910
10
8
165
149
24
30
40
ケイ酸カルシウム板㋐8
構造用合板㋐24
30
軒天端
12
軒桁：
105×150
FRP
防水
88
面木
120
60
180
ガルバリウム鋼板 曲げ加工
鼻隠し：30×180 OS
FRP防水用ドレン VU50
40
6
60
14
ケイ酸カルシウム板㋐8
カチオンしごき OP

2階洋室。屋根勾配なりに張られた天井には切妻の家型がそのまま露れ、落ち着きのある空間となっている

図5 小さな段差を活用した間取り 1階平面図｜2階平面図[S＝1:250]

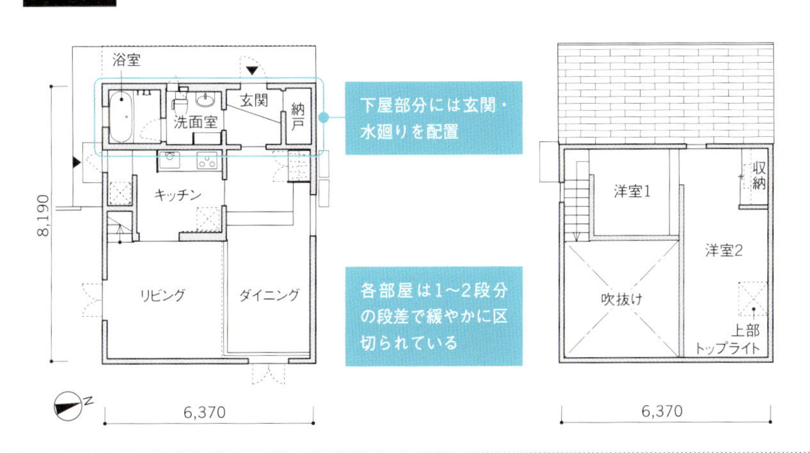

浴室
洗面室
玄関
納戸
キッチン
リビング
ダイニング
8,190
6,370
N
下屋部分には玄関・水廻りを配置
各部屋は1～2段分の段差で緩やかに区切られている
洋室1
収納
洋室2
吹抜け
上部
トップライト
6,370

玄関からダイニングを見る。ダイニングの天井高は低めに抑えつつ、1段上がったリビングは屋根勾配なりの天井が広がり、開放的な空間となっている

越屋根で小屋裏の熱を逃がす

自然排熱換気で温熱環境を調整！

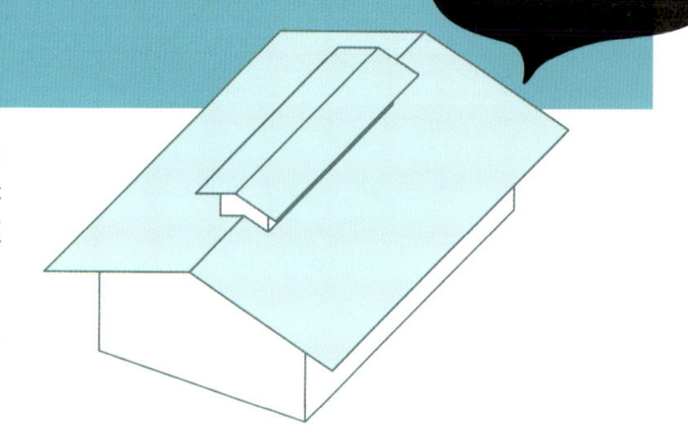

切妻や寄棟は、上昇した熱が小屋裏に溜まりやすい。これは、母屋の切妻に越屋根を設けることで、解決できる［図1］。外気との温度差による煙突効果［※］で、建物全体に空気の流れをつくり、小屋裏に溜まった熱を外に逃がす仕組みだ。室温の上昇が問題になる夏場には、冷暖房の稼働率を大幅に削減することが可能である。

ここでは、内部は母屋の棟木部分を露しとしつつ、架構の合掌部を扠首組みにして、吹抜けをダイナミックに演出した［図2・3］。　［瀬野和広］

図1 越屋根を設けて温熱環境を調整 断面図［S＝1:100］

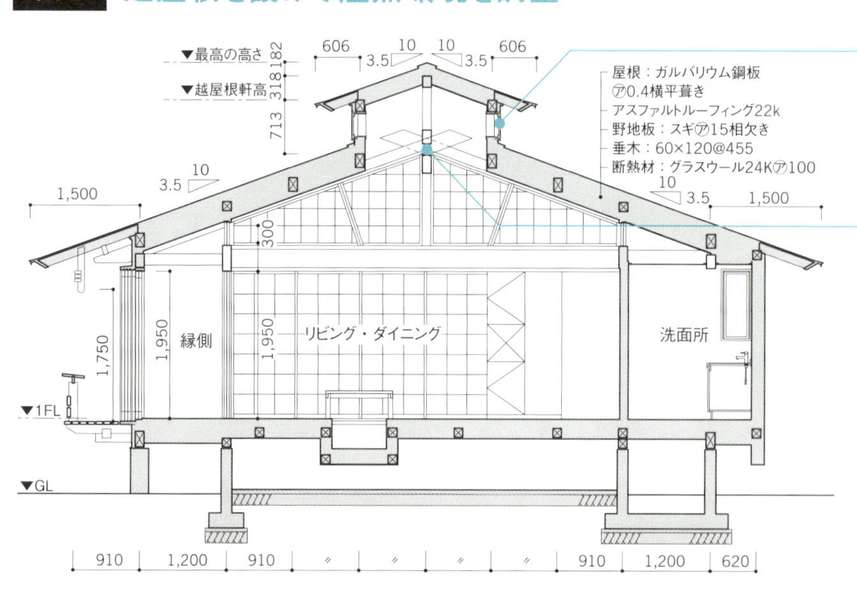
▼最高の高さ
▼越屋根軒高
182
318
713
606
10
10
606
3.5
3.5
屋根：ガルバリウム鋼板
㋐0.4横平葺き
アスファルトルーフィング22k
野地板：スギ㋐15相欠き
垂木：60×120@455
断熱材：グラスウール24K㋐100
10
3.5
1,500
1,500
300
1,750
1,950
縁側
1,950
リビング・ダイニング
洗面所
▼1FL
▼GL
910
1,200
910
910
1,200
620

軒の出の大きい切妻は室内が暗くなりがちなため、ハイサイドライトでリビングに採光する

梁は210㎜角のベイマツとし、力強い印象に仕上げている

越屋根の外観。越屋根の開口部には遠隔開閉操作型のガラスサッシを納めている

図2 合掌梁頂部の納まり 合掌梁頂部の詳細図［S＝1:30］

合掌梁を、垂木上端部まで伸ばし、2段棟木の木組と一体感を出す

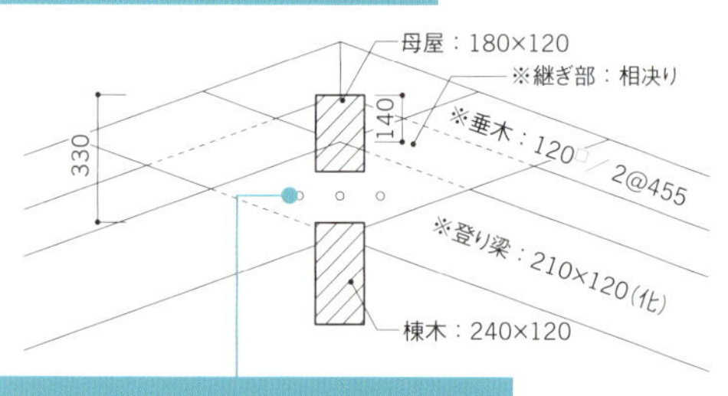
母屋：180×120
※継ぎ部：相決り
330
140
※垂木：120□／2@455
※登り梁：210×120(化)
棟木：240×120

合掌梁の頂部は込み栓を3本差して留める。すべて手刻みで金物は一切使わずに納めた

越屋根の吹抜け部分。小屋梁と棟木の間に三角形の障子を設けることで、ハイサイドライトから差し込む光をやわらげている

図3 束建架構で越屋根を支える 小屋伏図［S＝1:250］

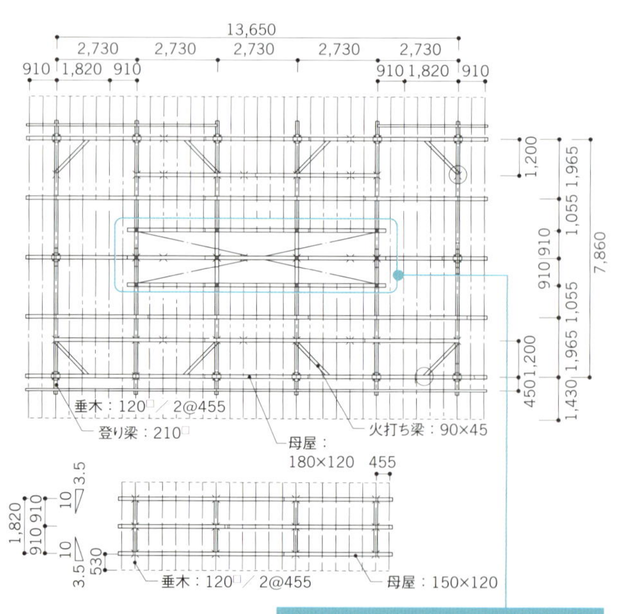
13,650
2,730
2,730
2,730
2,730
2,730
910
1,820
910
910
1,820
910
1,200
1,965
1,055
910
910
1,055
1,965
1,200
450
1,430
7,860
垂木：120□／2@455
登り梁：210□
母屋：180×120
455
火打ち梁：90×45
3.5
10
1,820
910
910
10
3.5
530
垂木：120□／2@455
母屋：150×120

越屋根の垂直方向の荷重は、母屋の架構を骨太とすることで支えている

※ 建物の内部に外気より高温の空気がある場合に、高温の空気は低温の空気より密度が低いため煙突内に浮力が生じ、建物の下部から外部の冷たい空気を引き入れながら空気が上昇する仕組みのこと

『山形雪の家』（設計・写真：瀬野和広＋設計アトリエ）

片流れの越屋根で採光を得る

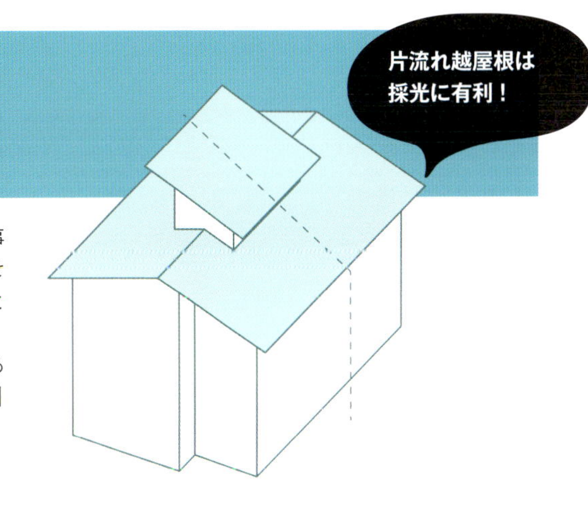

片流れ越屋根は
採光に有利！

都市部の住宅は、壁面に開口部を設けにくいため、室内が暗くなりがちである。本事例は、片流れの越屋根を設けることで、これを解決した［図1・3］。越屋根は南側にせり出した形状とし、前面に開口部を設けて採光を得る。内部は、2階の一部を吹抜けとし、開口部から得た光が、吹抜けを通り階下へと届くようにしている［図2］。

越屋根の開口部は採光窓としてだけでなく換気口としても機能する。住宅密集地でありながら、採光・換気ともに良好な環境を実現できた。［瀬野和広］

図1 片流れの越屋根で採光を得る 断面図［S＝1:50］

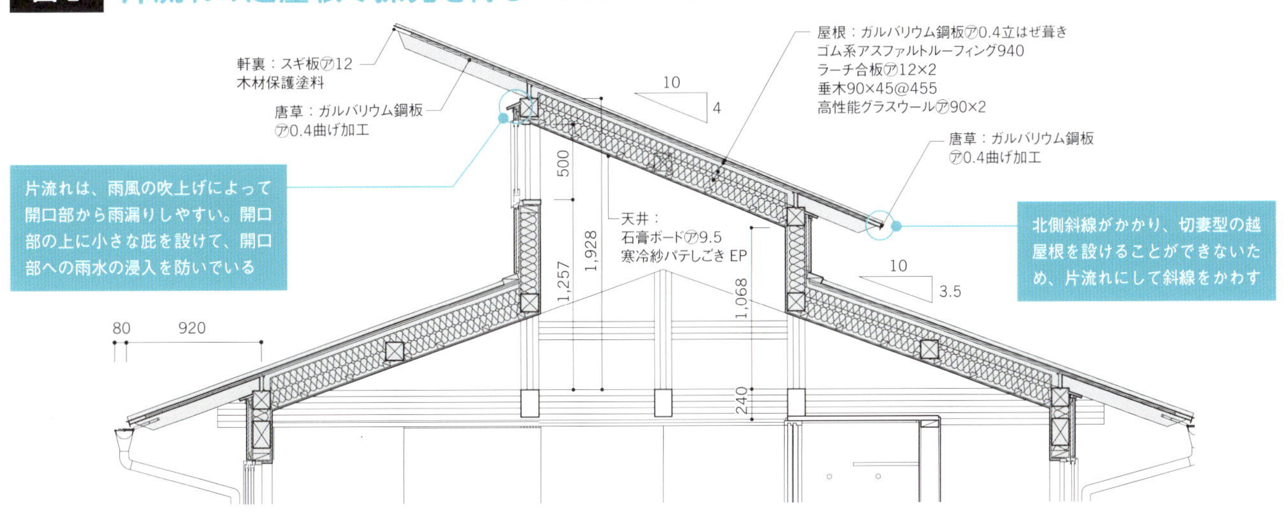

軒裏：スギ板⑦12
木材保護塗料
唐草：ガルバリウム鋼板
⑦0.4曲げ加工
屋根：ガルバリウム鋼板⑦0.4立はぜ葺き
ゴム系アスファルトルーフィング940
ラーチ合板⑦12×2
垂木90×45@455
高性能グラスウール⑦90×2
唐草：ガルバリウム鋼板
⑦0.4曲げ加工
片流れは、雨風の吹上げによって開口部から雨漏りしやすい。開口部の上に小さな庇を設けて、開口部への雨水の浸入を防いでいる
天井：
石膏ボード⑦9.5
寒冷紗パテしごき EP
北側斜線がかかり、切妻型の越屋根を設けることができないため、片流れにして斜線をかわす
10
4
10
3.5
500
1,928
1,257
1,068
240
80
920

図2 吹抜けで階下へ光を届ける 平面図［S＝1:250］

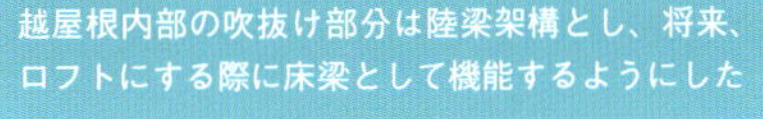

越屋根内部の吹抜け部分は陸梁架構とし、将来、ロフトにする際に床梁として機能するようにした

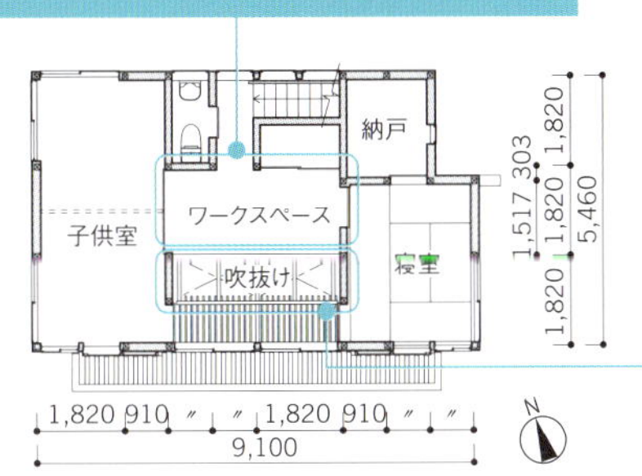

納戸
ワークスペース
子供室
吹抜け
寝室
1,820
303
1,517
1,820
5,460
1,820
1,820 910
1,820 910
9,100
N
2階の0.5間×2間分を吹抜けとして、1階と2階をつなぐ

図3 標準的な和小屋でつくる 小屋伏図［S＝1:150］

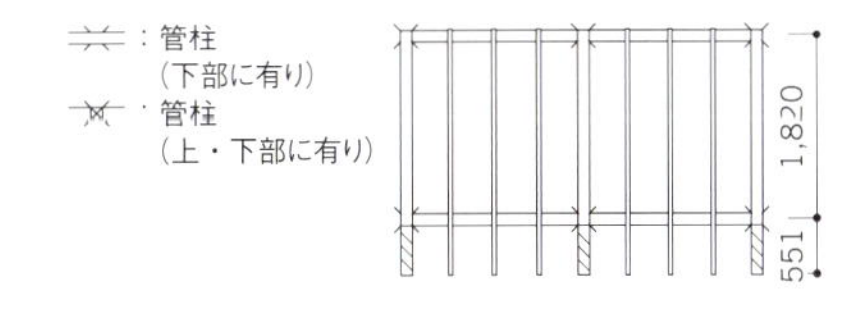

：管柱
（下部に有り）
：管柱
（上・下部に有り）
1,820
551
陸梁の上に束建てする単純な和小屋組の架構とした

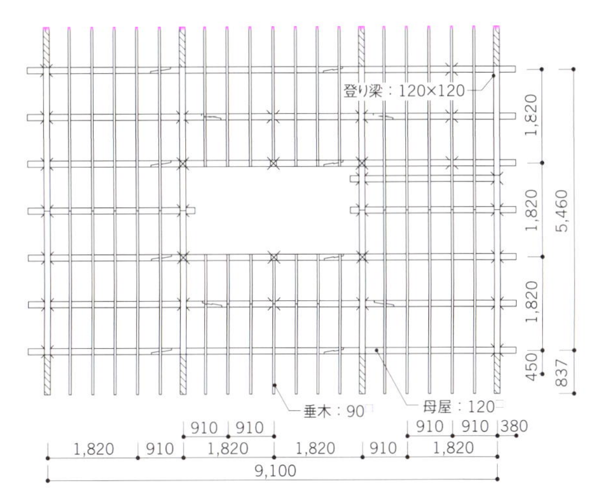

登り梁：120×120
1,820
1,820
1,820
450
5,460
837
垂木：90
母屋：120
910 910
910 910 380
1,820 910 1,820 1,820 910 1,820
9,100

右：外観。越屋根は南側隣家の屋根を越すように設けた｜左：ワークスペースから越屋根部分を見る。母屋（おもや）の小屋梁が露しになっている

切妻の上に小さな切妻を載せる

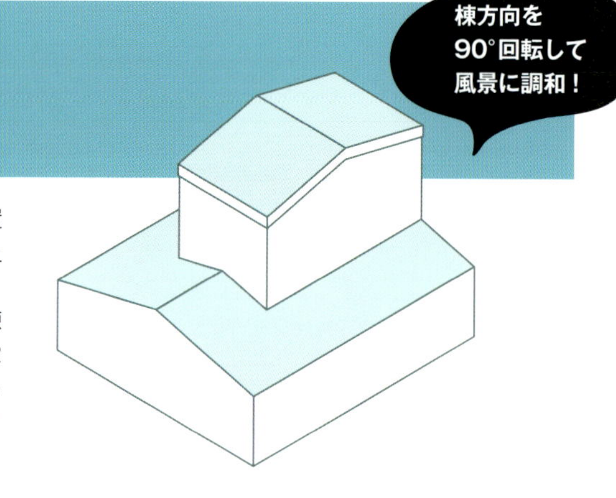
棟方向を
90°回転して
風景に調和！

この住宅は、開発されて間もないニュータウンと、昔ながらの田園地域の境界に位置する。ニュータウンに箱形の家が並ぶのに対し、田園地域では下階を広く取り、その上に小さな2階を載せた形式の家屋が多く見られる。

本事例では、この新旧の風景をつなぐかたちを採用した。通常、1階と2階屋根の棟方向は同じだが、1階は田園地域の方向に妻面を向けるために東西方向を棟方向とし、2階はニュータウンの住宅の建ち方（南面配置）に合わせるために南北方向を棟方向とした［図1〜4］。

［松尾宙＋松尾由希］

図1 棟方向が異なる2つの切妻

断面図［S＝1:150］

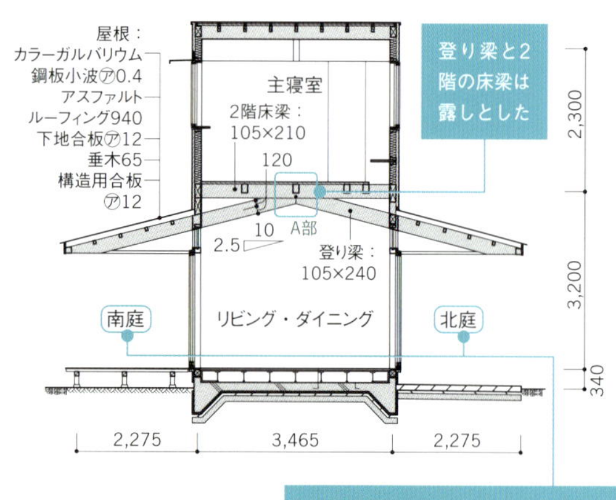
屋根：
カラーガルバリウム鋼板小波㋐0.4
アスファルトルーフィング940
下地合板㋐12
垂木65
構造用合板㋐12
主寝室
2階床梁：105×210
120
10
A部
2.5
登り梁：105×240
リビング・ダイニング
南庭
北庭
2,300
3,200
340
2,275
3,465
2,275
登り梁と2階の床梁は露しとした
南北に設けた大きな軒下空間は、内部と外部の中間領域となっている

図2 登り梁頂部の納まり

A部詳細図［S＝1:60］

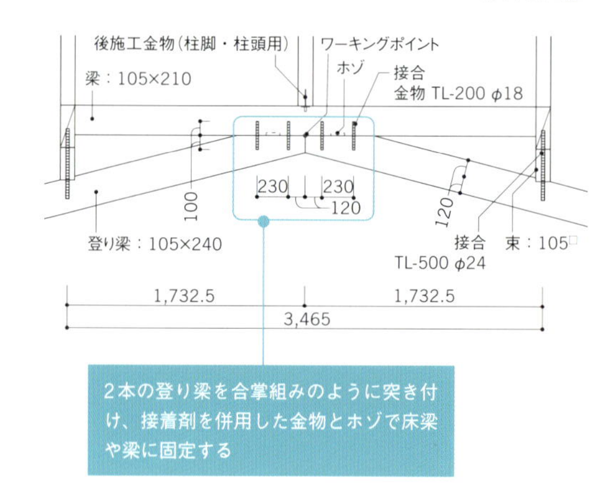
後施工金物（柱脚・柱頭用）
ワーキングポイント
梁：105×210
ホゾ
接合金物 TL-200 φ18
230
230
120
100
120
登り梁：105×240
接合 TL-500 φ24
束：105□
1,732.5
1,732.5
3,465
2本の登り梁を合掌組みのように突き付け、接着剤を併用した金物とホゾで床梁や梁に固定する

図3 登り梁を縁側から室内に伸ばす

1階・2階小屋伏図［S＝1:200］

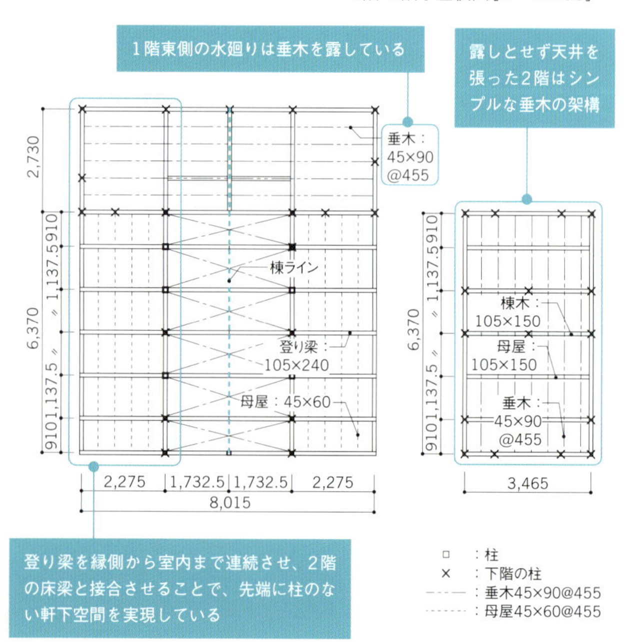
1階東側の水廻りは垂木を露している
露しとせず天井を張った2階はシンプルな垂木の架構
垂木：45×90@455
2,730
6,370
910
1,137.5
棟ライン
登り梁：105×240
母屋：45×60
2,275
1,732.5
1,732.5
2,275
8,015
棟木：105×150
母屋：105×150
垂木：45×90@455
3,465
登り梁を縁側から室内まで連続させ、2階の床梁と接合させることで、先端に柱のない軒下空間を実現している
□：柱
×：下階の柱
垂木45×90@455
母屋45×60@455

図4 大きな縁側のあるT字形プラン

1階平面図［S＝1:200］

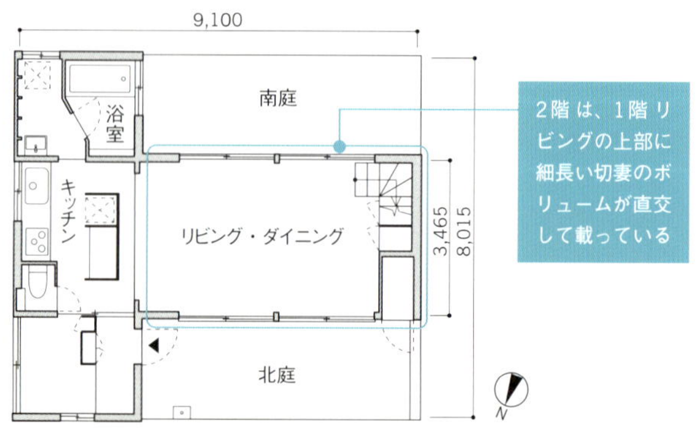
9,100
南庭
浴室
キッチン
リビング・ダイニング
北庭
3,465
8,015
2階は、1階リビングの上部に細長い切妻のボリュームが直交して載っている

1階リビングからキッチンを見る。天井に白く見える部分が2階の床梁と下地。集成材の登り梁は金物で床梁に接合し、埋木で孔を隠した

『七光台の住宅』（設計：アンブレ・アーキテクツ／写真：鈴木研一写真事務所）

クロス梁のトラス構造で大空間を実現

梁だけで
水平構面をつくる！

屋根形状と架構を工夫すれば、伝統的な木造構法で、無柱の大空間をつくることができる。本事例は、対角線上でクロスする合掌の梁を設けて水平剛性をとることで、梁や垂木を露しにした大空間をつくっている［図1・2］。屋根は南北に架かる梁を軸として折り返す形状とし、見晴らしのよい北側が高くなるように傾けて視線の抜けを演出した［図3］。

内部は小屋を支える独立柱が一切ない大空間［図4］。垂木が四方に広がる天井が、ワンルームに豊かな表情をもたらしている。　［林美樹］

図1　立体的な合掌梁で架構をつくる　小屋伏図［S＝1:100］

2面ごとに屋根勾配が異なり、垂木の断面は平行四辺形となるため施工には精度が必要

135×240
肘木：120×160
ベイマツ：120×300
ベイマツ：135×330
910
3,640
7,280
3,640
910
×：2階柱

中央で折れた梁は合掌梁として機能するため、直交する棟木を支え、継手も設けられる

コーナー部分は肘木で補強している

図2　全体の力の釣り合いで支える

合掌梁によってトラス構造をつくると、水平剛性がとりやすくなり、無柱の大空間をつくることができる

三角形に組んだ梁を平面トラスにして、水平構面とする

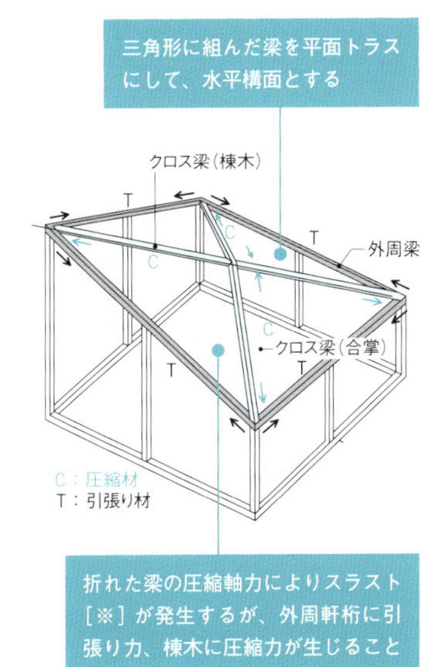
クロス梁（棟木）
T
C
外周梁
クロス梁（合掌）
C：圧縮材
T：引張り材

折れた梁の圧縮軸力によりスラスト［※］が発生するが、外周軒桁に引張り力、棟木に圧縮力が生じることで、全体として力が釣り合う

図3　1階はRC、2階は木造　断面図［S＝1:200］

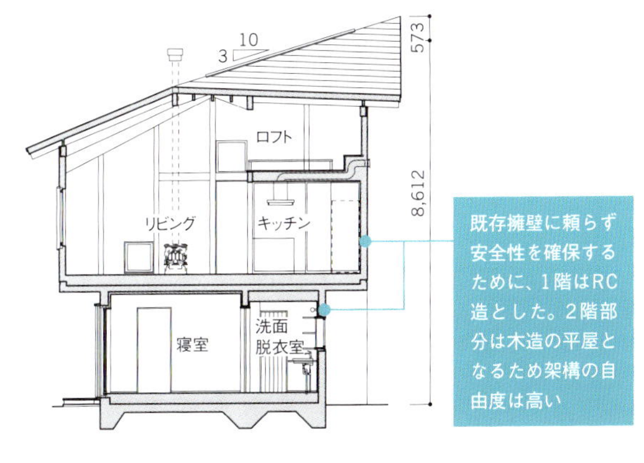
10
3
573
ロフト
リビング
キッチン
8,612
寝室
洗面
脱衣室

既存擁壁に頼らず安全性を確保するために、1階はRC造とした。2階部分は木造の平屋となるため架構の自由度は高い

図4　無柱の大空間　2階平面図［S＝1:400］

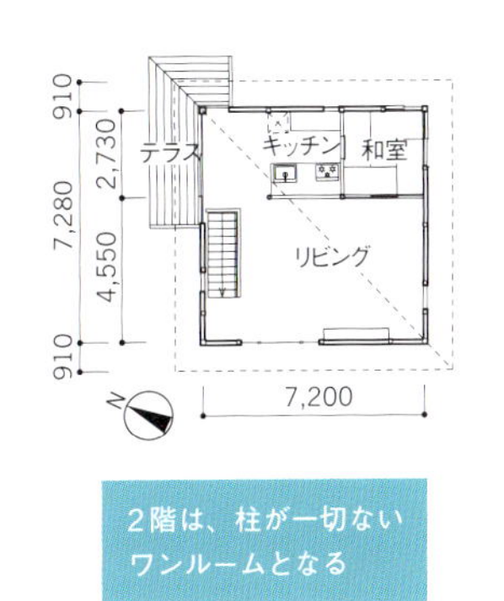
910
2,730
7,280
4,550
910
テラス
キッチン
和室
リビング
7,200

2階は、柱が一切ないワンルームとなる

2階リビングからキッチンを見る。合掌梁で水平構面をとっているため、天井は垂木の上に直接スギの野地板を張って仕上げた。木造の温かみが感じられる空間となった

※ 棟木がたわむと桁梁が押されて、水平方向に広がろうとする。その広がろうとする力をスラストという

軒の出がまったくない切妻屋根

軒を出さずに斜線をクリア！

住宅の設計では、極力、軒の出を設けるように心がけたい。ただし、北側斜線などの制約で、軒を出すとその分階高を低くせざるを得ないケースもある。天井高を確保するためにそれができない場合は、本事例のような軒を出さないデザインが必要となる［図1～図3］。

軒の出がない場合、通常の外壁材で汚れや漏水リスクに対処することは難しい。そこで本事例では、屋根と同じ板金を外壁まで連続させて仕上げた。妻側の壁は漆喰仕上げとして、板金の壁面との対比を強調している。［藤原昭夫］

図1 軒を出さずに斜線をかわす 断面図［S＝1:100］

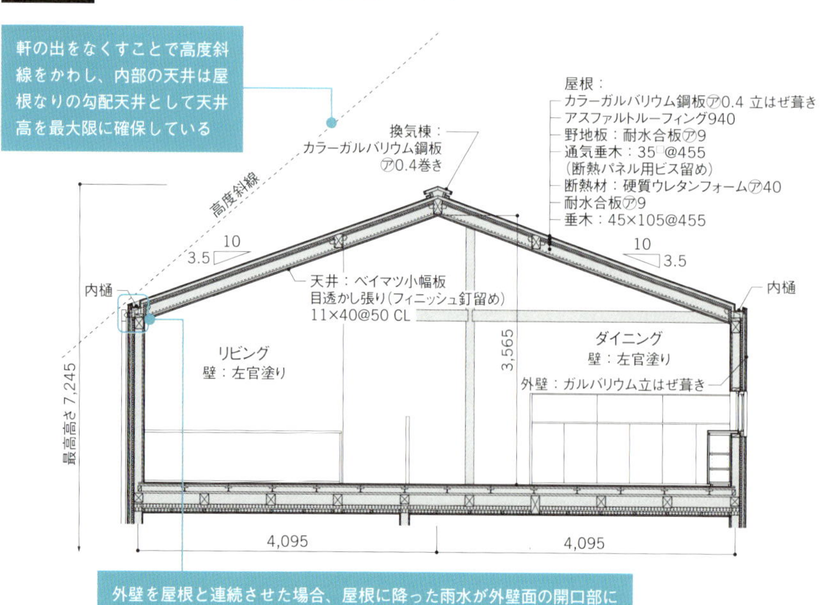
軒の出をなくすことで高度斜線をかわし、内部の天井は屋根なりの勾配天井として天井高を最大限に確保している
換気棟：カラーガルバリウム鋼板㋐0.4巻き
屋根：
カラーガルバリウム鋼板㋐0.4 立はぜ葺き
アスファルトルーフィング940
野地板：耐水合板㋐9
通気垂木：35 @455
(断熱パネル用ビス留め)
断熱材：硬質ウレタンフォーム㋐40
耐水合板㋐9
垂木：45×105@455
高度斜線
10
3.5
内樋
天井：ベイマツ小幅板
目透かし張り(フィニッシュ釘留め)
11×40@50 CL
リビング
壁：左官塗り
ダイニング
壁：左官塗り
3,565
外壁：ガルバリウム立はぜ葺き
最高高さ7,245
4,095
4,095
外壁を屋根と連続させた場合、屋根に降った雨水が外壁面の開口部に流れることになる。その対策として、屋根端部に内樋を設けた

上：建物外観（妻側）｜下：壁を屋根と同じ仕上げにするなら、全体の形状を屋根材で包まれたトンネルのようにデザインしたいと考えた。トンネル形状にするため、妻側にはけらばと袖壁を出している［※］

図2 けらばは大きく出す 小屋伏図［S＝1:150］

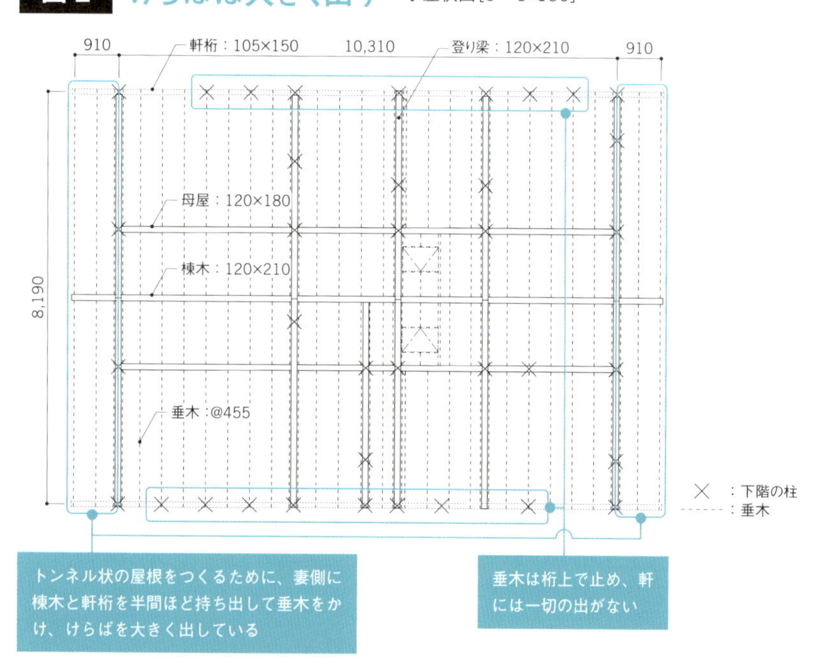
910
軒桁：105×150
10,310
登り梁：120×210
910
母屋：120×180
棟木：120×210
8,190
垂木：@455
×：下階の柱
----：垂木
トンネル状の屋根をつくるために、妻側に棟木と軒桁を半間ほど持ち出して垂木をかけ、けらばを大きく出している
垂木は桁上で止め、軒には一切の出がない

図3 内樋でシンプルに 部分詳細図［S＝1:10］

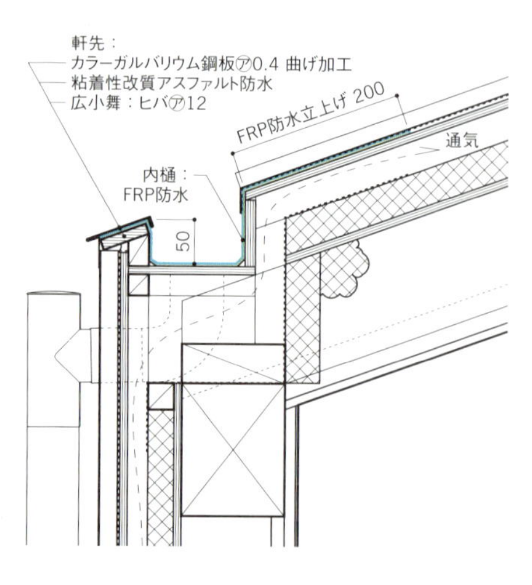
軒先：
カラーガルバリウム鋼板㋐0.4 曲げ加工
粘着性改質アスファルト防水
広小舞：ヒバ㋐12
FRP防水立上げ 200
通気
内樋：FRP防水
50
内樋のFRP防水層は、水下は広小舞まで、水上は200㎜ほど延長させる。内樋部分には通気孔を設けず、外壁からの通気層と連続させて換気棟で抜いている

※ 袖壁の先端の柱が屋根まで到達しているとその軒下も建築面積に算入されるので、本事例では袖壁を屋根まで到達させず途中で縁を切っている

『都筑の家』（設計・写真：結設計）

HPシェルで無柱の大空間を実現

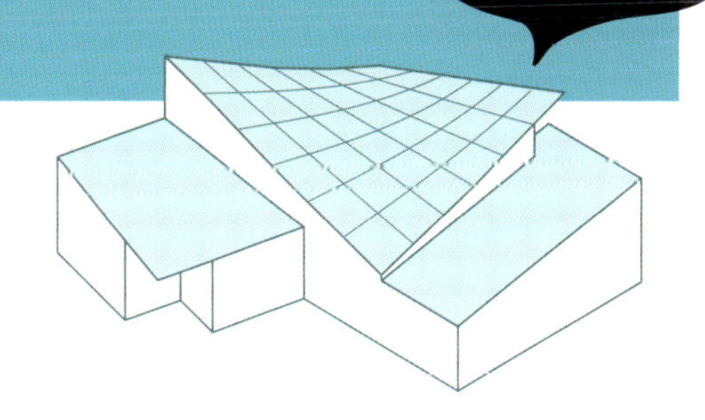

柔らかな印象の
大空間をつくる!

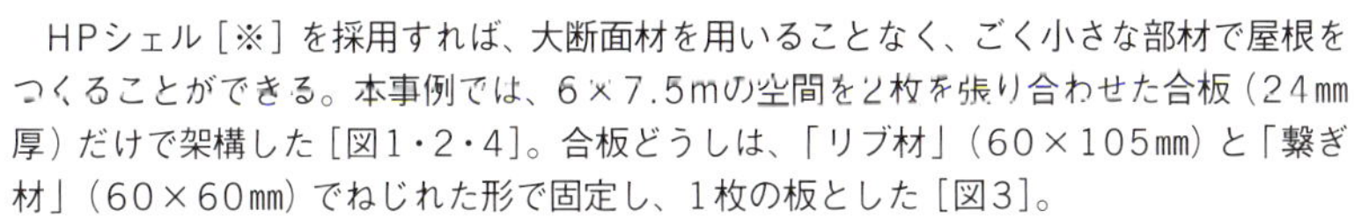

HPシェル[※]を採用すれば、大断面材を用いることなく、ごく小さな部材で屋根をつくることができる。本事例では、6×7.5mの空間を2枚を張り合わせた合板(24mm厚)だけで架構した[図1・2・4]。合板どうしは、「リブ材」(60×105mm)と「繫ぎ材」(60×60mm)でねじれた形で固定し、1枚の板とした[図3]。

内部の天井は3次元曲面となり、包み込まれるような空間となる。天井は外部のデッキにつながるリビング側を高く、キッチン側をなだらかに低くし、変化を楽しめるようにした。　[西島正樹]

図1 薄い屋根で大空間をつくる

断面図[S=1:200]|平面図[S=1:400]

梁を用いず、合板で架構をつくったため断面を薄く仕上げられた

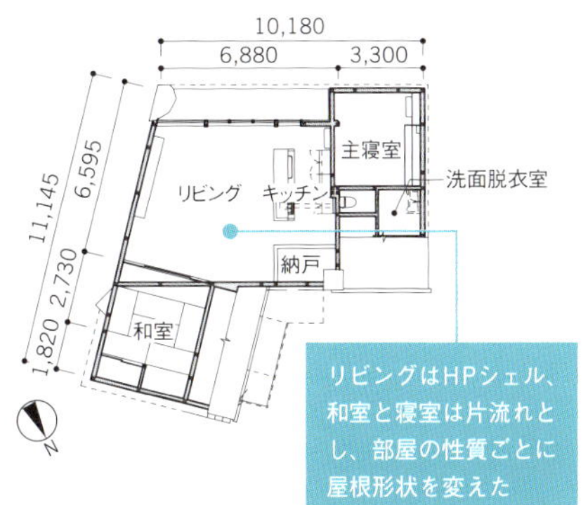

10,180
6,880
3,300
11,145
6,595
2,730
1,820
主寝室
洗面脱衣室
リビング
キッチン
納戸
和室
N

リビングはHPシェル、和室と寝室は片流れとし、部屋の性質ごとに屋根形状を変えた

図2 面内せん弾力で抵抗

シェルは鉛直荷重に対して面内せん断力で抵抗する。ライズ(反り高さ)を大きくすると構造的に強くなる

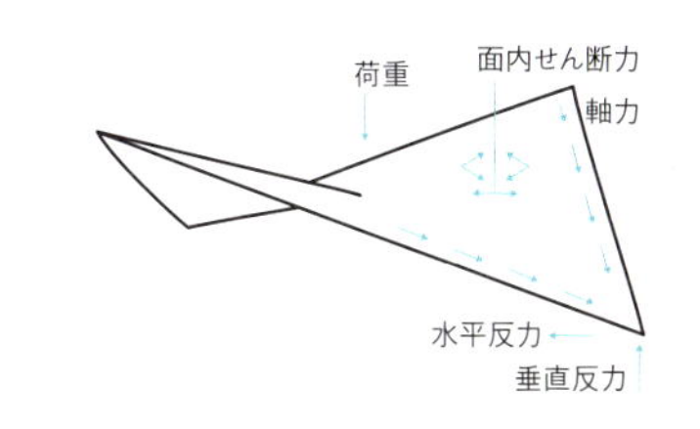

荷重
面内せん断力
軸力
水平反力
垂直反力

図3 合板を切らずに屋根面をつくる

小屋伏図[S=1:100]

対角線にワイヤーを取り付けスラスト[27頁]を抑えている

平面短辺方向にかかるリブ材と、それに直交するつなぎ材を格子状に組む。リブ材の上面を1本1本HPシェルの面に合わせて削り、曲面に沿わせた

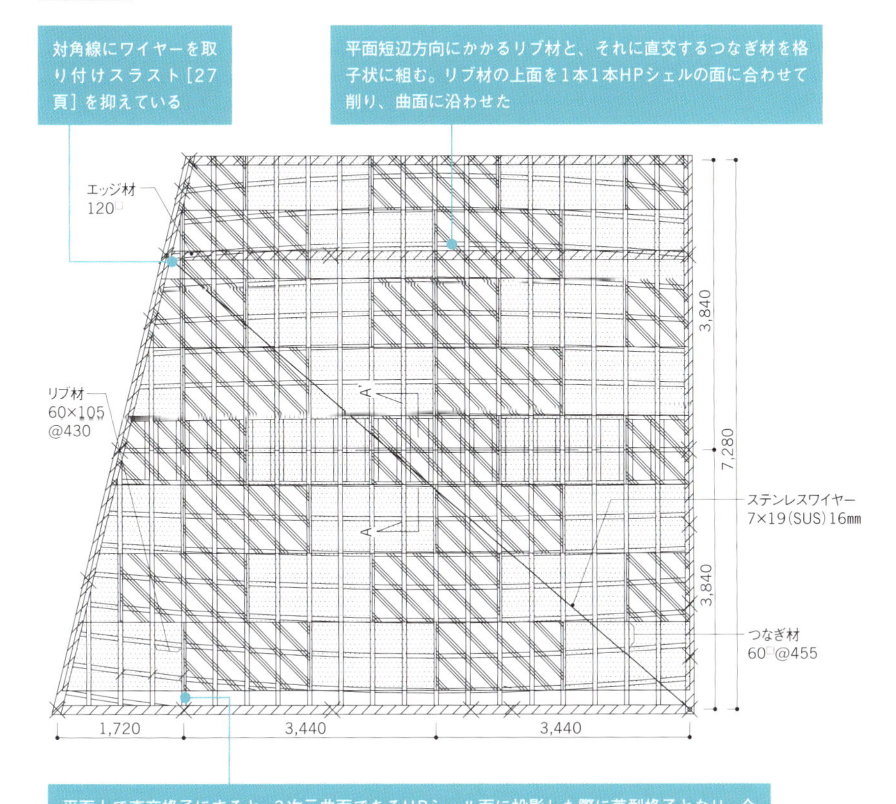

エッジ材
120□
リブ材
60×105
@430
A'
A
3,840
7,280
3,840
ステンレスワイヤー
7×19(SUS)16mm
つなぎ材
60□@455
1,720
3,440
3,440

平面上で直交格子にすると、3次元曲面であるHPシェル面に投影した際に菱型格子となり、合板を張るのが困難。つなぎ材はHPシェル面上で455mmピッチになるように、平面上で中央が膨らんだ形状に割り付け、合板を切らずに使用した(□・▧は合板の割付けを示す)

図4 屋根の詳細

A-A'詳細図[S=1:10]

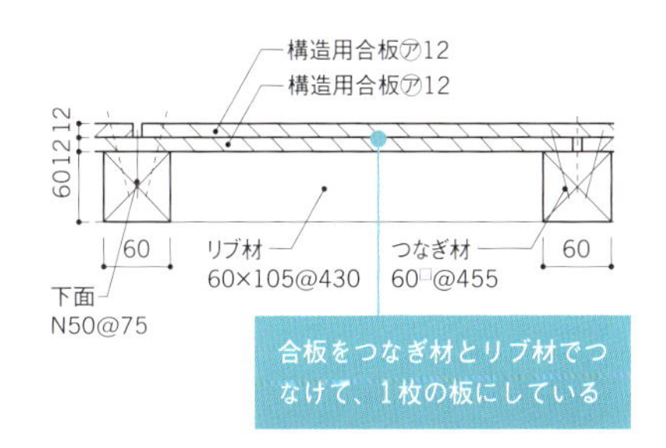

構造用合板㋐12
構造用合板㋐12
60
12
12
60
リブ材
60×105@430
つなぎ材
60□@455
60
下面
N50@75

合板をつなぎ材とリブ材でつなげて、1枚の板にしている

上:外観。デッキ側は屋根の梁まで達した大開口を設け、外部からも曲面の屋根形状が見える|下:リビングからキッチンを見る。キッチンに向けて天井は緩やかに低くなっている

※ HPシェルとは、凹面と凸面とをもつ鞍型の3次曲面。一般のシェル面が2方向の曲率をもつのに対し、辺に平行な線が直線で曲率が1方向であるため比較的施工が容易で、木造にも向いている。面外方向へ挫屈しづらいため、断面を薄くできる

棟が斜めに架かる V字形の屋根

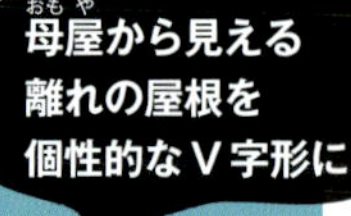
母屋から見える
離れの屋根を
個性的なV字形に！

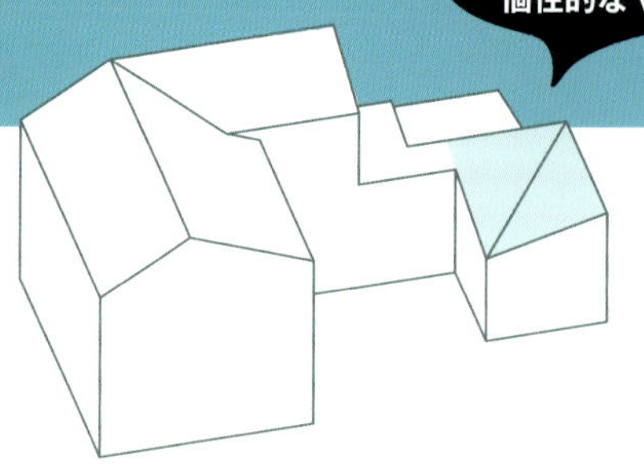

細長いコの字形のコートハウス。2階建ての母屋(おもや)は片流れと切妻のボリュームを直角につなげたような形状で、リビングや寝室、キッチンなどが配置されている。廊下でつながる離れの平屋にはオーディオルームを設けた。母屋(おもや)から離れの屋根面が見えるため、視覚的に楽しめる個性的な屋根にしたいと考え、棟を斜めに架けてV字形に折ったバタフライ屋根のような形状とした。庭側に向けて勾配を取り、先端を折り曲げ、ここから直下の雨落としに雨水を落としている[図1・2]。［杉浦充］

図1 葉脈のような斜めの登り梁

小屋伏図[S＝1:100]

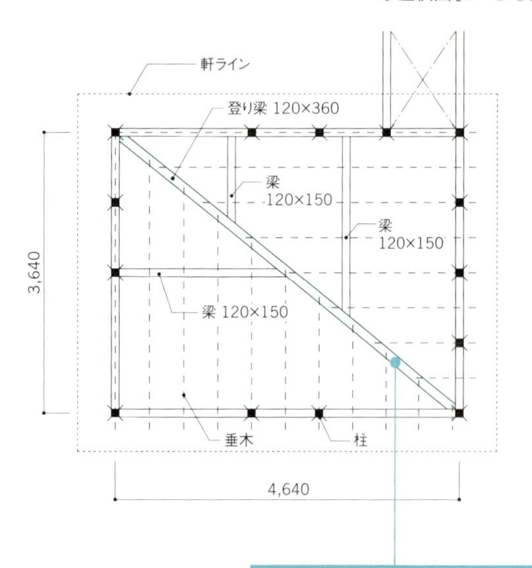
軒ライン
登り梁 120×360
梁 120×150
梁 120×150
梁 120×150
3,640
垂木
柱
4,640

離れの平屋は約5坪の小さな空間。対角線に登り梁を架け、そこから葉脈のように3本の梁を架けている

図2 雨樋は省略し、先端から水を落とす

断面図[S＝1:80]

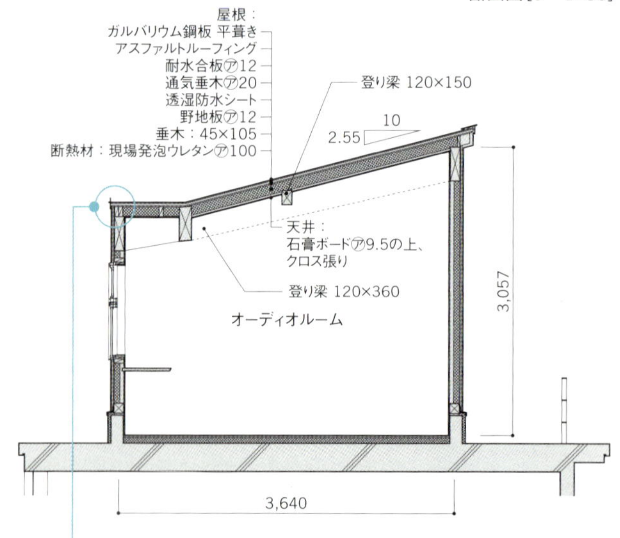
屋根：
ガルバリウム鋼板 平葺き
アスファルトルーフィング
耐水合板㋐12
通気垂木㋐20
透湿防水シート
野地板㋐12
垂木：45×105
断熱材：現場発泡ウレタン㋐100
登り梁 120×150
10
2.55
天井：
石膏ボード㋐9.5の上、
クロス張り
登り梁 120×360
オーディオルーム
3,057
3,640

屋根先端に向けて2.5寸程度の勾配を取り、雨水が屋根の先端から落ちるよう、屋根面外周部には雨止めの立上りを設けた。母屋から屋根全体が見えるため、雨樋は省略している

左：母屋から離れの屋根を見下ろす。とがった屋根の先端から砕石敷きの雨落としに水が落ちる仕組み｜中：離れの天井を見上げる。登り梁は露し、葉脈のような架構を見せている｜右：屋根面積が小さいため雨仕舞いに問題は生じにくいが、ルーフィングは屋根面の「谷」に合わせて重ね張りした

『DROP ON LEAF』（設計・写真：充総合計画）

切妻を「く」の字形に折り曲げる

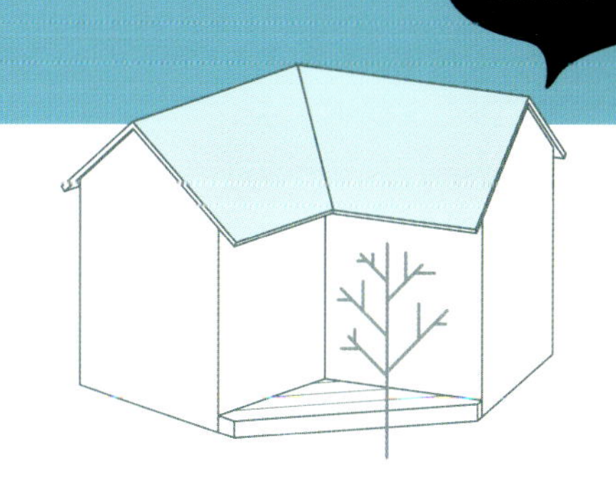
室内のどこからでも
庭が楽しめる！

密集地の住宅で、各室から庭が眺められるよう、「く」の字形のプランを採用した事例［図1］。屋根もプランに合わせて「く」の字形とした［図2］。ロフトに必要な天井高の確保、北側斜線の回避、平面計画のバランスを考慮し、片流れではなく切妻としている。切妻屋根なりの船底天井として高さを抑えたことで、一方の天井が高くなる片流れ屋根に比べ、落ち着きのある空間となった。さらに、棟の位置を中心からずらしていることで屋根と天井の勾配が変わり、庭側の空間の重心を低く抑えられた。［村田淳］

図1 庭を囲む「く」の字形プラン

1階平面図（左）｜2階平面図（右）［S＝1:200］

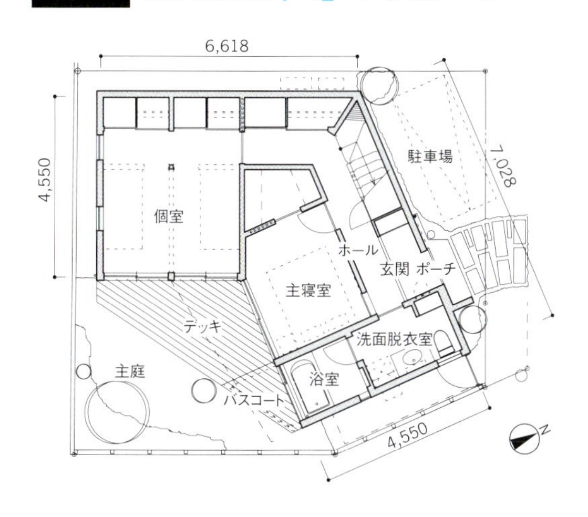
6,618
4,550
7,028
4,550
個室
駐車場
ホール
玄関
ポーチ
主寝室
テッキ
洗面脱衣室
主庭
浴室
バスコート
N

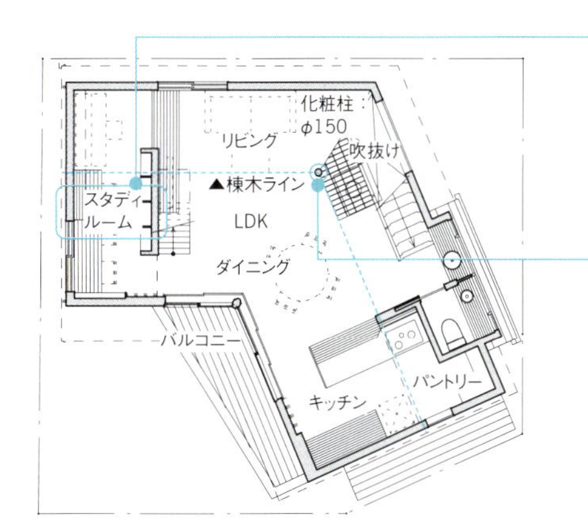
化粧柱
φ150
リビング
吹抜け
▲棟木ライン
スタディ
ルーム
LDK
ダイニング
バルコニー
キッチン
パントリー

採光のため2階にLDKを配置。スタディルーム上部には小さなロフトがある

棟の位置を中心からずらしたことで、化粧の丸柱が部屋の境界を示す起点となり、柱が視線・動線の妨げにもならない

図2 棟方向が異なる2つの切妻

小屋伏図［S＝1:120］

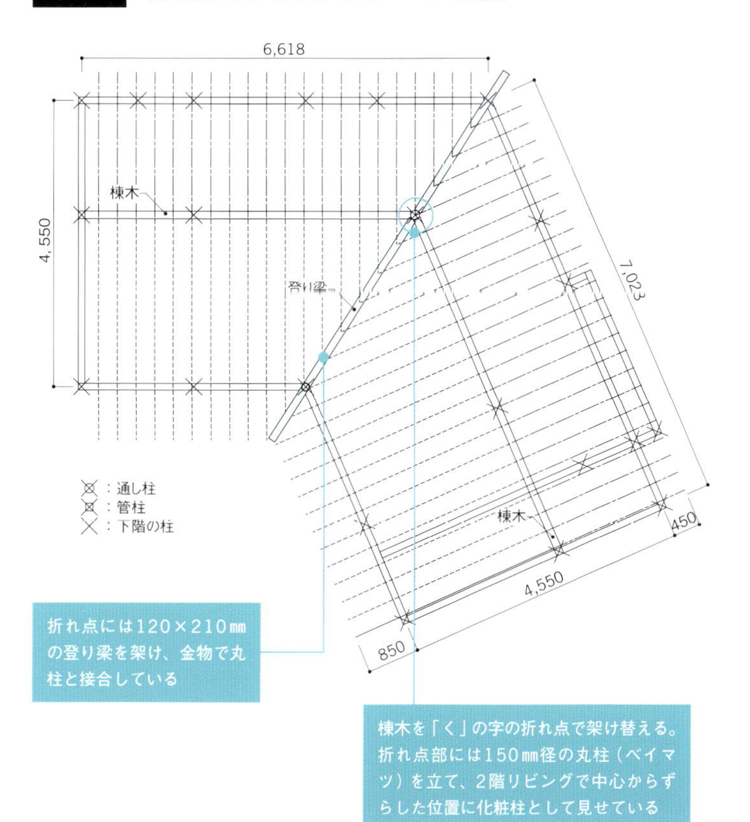
6,618
4,550
棟木
登り梁
7,023
棟木
450
4,550
850
：通し柱
：管柱
：下階の柱

折れ点には120×210㎜の登り梁を架け、金物で丸柱と接合している

棟木を「く」の字の折れ点で架け替える。折れ点部には150㎜径の丸柱（ベイマツ）を立て、2階リビングで中心からずらした位置に化粧柱として見せている

リビングからスタディルームを見る。船底天井と「く」の字形のプランの相乗効果で、単純ながら変化のある空間となった

1階個室からデッキと庭を見る。この部屋は将来、間仕切を設けて2室の子ども部屋に変更可能。その場合も、両室がデッキを介して庭とつながるプランとなっている

棟の位置をずらして庭を設ける

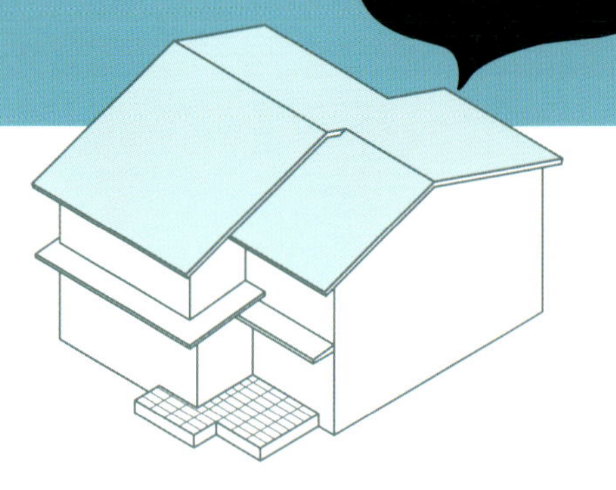
屋根を分けて
軒の高さも2種類に

広さの限られた敷地に庭や駐車場を複数設けたい場合、建物を中央でずらし、生じたスペースを利用するという方法がある。

本事例では、敷地の南と北に庭を確保するため、建物を梁間方向に棟ごとずらし、2つの切妻のボリュームに分けた形状とした。

これにより、切妻の屋根が互い違いに2つ架かるかたちとなり、2カ所に庭を確保しながら、それぞれの庭に対する軒高をほどよい高さに抑えることができた。　［熊澤安子］

図1 棟をずらして庭を設ける

1階平面図［S＝1:200］

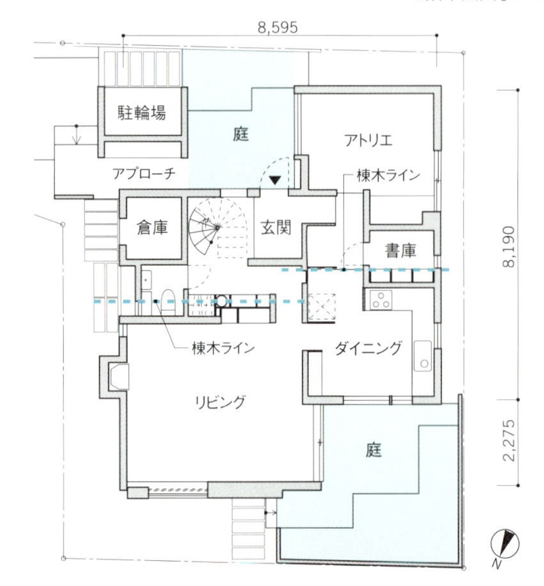
8,595
駐輪場
庭
アトリエ
アプローチ
棟木ライン
倉庫
玄関
書庫
棟木ライン
ダイニング
リビング
庭
8,190
2,275
N

棟をずらしたことで、1階の各室が庭に面するプランが実現した

図2 棟木の不連続を補う

小屋伏図［S＝1:200］

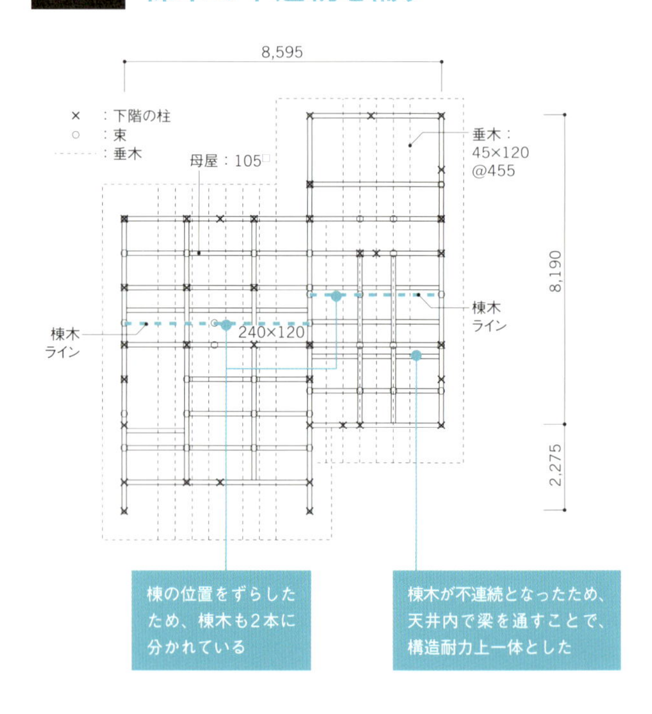
8,595
×：下階の柱
○：束
：垂木
母屋：105□
垂木：
45×120
@455
棟木
ライン
棟木
ライン
240×120
8,190
2,275

棟の位置をずらしたため、棟木も2本に分かれている

棟木が不連続となったため、天井内で梁を通すことで、構造耐力上一体とした

図3 2つの屋根で適切な軒高を保つ

断面図［S＝1:150］

空気集熱式ソーラーを採用したため、太陽光を受けやすい3.5寸勾配としつつ、北側斜線にかからない位置まで棟をずらした

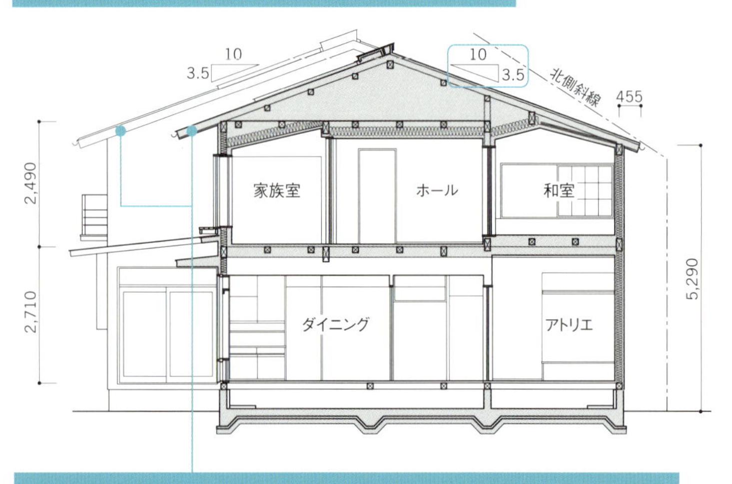
10
3.5
10
3.5
北側斜線
455
2,490
2,710
5,290
家族室
ホール
和室
ダイニング
アトリエ

棟をずらしたことで屋根が2つに分かれ、それぞれの軒先がほどよい高さに抑えられた

リビングから南側の庭を見る。床には大谷石を張り、庇の下は砂利敷きとした。棟をずらして生じたスペースに庭を設けたことで、リビングとダイニングの両室から庭を眺められ、十分な採光も得られる

『宮前の家』（設計・写真：熊澤安子建築設計室）

ボリュームを複数に分けて並べる

小さい切妻を並べて存在感を抑さえる！

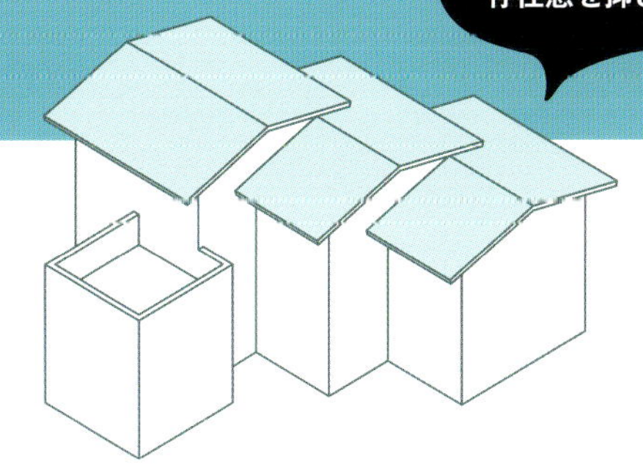

建物の外形や屋根の形状を決定する際は、建物と周辺環境の関係性にも目を向けたい。
本事例の敷地は周辺に雑木林が広がる閑静な別荘地だったので、建物が特異な存在とならないよう、スケールを周囲の木々に合わせたいと考えた。そこで、1つの大きなボリュームとせず、4.8m角程度の小さな3つのボリュームに分けることとした。それぞれに安定感のある切妻の屋根を架け、これらを並べて配置することで、建物の存在感を抑え、環境との調和を図っている［図1、図2］。　［丸山弾］

図1 3つの切妻を段違いに並べる　矩計図［S＝1:100］

それぞれのボリュームにはシンプルな切妻屋根を架けた。建築の原型ともいえる「家型」を表現することで、素朴なたたずまいとしている

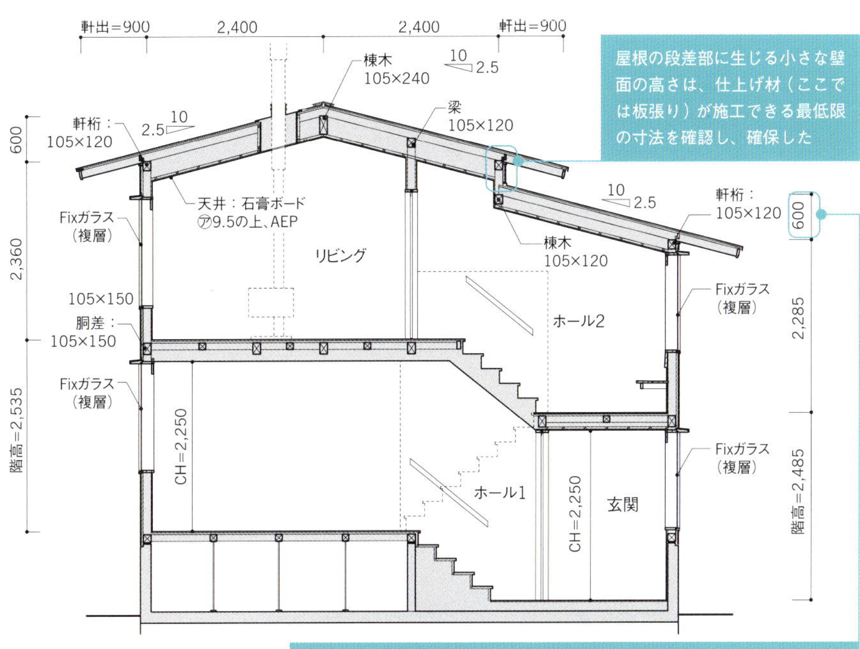

軒出＝900
2,400
2,400
軒出＝900
棟木
105×240
10
2.5
軒桁：
105×120
梁
105×120
天井：石膏ボード
㋐9.5の上、AEP
Fixガラス
（複層）
リビング
棟木
105×120
105×150
胴差：
105×150
ホール2
ホール1
玄関
CH＝2,250
CH＝2,250
600
2,360
階高＝2,535
2,285
階高＝2,485

屋根の段差部に生じる小さな壁面の高さは、仕上げ材（ここでは板張り）が施工できる最低限の寸法を確認し、確保した

棟のうち、中央と東側の2棟はスキップフロアとなっている。屋根もこれに対応するように、ボリュームごとに軒高を600㎜ずつ上げている

図2 連棟型でもつながりのあるプラン　2階平面図［S＝1:200］

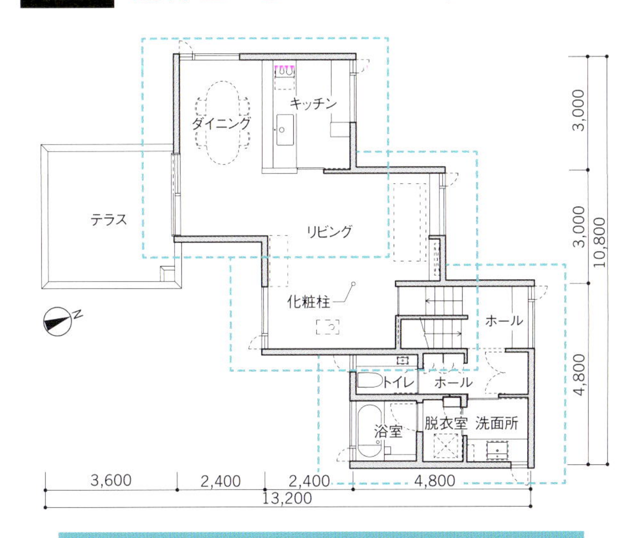

ダイニング
キッチン
テラス
リビング
化粧柱
ホール
トイレ
ホール
浴室
脱衣室
洗面所
3,000
3,000
4,800
10,800
3,600
2,400
2,400
4,800
13,200

軒高が最も低い東棟の天井はフラットに張り、水廻りを集中させた。残りの2棟は高さの異なる屋根なりの勾配天井が連続している

2階リビングからテラスを見る。リビングは中央棟と西棟が重なる部分に位置している。天井をつなげることで空間に連続性を生み出し、ひとつひとつのボリュームの大きさを超えた空間をつくった。また天井高が異なることで、それぞれの空間の用途を緩やかに分けている

2
章

片流れ

雨仕舞に優れ、複雑な平面形状にも対応する片流れ。
しかし、流れが一方向であるために外観を
恰好よくみせるのが難しい。
片流れの途中で勾配を変える、
複数の片流れを組み合わせることで
外観のバランスをとった事例を紹介する

片流れの基本

図1 片流れ屋根の特徴

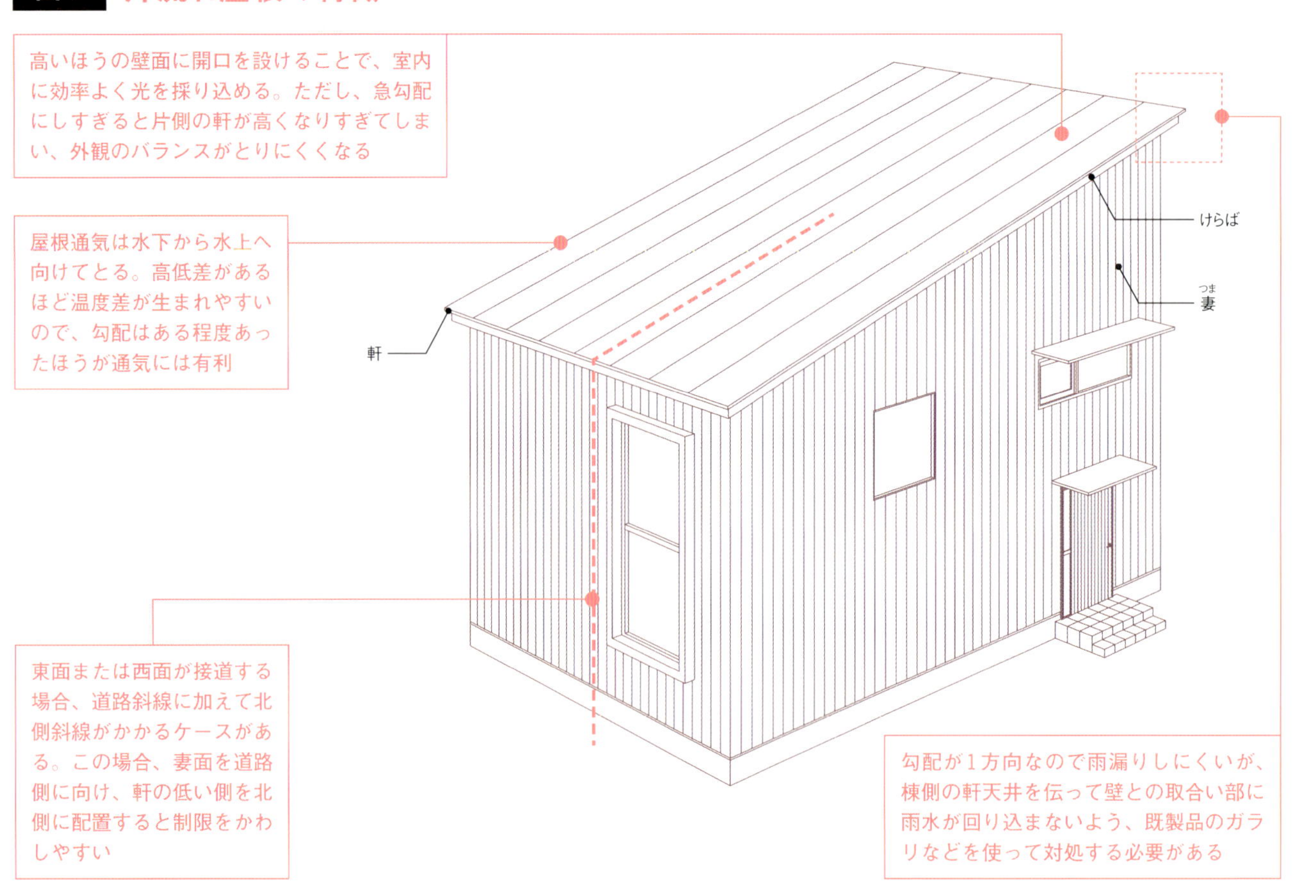
高いほうの壁面に開口を設けることで、室内に効率よく光を採り込める。ただし、急勾配にしすぎると片側の軒が高くなりすぎてしまい、外観のバランスがとりにくくなる
屋根通気は水下から水上へ向けてとる。高低差があるほど温度差が生まれやすいので、勾配はある程度あったほうが通気には有利
軒
けらば
妻
東面または西面が接道する場合、道路斜線に加えて北側斜線がかかるケースがある。この場合、妻面を道路側に向け、軒の低い側を北側に配置すると制限をかわしやすい
勾配が1方向なので雨漏りしにくいが、棟側の軒天井を伝って壁との取合い部に雨水が回り込まないよう、既製品のガラリなどを使って対処する必要がある

片流れの外観は“バランス”が命

1方向にのみに傾斜している片流れは、屋根面に複雑な取合いがないため、切妻よりもさらに雨仕舞いに優れる。また、棟と軒の高低差が大きいため、屋根通気がとりやすいという利点もある。屋根が高い側の立面をファサードにすれば、パラペットなしでフラットな箱形の屋根に見せることも可能だ。また、部分2階のボリュームに片流れで大きな屋根を架ければ、上下階が吹抜けでつながる立体的な空間構成が可能だ。

配置については都市部の住宅密集地などで、東面または西面が接道する場合、道路斜線に加えて北側斜線がかかるため、妻側を道路側に、軒の低い側を北側にすると斜線をかわしやすくなる［図1］。これは建売り住宅などでは常套手段だが、こうして導き出された屋根の勾配は、いかにも「斜線なりに架けた屋根」といった風情となってしまう。

ファサードに目を向けると四角い平面に架かる単純な片流れ屋根は、妻側の壁面がアシンメトリーになるので、立面のバランスをとりにくい形状といえる。いくつかの勾配を試してみて、最もしっくりくる形状を見つけたい。

たとえば、屋根葺き材を板金の立はぜ葺きとして、傾きを感じない程度の緩勾配（1／20程度）にしたり［図2-G］、片流れ屋根に、逆向きの勾配をもつもう1つの片流れ屋根を組み合わせたりして安定感を出す方法がある［図2-A］。また、折れ線状［図2-B］や曲面［図2-I］の片流れとすれば、流れの方向性を緩やかにして落着きのある外観がつくれる。さらに、片流れは一方にのみ傾斜する単純な形状のため、L字形・コの字型や凹凸の多い複雑な平面にも向いている［図2-D、図2-E］。

片流れの架構形式は、切妻と同様、和小屋と登り梁のどちらもあり得るが、架構形式の決め手は水平剛性をどこで確保するかだ。小屋梁レベルで火打ち梁が露出することを嫌うのであれば、登り梁形式で屋根を剛床にすることになる［図3］。［飯塚豊］

図2 片流れ屋根の応用パターン

A [片流れを組み合わせる]

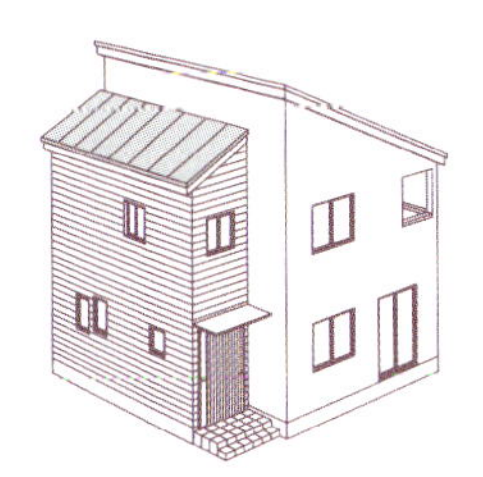

主要な片流れ屋根のボリュームに、逆の勾配の片流れ（下屋）を付加する。ファサードに安定感をだすことができる

B [勾配を途中で変える]

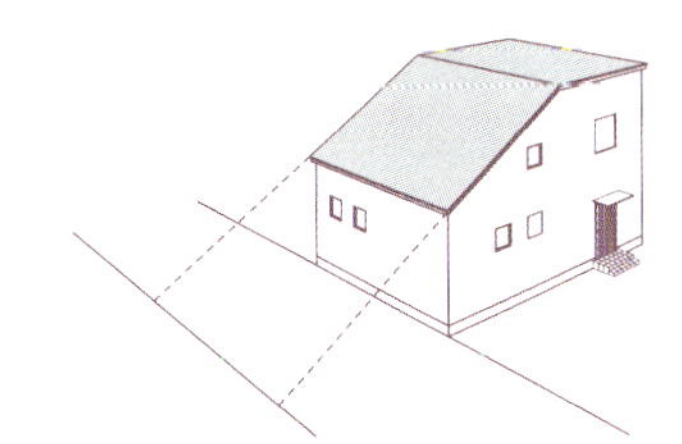

途中で勾配が変わる屋根で斜線をかわす。斜線のぎりぎりまで建築できるので最大限の気積を得ることができる

C [ドーマーを設ける]

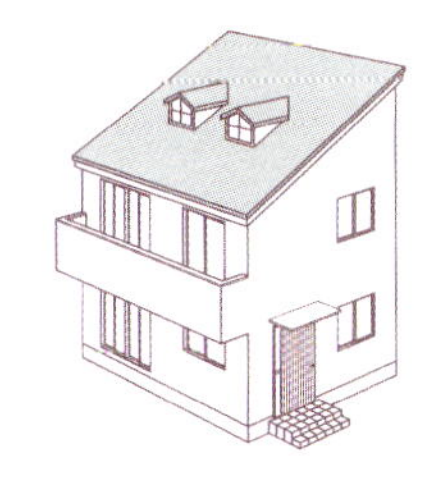

片流れの途中にドーマーを設けて、通気と採光を得る。トップライトに頼らず、屋根面に沿って光をうまく導入できる

D E [複雑な平面を単純な屋根でまとめる]

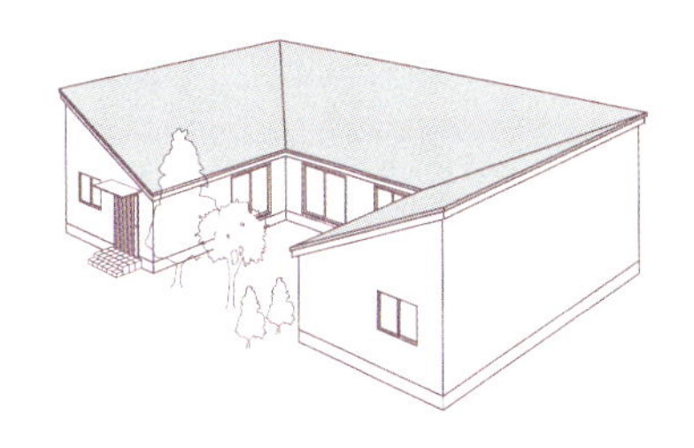

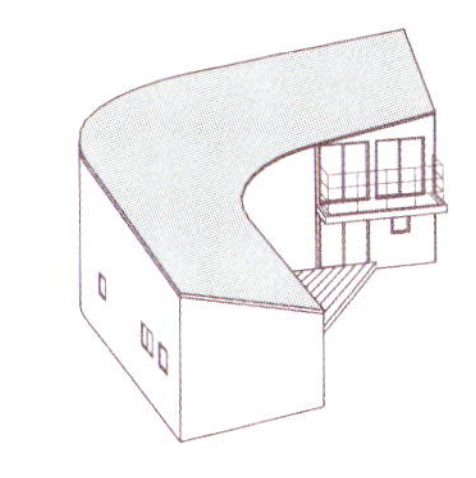

L字形やコ字形、く字形の平面に屋根を架ける。屋根の流れ方向によって印象が大きく異なるため、流れ方向は慎重に検討したい

F [一部を陸屋根にする]

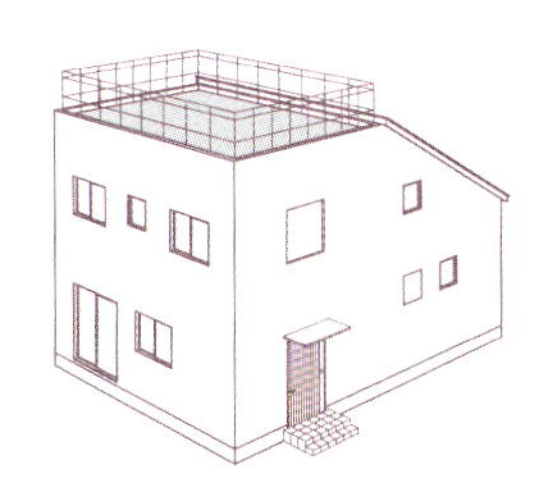

片流れの勾配を途中で変えて、一部を陸屋根にする。テラスとして活用することもできる

G [緩勾配にする]

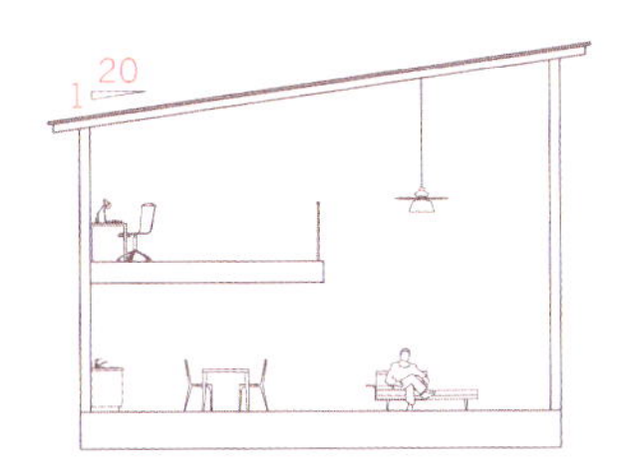

緩勾配にして陸屋根に近い立面にする。木造で雨漏りなどのリスクを回避しつつ、フラットルーフを実現するには、緩勾配の屋根が適している

H [陸屋根風に見せる]

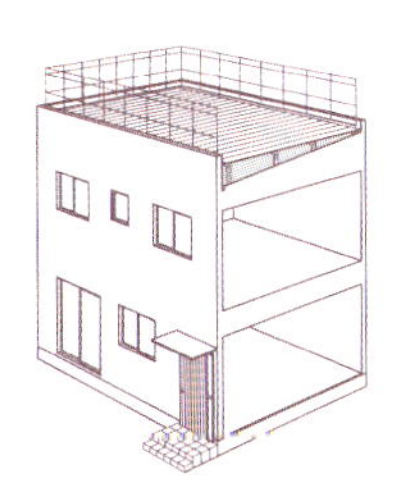

片流れで、パラペットを立てる。片流れで雨漏りのリスクを回避すると同時に、陸屋根風に見せることができる

I [曲面にする]

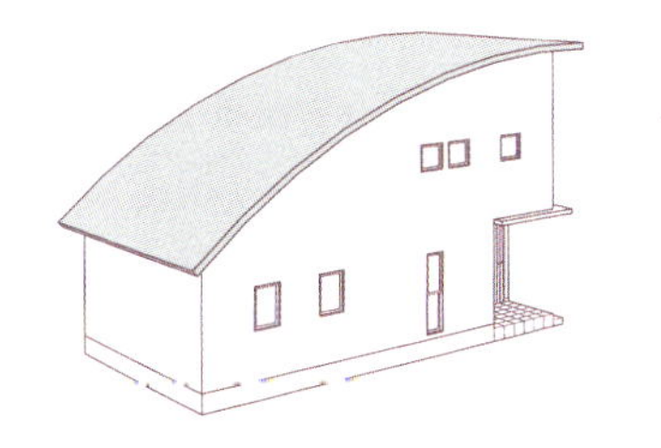

曲面にして、片流れの意匠的な「勢い」を弱める。緩い曲面にすれば、屋根なりの落ち着きのある内部空間が得られる

図3 和小屋か登り梁か

和小屋の構造

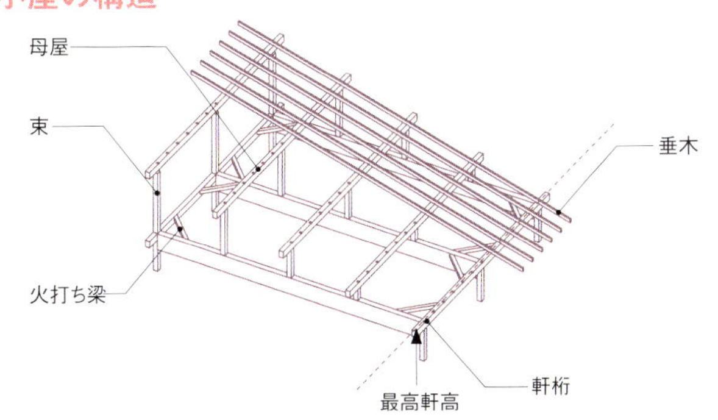
母屋
束
垂木
火打ち梁
最高軒高
軒桁

片流れの場合、最高軒高は原則として高い側の軒の高さとなる。ただし、和小屋の場合には軒を支持する柱の上端までとすることが多いため、和小屋とした場合のほうが登り梁構造よりも建物を高くできる

登り梁の構造

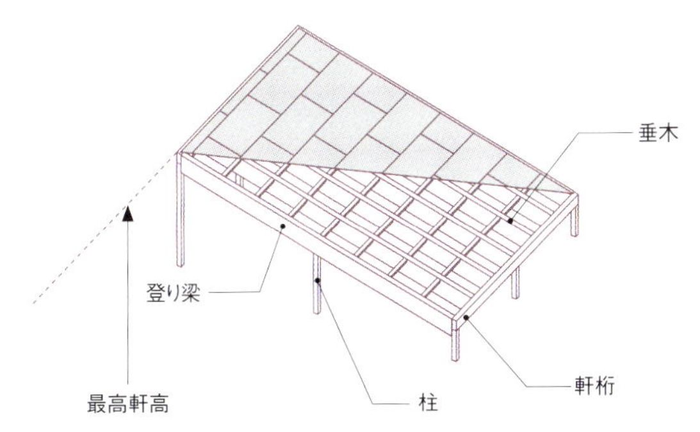
垂木
登り梁
最高軒高
柱
軒桁

屋根勾配なりに登り梁を架けて、水平垂木、または母屋を入れ垂木を流し、小屋組とする構造。横架材がないため、内部空間を有効に使える

折れ屋根で斜線をかわし軒高を抑える

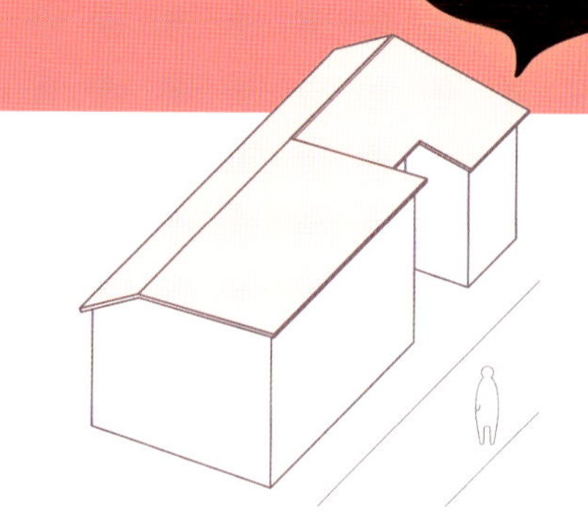
途中で勾配を
変える！

片流れ屋根をもつ建物で、高いほうの平側が前面道路に接する場合、通行者に対して圧迫感が強くなりすぎてしまう。これを避けるには勾配を緩くして軒を低く抑えたい。

この事例では、片流れの低いほうの平側に北側斜線がかかるため、この部分は斜線なりの勾配としつつ、高いほうの平側を低く抑えるために屋根面に折れ点を設けた折れ屋根とした［図1・2］。

室内は屋根の垂木をすべて天井面に露し、屋根に包まれた大きな1つの空間をつくりだしている。　［向山博］

図1　屋根面の途中で勾配を変える　断面図［S＝1:120］

北側は斜線なりの勾配、折れ点より南側は緩勾配として前面道路側の軒高を低く抑えた

屋根：
塗装ガルバリウム鋼板
㋐0.4 立はぜ葺き

100 / 5.49

北側斜線

A部

100 / 61.5

天井：
登り梁@303
木材保護塗料
シラス壁㋐5（梁間）

収納2

6,177

隣地境界線

リビング・ダイニング

パントリー

7,735

1,125

室内に露した垂木の成は、スパンに合わせて北側を184㎜、南側を286㎜として変化を付けている

上：折れ点部分の板金（図中A部）。上の屋根を被せるようにして重ね、段差部分には唐草を入れて納めている（写真：向山建築設計事務所）｜下：建物外観。折れ屋根としたことで前面道路側の軒高を抑えている

図2　屋根の折れ点が現れたプラン　平面図［S＝1:300］

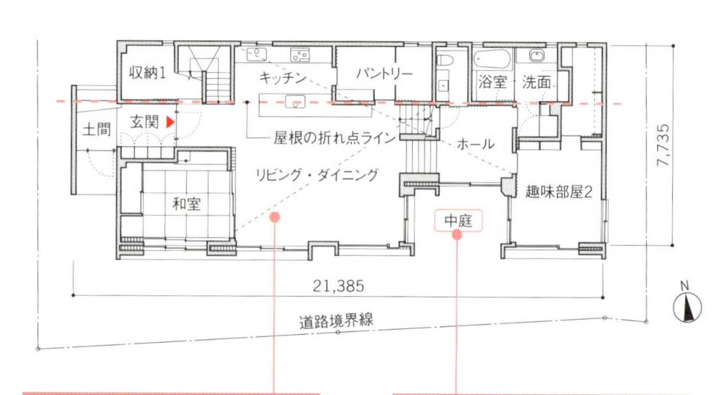
収納1
キッチン
パントリー
浴室
洗面
土間
玄関
屋根の折れ点ライン
ホール
リビング・ダイニング
和室
趣味部屋2
中庭
7,735
21,385
道路境界線
N

中央に吹抜けのリビングがあるプラン。屋根の折れ点は露しの構造材によって内部にも現れる。この折れ点のラインを基準に、水廻りや収納などを北側に配置した

建物は高低差のある2区画にまたがる大きな長方形。前面道路側に中庭をとることでボリュームを分割し、存在感が大きくなりすぎないようにした

リビングから天井を見上げる。垂木間の天井面は内壁と同じ左官仕上げ。この白い天井面の見え方が見上げる位置によって変化するよう、垂木の成とピッチを決定した

『神木本町の家』（設計：向山建築設計事務所／写真：中川敦玲）

傾斜面を方杖で支えて屋上を設ける

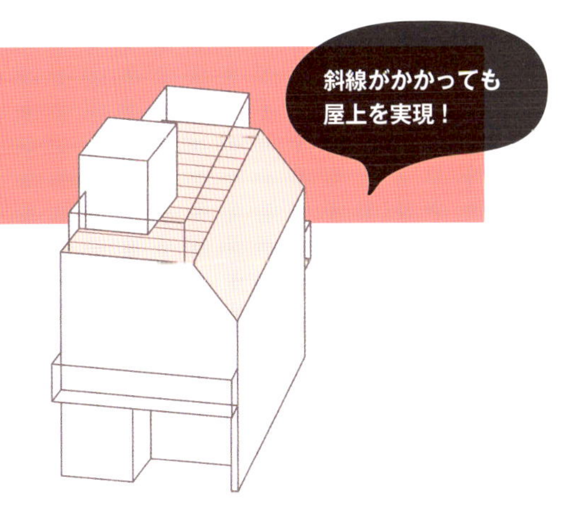
斜線がかかっても
屋上を実現！

屋上を設ける場合、屋根面すべてをフラットにした陸屋根とするのが最も手っ取り早い。しかし、周辺環境や法規制により難しい場合もある。

本事例では、屋根面をフラットにして屋上を設けたが、高度斜線をかわすため、北側の一部を斜線なりにカットした。その結果、陸屋根の一辺が削り取られ、傾斜した壁面と屋上テラスの床梁が斜めに取り合うこととなった。この部分を支えるために、柱ではなく方杖を入れ、階下のプランへの影響を最小限に留めている［図1・2］。

［田井幹夫］

図1 方杖で屋根を支える 断面図［S＝1:80］

方杖を入れることで、斜線なりに傾斜した壁面と上部のテラスを、柱を立てることなく支えている

1,846
屋根：FRP防水
1,300
屋上テラス
手摺：St. FB-32×9 グラファイト塗装
1,850
梁：120×240
外壁：窯業系サイディング㋐14 VP
階段3
方杖：120□
8,658
3,328
キッチン
トイレ
室3
2,100
倉庫2

内壁から浮き出た方杖は、この空間を成立させるために必要不可欠な存在である。それを示すために、空間にそのまま露した

図2 デッキを最大限に確保

屋根伏図［S＝1:120］

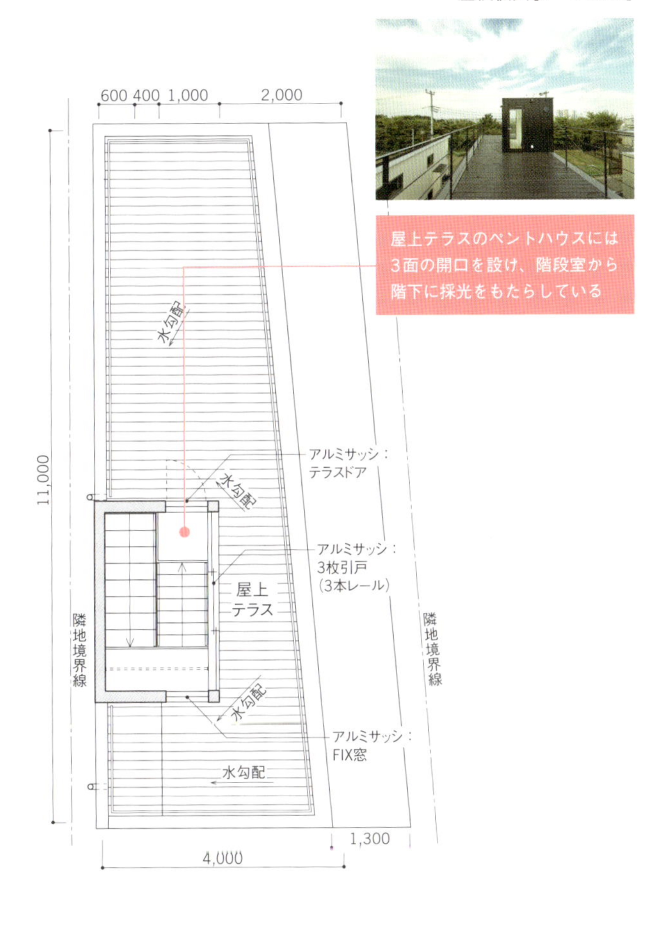
600 400 1,000 2,000
11,000
水勾配
アルミサッシ：テラスドア
アルミサッシ：3枚引戸（3本レール）
屋上テラス
隣地境界線
アルミサッシ：FIX窓
1,300
4,000

屋上テラスのペントハウスには3面の開口を設け、階段室から階下に採光をもたらしている

都市部では北側斜線なりの片流れ＋ロフトというかたちが一般的だが、屋上を設けるために四角いボリュームの一部を切り取った形状とした

緩勾配の片流れで合理性を追求

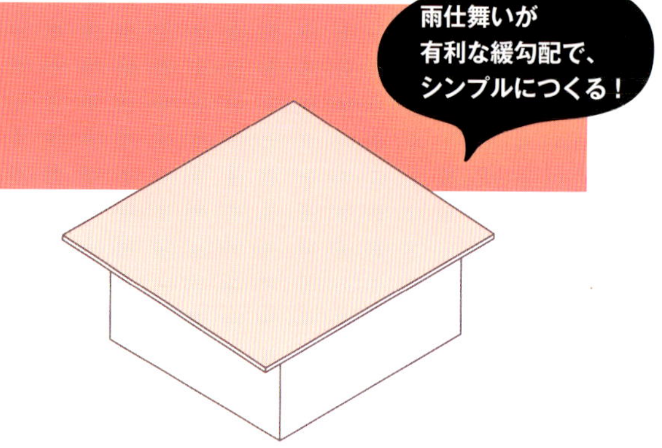
雨仕舞いが
有利な緩勾配で、
シンプルにつくる！

低コストでつくる小さな住宅は、屋根形状と架構のどちらも合理的に美しくまとめたい。本事例は、小さな住宅に一枚板のような緩勾配の片流れを架けて、シンプルな構成に仕上げている。雨仕舞いを考慮して5分勾配とした［図1・2］。

内部は、小屋梁と垂木の成を120㎜に統一したフラットな格子状の架構を露しとし、天井面を軽やかに見せている［図3・4］。間仕切壁は天井から離して設け、連続した架構がどの部屋からも見えることで、空間に広がりをもたせている［図5］。　［伊藤寛］

図1 平屋に勾配の片流れを架ける 断面図［S＝1:60］

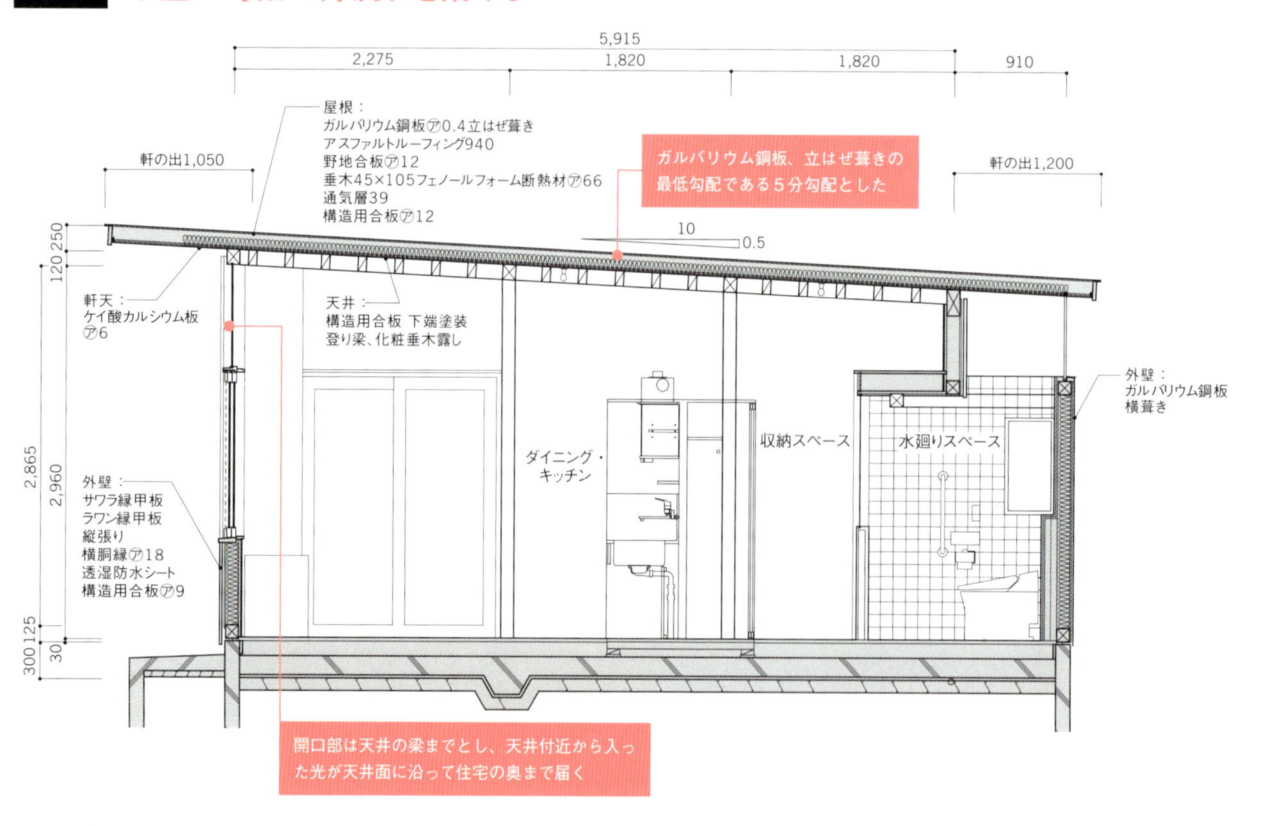
5,915
2,275
1,820
1,820
910
屋根：
ガルバリウム鋼板㋐0.4立はぜ葺き
アスファルトルーフィング940
野地合板㋐12
垂木45×105フェノールフォーム断熱材㋐66
通気層39
構造用合板㋐12
ガルバリウム鋼板、立はぜ葺きの
最低勾配である5分勾配とした
軒の出1,050
軒の出1,200
10
0.5
軒天：
ケイ酸カルシウム板
㋐6
天井：
構造用合板 下端塗装
登り梁、化粧垂木露し
外壁：
ガルバリウム鋼板
横葺き
ダイニング・
キッチン
収納スペース
水廻りスペース
外壁：
サワラ縁甲板
ラワン縁甲板
縦張り
横胴縁㋐18
透湿防水シート
構造用合板㋐9
250
120
2,865
2,960
125
300
30
開口部は天井の梁までとし、天井付近から入った光が天井面に沿って住宅の奥まで届く

図2 開口部の納まり 詳細図［S＝1:20］

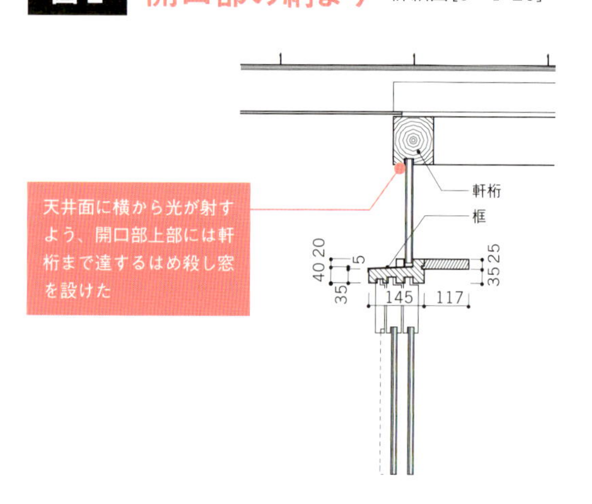
天井面に横から光が射すよう、開口部上部には軒桁まで達するはめ殺し窓を設けた
軒桁
框
40
20
5
35
145
117
35
25

外観。周囲にほかの建物がない広い敷地なので、全方位から美しく見せる必要があった。軒は薄く、深くすることで軽やかに見せている。外壁はサワラの縁甲板の縦張りとしているが、桁の上端までは張らずに少し隙間を空け、架構、仕上げの区別を視覚化した

図3 薄く深い軒とけらばをつくる 小屋伏図[S＝1:100]

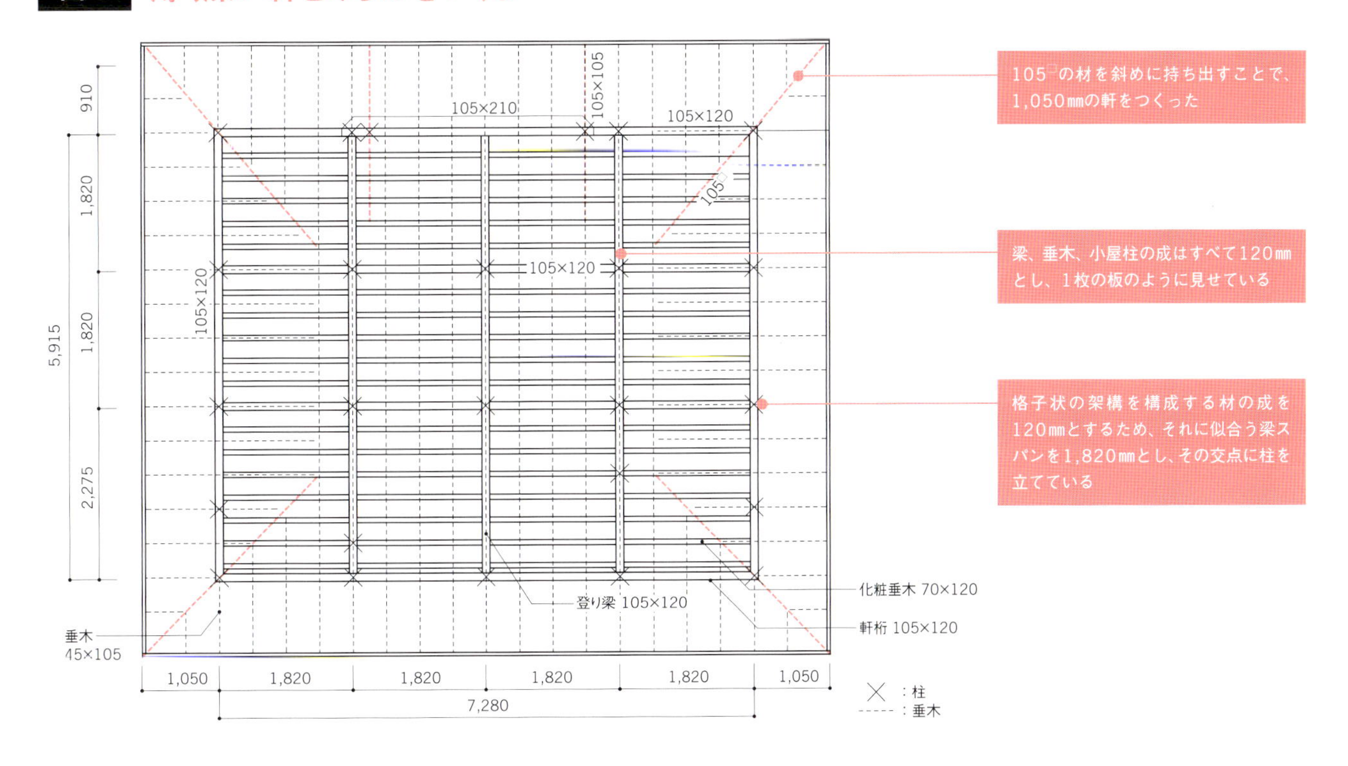
105□の材を斜めに持ち出すことで、1,050㎜の軒をつくった
梁、垂木、小屋柱の成はすべて120㎜とし、1枚の板のように見せている
格子状の架構を構成する材の成を120㎜とするため、それに似合う梁スパンを1,820㎜とし、その交点に柱を立てている
105×210
105×105
105×120
105□
化粧垂木 70×120
軒桁 105×120
登り梁 105×120
垂木 45×105
910
1,820
1,820
2,275
5,915
1,050
1,820
1,820
1,820
1,820
1,050
7,280
×：柱
-----：垂木

図4 屋根で屋内と屋外を緩やかにつなぐ 平面図[S＝1:200]

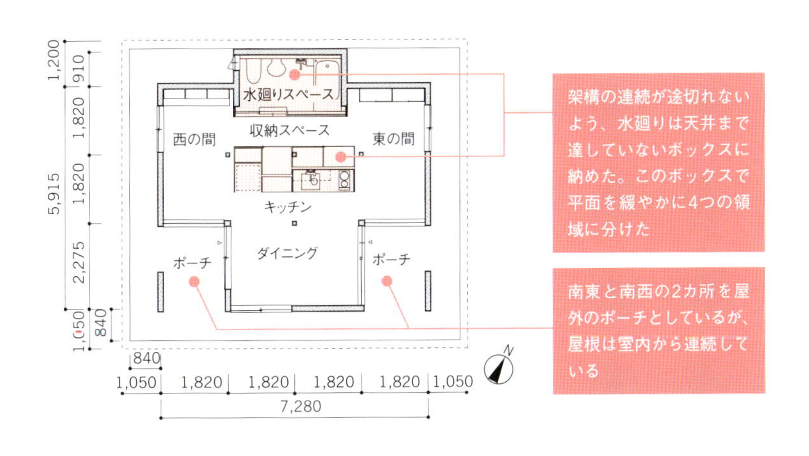
架構の連続が途切れないよう、水廻りは天井まで達していないボックスに納めた。このボックスで平面を緩やかに4つの領域に分けた
南東と南西の2カ所を屋外のポーチとしているが、屋根は室内から連続している
水廻りスペース
収納スペース
西の間
東の間
キッチン
ダイニング
ポーチ
ポーチ
1,200
910
1,820
1,820
2,275
5,915
1,050
840
840
1,050
1,820
1,820
1,820
1,820
1,050
7,280

上：寝室からリビングを見る。天井付近は柱以外に視線を遮るものがなく、架構が連続して見える。梁や垂木より少しトーンを落とした塗装の野地板を露しにして、架構を際立たせた｜下：ポーチからリビングを見る。リビングとポーチが同じ平屋根の下に納まり一体の連続空間となる

図5 露しの架構で金物を見せない納まり

✕ 金物が見える納まり

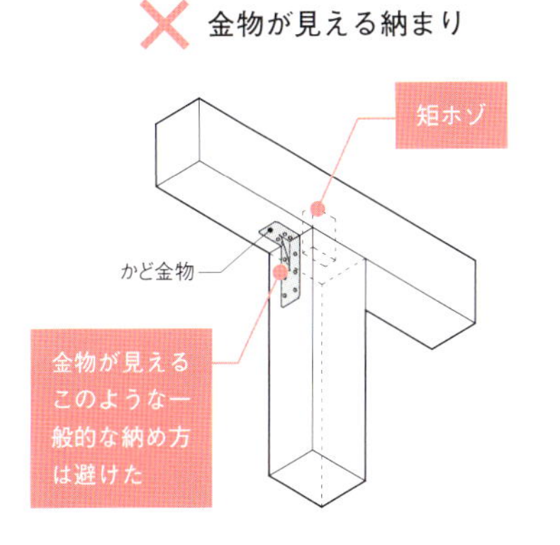
短ホゾ
かど金物
金物が見えるこのような一般的な納め方は避けた

一般的な納め方だが、金物が見えてしまうため、本事例のように架構を露す場合は不向き

〇 長ホゾに込み栓を差して金物を使わずに納める

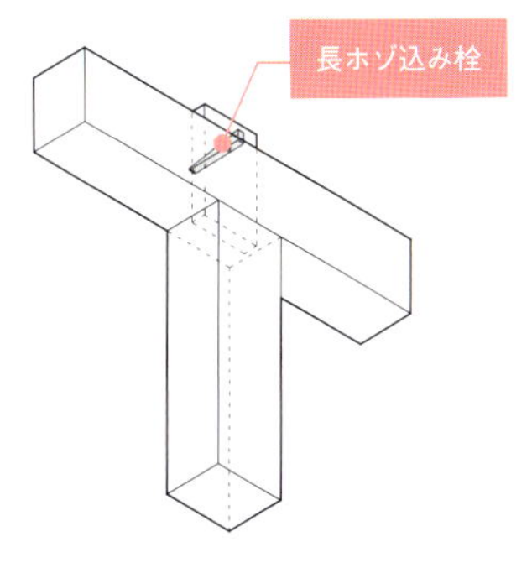
長ホゾ込み栓

金物を一切使わずに柱を固定できるため、架構を露して美しく納めることができる

超急勾配(11寸)で斜線をかわす

斜線なりの屋根で
最大限の容積に!

各種斜線がかかる都市部では、屋根にも工夫を凝らしたい。本事例では、最高軒高をクリアする高さから、ほぼ北側斜線に沿い11寸勾配の片流れ屋根を架けることで、最大限の容積を確保した[図1]。最上階は床付近にも斜線の影響が現れるいびつな空間となるが、隣地の影響を受けずに採光を得られるため、あえてリビングとした[図2、3]。

間口の小さい建築だが、門型のフレーム[※]を連続させて架構とすることで、短辺方向の壁を省略し、空間の広がりを演出している[図4]。 [奥野公章]

図1 斜線なりの屋根で容積を得る 断面図[S=1:50]

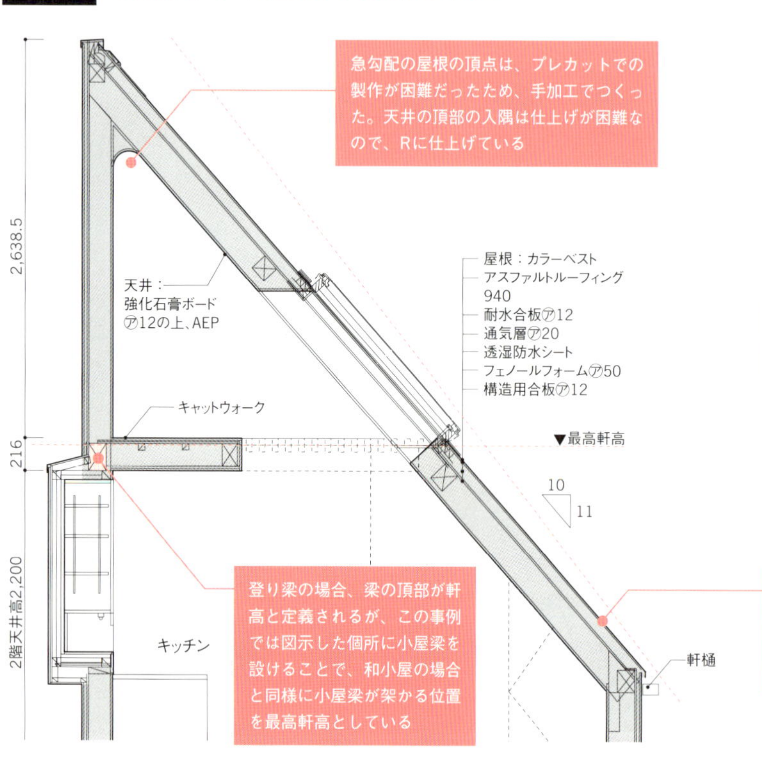
急勾配の屋根の頂点は、プレカットでの製作が困難だったため、手加工でつくった。天井の頂部の入隅は仕上げが困難なので、Rに仕上げている
2,638.5
216
2階天井高2,200
天井:
強化石膏ボード
㋐12の上、AEP
屋根:カラーベスト
アスファルトルーフィング
940
耐水合板㋐12
通気層㋐20
透湿防水シート
フェノールフォーム㋐50
構造用合板㋐12
キャットウォーク
▼最高軒高
10
11
キッチン
軒樋
登り梁の場合、梁の頂部が軒高と定義されるが、この事例では図示した個所に小屋梁を設けることで、和小屋の場合と同様に小屋梁が架かる位置を最高軒高としている

右:急勾配の片流れは立面がアシンメトリーになり、バランスをとりにくいが、大きな開口部をアクセントにして、バランスをとっている|左:リビングからワークスペース、インナーバルコニーを見る。インナーバルコニーに三角形のトップライトから光が注ぐことで、狭小地ながらも十分な明るさが得られる

12.5寸勾配の北側斜線に対し、トップライトの厚さを考慮して11寸勾配とした。通常、6寸勾配を超えると、屋根足場が必要となり、仮設コストが割高になるので、あらかじめ予算に組み込んでおきたい

図2 上方に心地よい空間を得る 断面図[S=1:250]

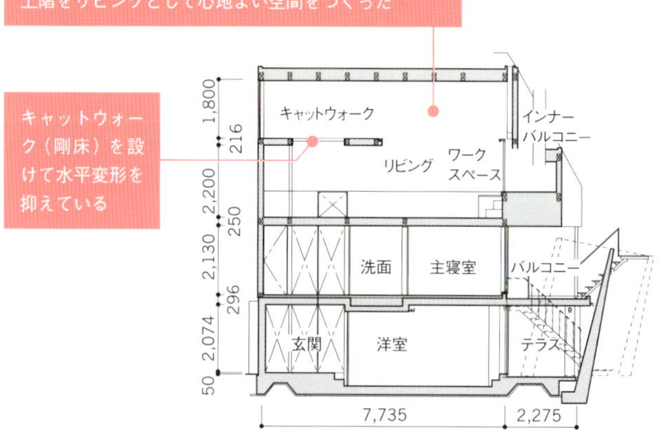
接道は2階。1,2階は擁壁と隣家に囲まれているため、上階をリビングとして心地よい空間をつくった
キャットウォーク(剛床)を設けて水平変形を抑えている
1,800
216
2,200
250
2,130
296
2,074
50
キャットウォーク
インナーバルコニー
リビング
ワークスペース
洗面
主寝室
バルコニー
玄関
洋室
テラス
7,735
2,275

図3 門型の架構で長編方向の壁をなくす 平面図[S=1:150]

収納
インナーバルコニー
ワークスペース
キッチン
リビング
N
3,640
1,820
910
910
910 | 1,820 | 910 | 910 | 910 | 910 | 1,365
2,730 | 5,005
7,735

短辺方向に作用する水平力に抵抗するため、柱は120×150㎜と120×180㎜を用いている

※柱と梁を金物と接着剤なしで接合したもの。水平力に抵抗することが可能

『白金の家』(設計:奥野公章建築設計室/写真:牛尾幹太)

逆勾配の片流れで採光を得る

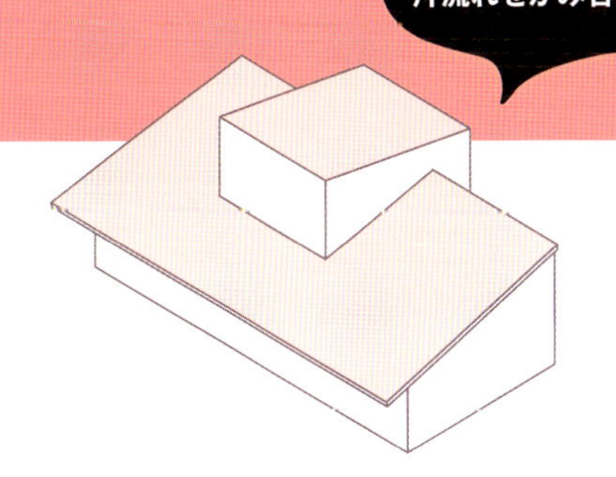
片流れの母屋に逆勾配の片流れをかみ合わせる！

大きな平屋を計画する場合、軒の深い切妻とすると自然で美しい。しかしこの形状は、家の中央や北側が暗くなりやすく、空間全体の採光を図ることは難しい。

本事例は、片流れ大屋根の中央部に、逆勾配の小さな片流れのボリュームをかみ合わせている［図1］。それぞれのボリュームにハイサイドライトを設け、室内全体に光が届くように計画した。片流れの非対称性や、大屋根の上に浮かぶ望楼が、水平な平屋に変化を生み、広い敷地にふさわしい外観となった［図2・3］。 ［飯塚豊］

図1 勾配が逆の小さな片流れにハイサイドライトを設ける

断面図［S＝1：120］

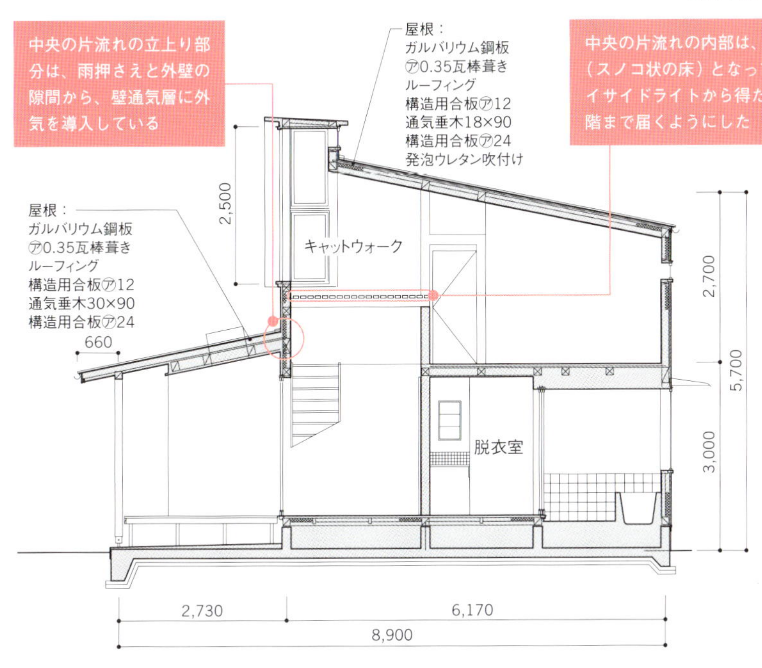
中央の片流れの立上り部分は、雨押さえと外壁の隙間から、壁通気層に外気を導入している
屋根：
ガルバリウム鋼板
㋐0.35瓦棒葺き
ルーフィング
構造用合板㋐12
通気垂木18×90
構造用合板㋐24
発泡ウレタン吹付け
中央の片流れの内部は、吹き抜け（スノコ状の床）となっており、ハイサイドライトから得た光が、下階まで届くようにした
屋根：
ガルバリウム鋼板
㋐0.35瓦棒葺き
ルーフィング
構造用合板㋐12
通気垂木30×90
構造用合板㋐24
660
2,500
キャットウォーク
2,700
5,700
3,000
脱衣室
2,730
6,170
8,900

図2 吹抜け下をホールに

平面図［S＝1：400］

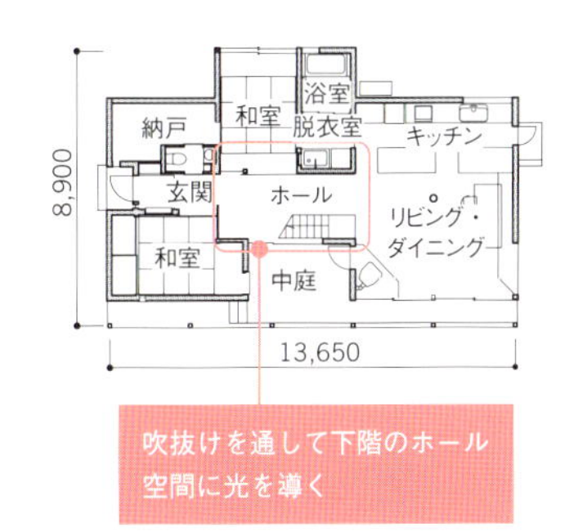
納戸
和室
浴室
脱衣室
キッチン
玄関
ホール
リビング・ダイニング
和室
中庭
8,900
13,650
吹抜けを通して下階のホール空間に光を導く

外観。母屋のボリュームと、挿入した小さな片流れボリュームは、ともにガルバリウム鋼板の瓦棒葺きだが、色を変えることでファサードに立体感が出る

図3 上下階の柱をそろえて荷重を支える

小屋伏図［S＝1：200］

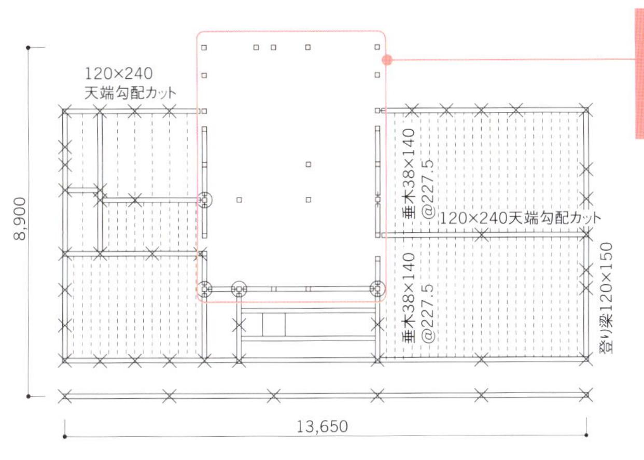
大屋根とかみ合う中央のボリューム部分は、出隅・入隅の主要な柱を上下階でそろえ、鉛直荷重を処理した
120×240
天端勾配カット
垂木38×140
@227.5
120×240天端勾配カット
垂木38×140
@227.5
登り梁120×150
8,900
13,650

ホールからリビング・ダイニングを見る。スノコ状のキャットウォークの隙間から光が届く。居間に見える垂木は、金物を見せない納まりとし、細かいピッチで配置してルーバーのように見せる

屋根の高さに合わせて天井高も変化

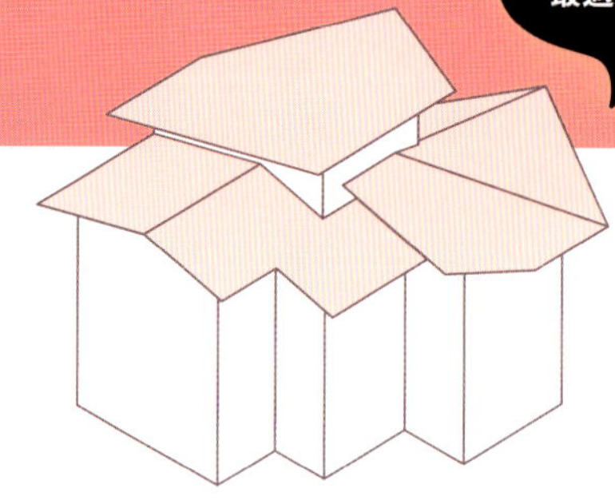
空間ごとに
最適な天井高に！

複雑な平面に屋根を架ける場合、ひとつながりにせず複数に分けるほうが納まりはよい。

本事例では、窓からの眺めや南からの日射取得を考慮した結果、五角形のダイニングを中心に据えたプランとなった。五角形のボリュームには片流れの屋根をかけ、いくつかの屋根がそれに寄り添うように、斜線制限をクリアしつつ重なり合っている。各室は屋根なりの勾配天井とした結果、それぞれの場に見合った天井高、心理的効果のあるかたちが生まれた［図1、図2］。　［熊澤安子］

図1 屋根に合わせた勾配天井 A-A断面図｜B-B断面図［S＝1:100］

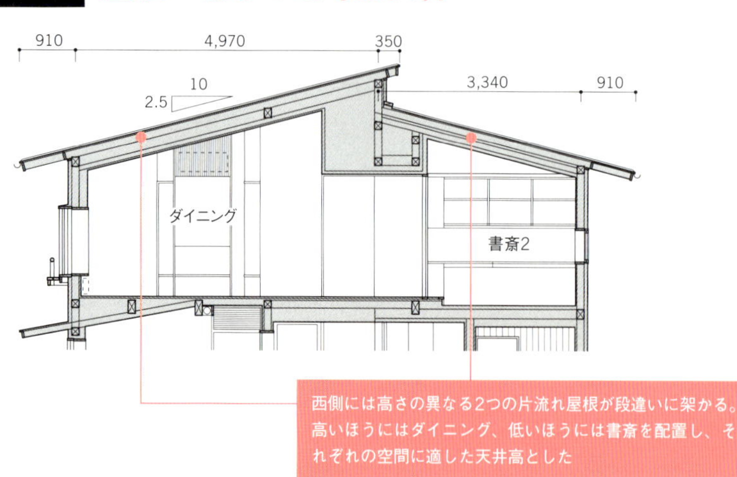
910
4,970
350
10
2.5
3,340
910
ダイニング
書斎2

西側には高さの異なる2つの片流れ屋根が段違いに架かる。高いほうにはダイニング、低いほうには書斎を配置し、それぞれの空間に適した天井高とした

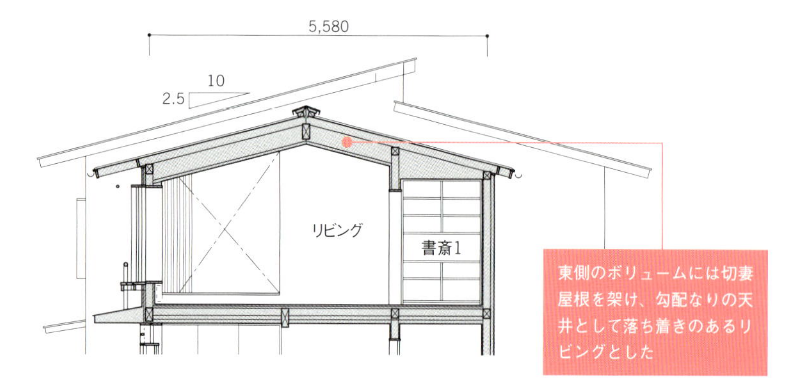
5,580
10
2.5
リビング
書斎1

東側のボリュームには切妻屋根を架け、勾配なりの天井として落ち着きのあるリビングとした

上：西側外観。写真右側の一段高い屋根がダイニングに架かる五角形の片流れ｜下：リビングからダイニングを見る。手前のリビングは切妻屋根の、奥のダイニングは片流れ屋根の勾配なりに天井を張った。屋根の高さに合わせて床にも段差を設け、境界をさりげなく意識させている

図2 五角形を中心とした複雑なプラン 2階平面図｜屋根伏図［S＝1:250］

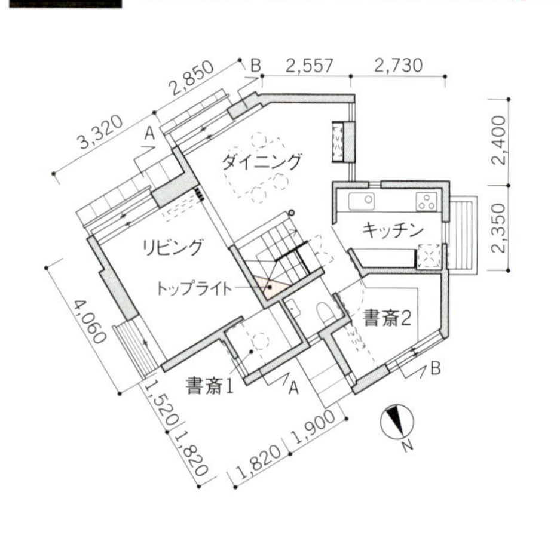
2,850
B
2,557
2,730
3,320
A
ダイニング
2,400
2,350
キッチン
リビング
トップライト
4,060
書斎2
書斎1
A
B
1,520
1,820
1,820
1,900
N

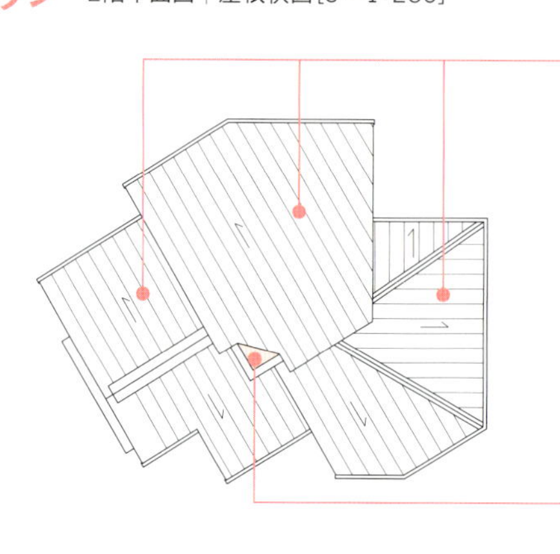

南北に2つの五角形屋根、その東面に切妻屋根が取り合う

建物の中心に位置する階段室にはトップライトを設け、朝から夕までの光の移ろいをどの部屋からも感じられるようにした

『吉祥寺の家』（設計・写真：熊澤安子建築設計室）

緩やかな弧が安心感を生む アーチ状屋根

“包まれ感”を演出する

屋根や外壁に曲面を取り入れることで、外観に柔らかな印象や安心感が生まれる。

本事例は、郊外の住宅地の一角で、三方が道路に面した敷地に建つ。人目に触れやすく、プライバシーの確保が課題となったが、セットバックして距離を取るほどの広さはない。そこで、住まい手の生活を守るかのような緩やかな弧状の大屋根を架け、包み込まれるような安心感を演出した［図1］。室内の天井も屋根なりの曲面とし、外観に現れた安心感を内部にもそのまま取り込んでいる［図2］。　［藤原昭夫］

図1　垂木の高さを調節して曲面をつくる　小屋伏図［S＝1:200］

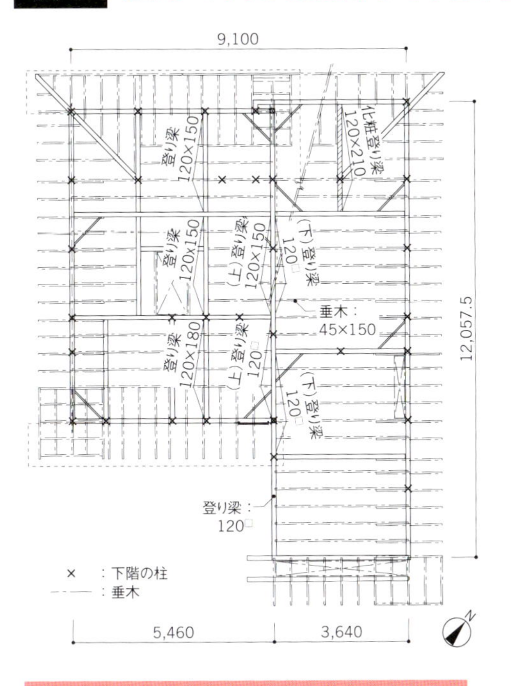

9,100
登り梁 120×150
化粧登り梁 120×210
登り梁 120×150
（上）登り梁 120×150
（下）登り梁 120□
垂木：45×150
登り梁 120×180
（上）登り梁 120□
（下）登り梁 120□
12,057.5
登り梁：120□
×　：下階の柱
――：垂木
5,460
3,640

少しずつ勾配を付けた登り梁を桁行方向に架け、そこに45×150の垂木を2間飛ばしで渡す。登り梁は垂木に合わせて欠き込まれており、この欠き込みの深さを調整しながらアーチ状の屋根をつくる

1階リビング。天井にはベイマツの小幅板（12×40㎜）を張った。天井と壁の取合い上部にはハイサイドライトも設けている

アーチ状屋根の架構

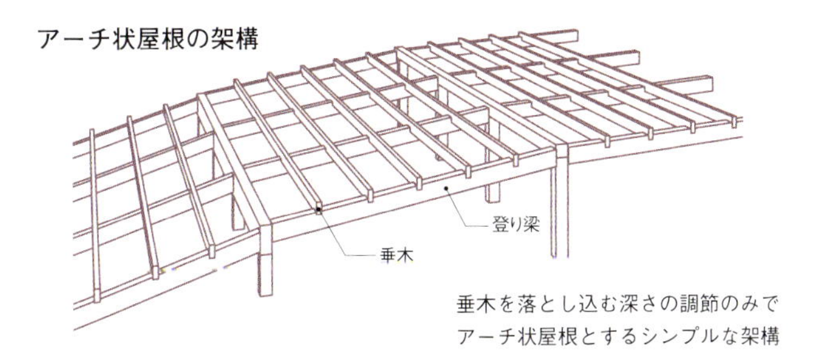

登り梁
垂木

垂木を落とし込む深さの調節のみでアーチ状屋根とするシンプルな架構

図2　アーチ状の大屋根　断面図［S＝1:120］

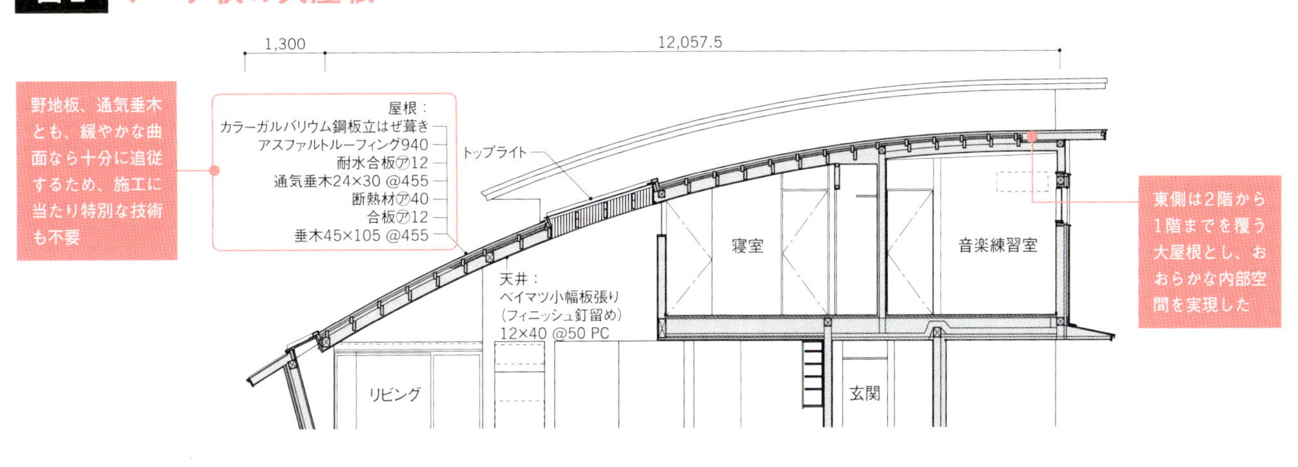

1,300
12,057.5
屋根：
カラーガルバリウム鋼板立はぜ葺き
アスファルトルーフィング940
耐水合板㋐12
通気垂木24×30 @455
断熱材㋐40
合板㋐12
垂木45×105 @455
トップライト
天井：
ベイマツ小幅板張り
（フィニッシュ釘留め）
12×40 @50 PC
寝室
音楽練習室
リビング
玄関

野地板、通気垂木とも、緩やかな曲面なら十分に追従するため、施工に当たり特別な技術も不要

東側は2階から1階までを覆う大屋根とし、おおらかな内部空間を実現した

コートハウスの屋根勾配は外向きが理想

中庭の下屋で重心を下げる

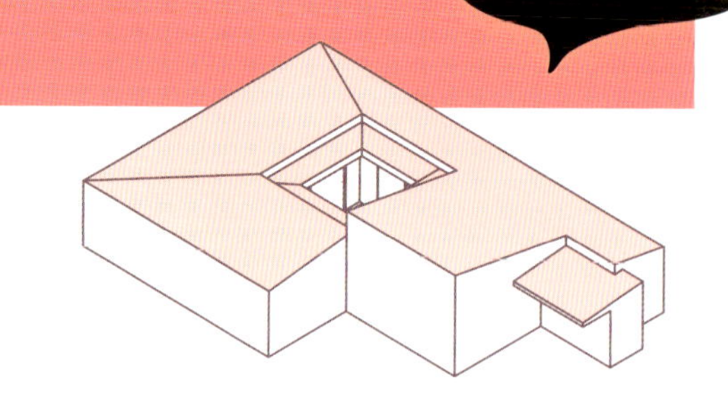

コートハウスでは、中庭の存在が内部に圧迫感を与えないよう、中庭側の軒のラインを低く抑えたい。屋根勾配を中庭に向けて取る方法もあるが、屋根面に谷部分ができてしまい、雨仕舞い上好ましくない。

本事例では、屋根勾配を外向きに取りつつ、ロの字形に囲まれた中庭側に小さな下屋を設け、その下屋の軒先を低くして中庭の存在感をほどよいものにしている［図1～図4］。また屋根を複数に分けず、巻き貝状につながった1枚の屋根として防水性を高めた。

［本間至］

図1 下屋で中庭の軒高を抑える 小屋伏図［S＝1:180］

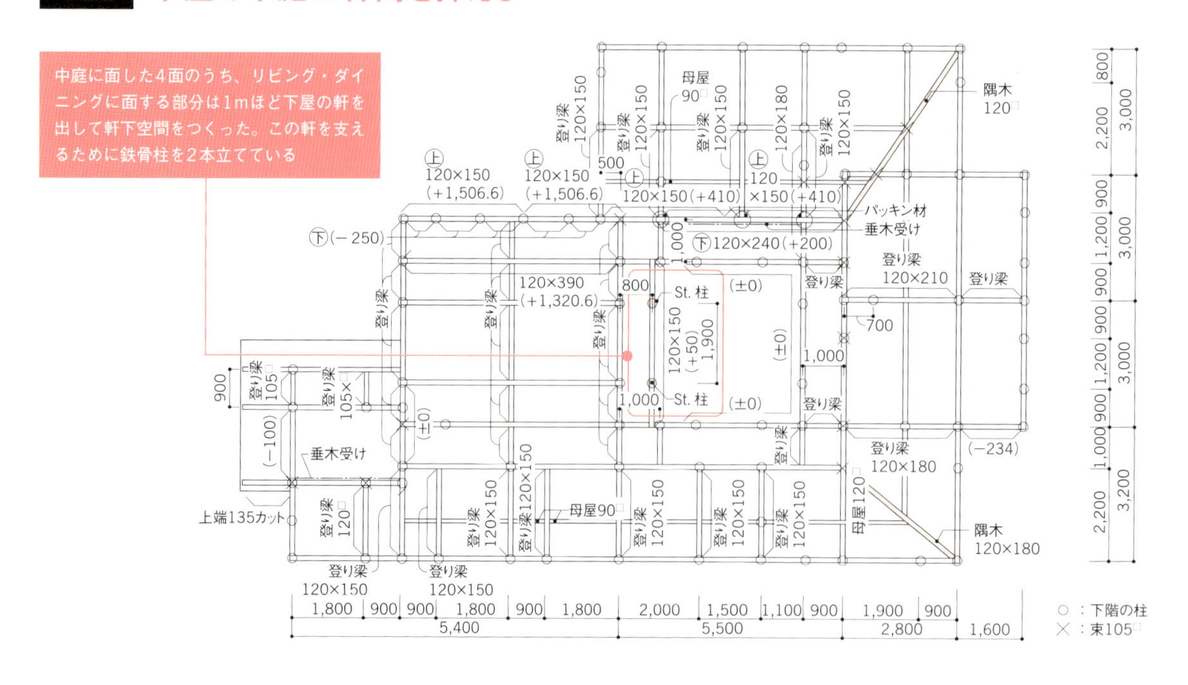
中庭に面した4面のうち、リビング・ダイニングに面する部分は1mほど下屋の軒を出して軒下空間をつくった。この軒を支えるために鉄骨柱を2本立てている
母屋 90□
隅木 120□
登り梁 120×150
登り梁 120×180
登り梁 120×210
120×150 (+1,506.6)
120×150 (+410)
120×150 (+410)
(－250)
120×240 (+200)
120×390 (+1,320.6)
St. 柱
120×150 (+50)
(±0)
パッキン材
垂木受け
(－100)
(－234)
上端135カット
母屋90□
母屋120□
隅木 120×180
○：下階の柱
×：束105□
1,800 900 900 1,800 900 1,800 2,000 1,500 1,100 900 1,900 900
5,400 5,500 2,800 1,600
800 2,200 3,000 900 1,200 900 3,000 900 1,200 3,000 900 1,000 2,200 3,200

図2 1枚の屋根を巻き貝状に廻す 1階平面図［S＝1:300］｜屋根伏図［S＝1:300］

中庭を中心としたロの字形のプラン。片流れの勾配なりに天井が張られたリビング・ダイニングは、東側壁面にハイサイドライトを設けて十分な採光を得ている

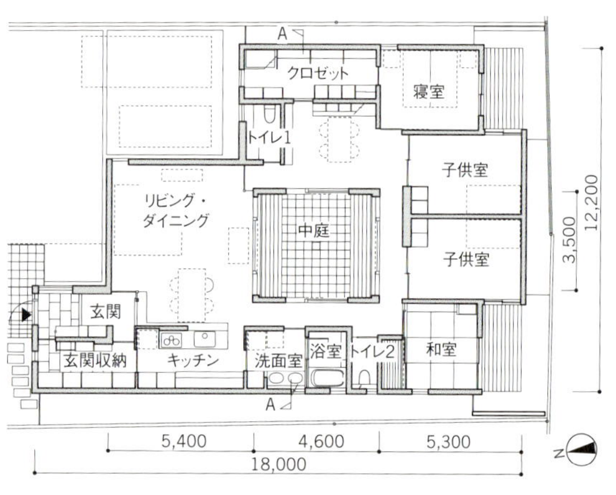
クロゼット
寝室
トイレ1
子供室
リビング・ダイニング
中庭
子供室
玄関
玄関収納
キッチン
洗面室
浴室
トイレ2
和室
A
3,500
12,200
5,400
4,600
5,300
18,000

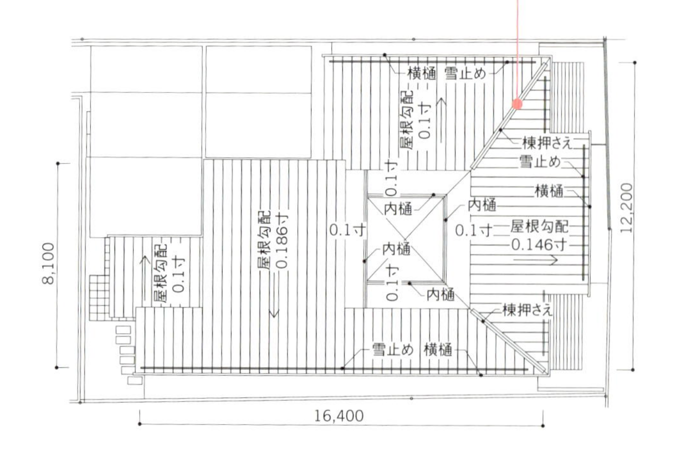
1枚の屋根を巻き貝状に廻して架けることで、継目を最小限に抑えた雨仕舞い上有利な屋根とした。また外向けに勾配を取っているため、隅木部分は「谷」ではなく「山」となる
横樋
雪止め
屋根勾配 0.1寸
棟押さえ
雪止め
横樋
内樋
0.1寸
屋根勾配 0.146寸
屋根勾配 0.186寸
屋根勾配 0.1寸
棟押さえ
雪止め
横樋
8,100
12,200
16,400

図3 小さな下屋で中庭の圧迫感を抑える A-A断面図[S＝1:100]

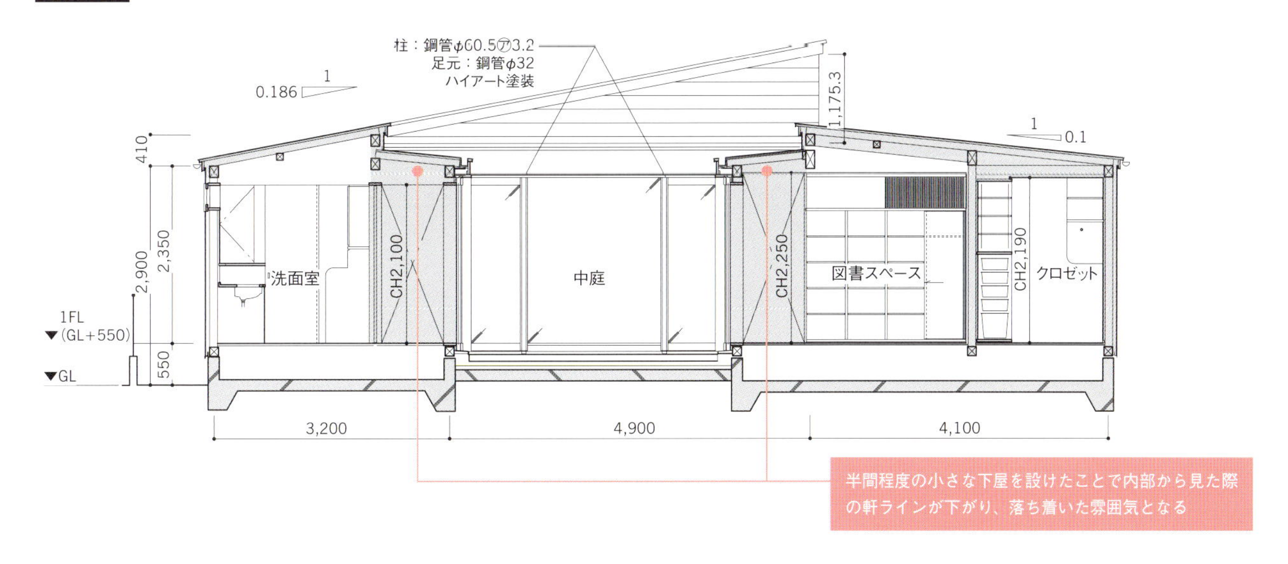

柱：鋼管φ60.5㋐3.2
足元：鋼管φ32
ハイアート塗装
0.186
1
1,175.3
1
0.1
410
2,350
2,900
1FL
▼(GL+550)
550
▼GL
洗面室
CH2,100
中庭
CH2,250
図書スペース
CH2,190
クロゼット
3,200
4,900
4,100
半間程度の小さな下屋を設けたことで内部から見た際の軒ラインが下がり、落ち着いた雰囲気となる

図4 下屋と外壁の取合い部 軒先廻り断面詳細図[S＝1:60]

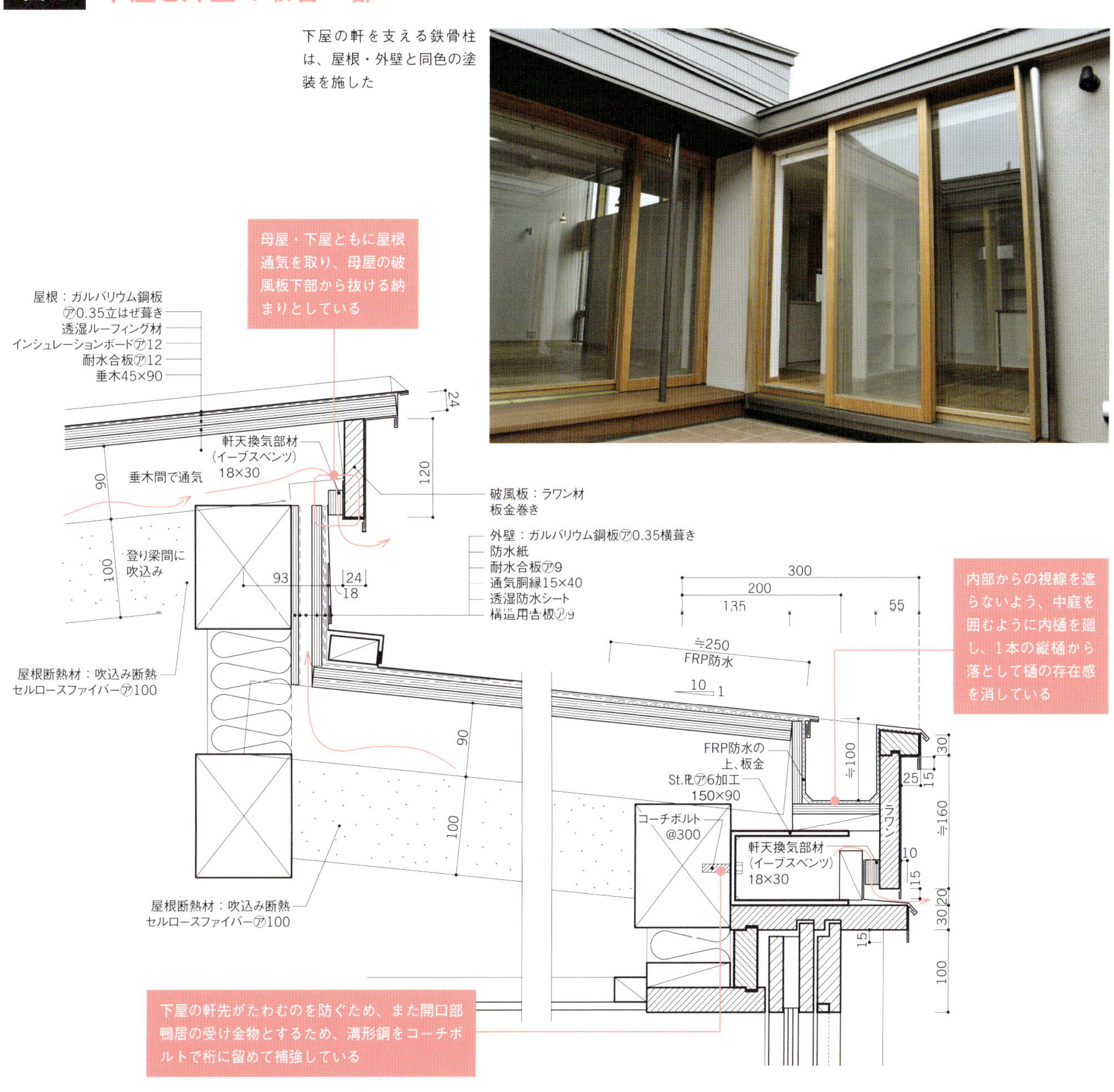

下屋の軒を支える鉄骨柱は、屋根・外壁と同色の塗装を施した
母屋・下屋ともに屋根通気を取り、母屋の破風板下部から抜ける納まりとしている
屋根：ガルバリウム鋼板
㋐0.35立はぜ葺き
透湿ルーフィング材
インシュレーションボード㋐12
耐水合板㋐12
垂木45×90
24
軒天換気部材
(イーブスベンツ)
18×30
120
90
垂木間で通気
破風板：ラワン材
板金巻き
登り梁間に
吹込み
100
93
24
18
外壁：ガルバリウム鋼板㋐0.35横葺き
防水紙
耐水合板㋐9
通気胴縁15×40
透湿防水シート
構造用合板㋐9
300
200
135
55
≒250
FRP防水
10
1
屋根断熱材：吹込み断熱
セルロースファイバー㋐100
90
内部からの視線を遮らないよう、中庭を囲むように内樋を廻し、1本の縦樋から落として樋の存在感を消している
FRP防水の
上、板金
St.PL㋐6加工
150×90
≒100
30
25
15
ラワン
≒160
コーチボルト
@300
軒天換気部材
(イーブスベンツ)
18×30
10
15
20
30
15
100
屋根断熱材：吹込み断熱
セルロースファイバー㋐100
下屋の軒先がたわむのを防ぐため、また開口部鴨居の受け金物とするため、溝形鋼をコーチボルトで桁に留めて補強している

「く」の字形の立体片流れで採光を得る

南北に高低差のある
片流れで、中庭を明るく！

本事例は、2面接道の三角形敷地に東の中庭を囲よう「く」の字形のボリュームとしたコートハウス。中庭と北の居室に採光を届けるため、南北に高低差のある1枚の片流れ屋根を架けた。最南端を一番低くするため、片流れは東西に0.5寸勾配、南北に4寸勾配として2方向に傾けて、より北側に影ができないようにしている［図1・2］。

屋根の仕上げはガルバリウム鋼板の平葺きとしているが、小屋組に対して平行ではなく、水勾配と直交方向に葺くことで雨仕舞に配慮した［図3］。　［岡村裕次］

図1　小屋組はできるだけ単純に　小屋伏図［S＝1:200］

X軸・Y軸の2方向に勾配があるため、プレカットが難しく、屋根はすべて手刻み加工とした

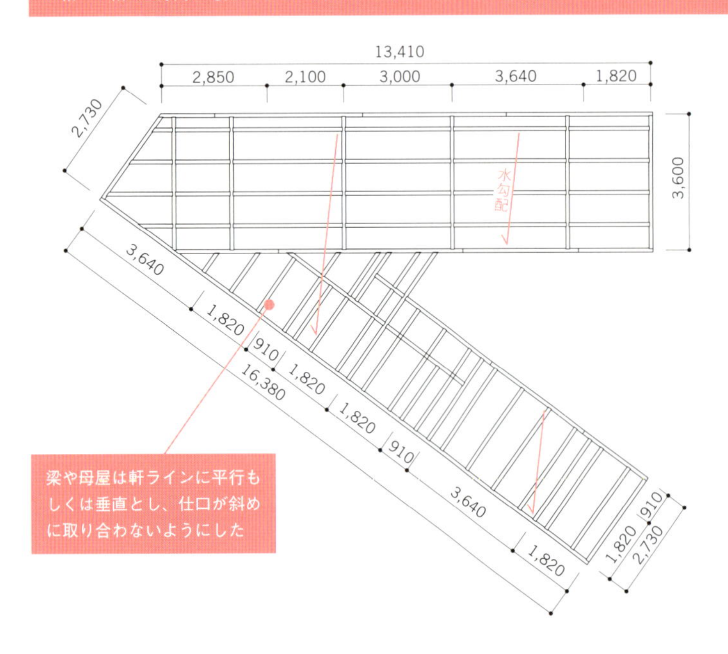
13,410
2,850
2,100
3,000
3,640
1,820
2,730
3,600
水勾配
3,640
1,820
910
1,820
16,380
1,820
910
3,640
1,820
910
1,820
2,730

梁や母屋は軒ラインに平行もしくは垂直とし、仕口が斜めに取り合わないようにした

上：外観。屋根、外壁ともにガルバリウム鋼板で仕上げ、軒のない彫刻的な意匠とした｜下：1階寝室の上の2階趣味室から階下を見る。屋根勾配の変化と、吹抜けをうまく使うことで1・2階がつながる立体的なプランニングになる

図2　北側の居室に採光を得る　A-A' 断面図［S＝1:150］

北側より南側が低くなっているため、中庭と北側室内に光が届く

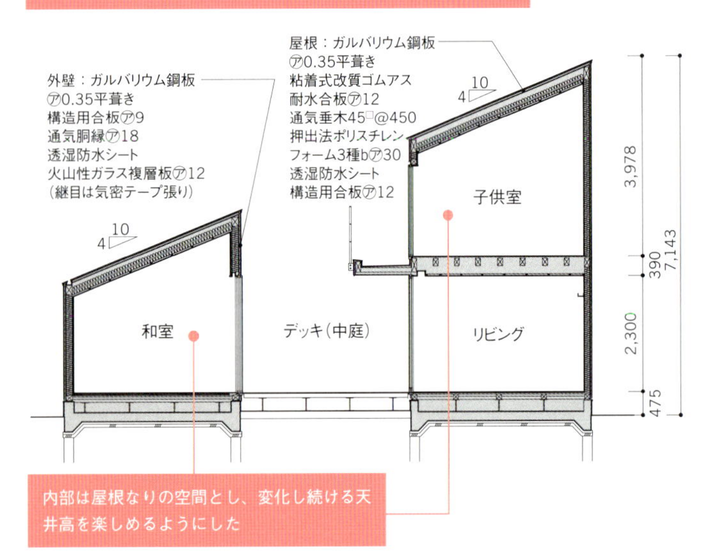
外壁：ガルバリウム鋼板
㋐0.35平葺き
構造用合板㋐9
通気胴縁㋐18
透湿防水シート
火山性ガラス複層板㋐12
（継目は気密テープ張り）
屋根：ガルバリウム鋼板
㋐0.35平葺き
粘着式改質ゴムアス
耐水合板㋐12
通気垂木45□@450
押出法ポリスチレンフォーム3種b㋐30
透湿防水シート
構造用合板㋐12
10
4
子供室
和室
デッキ（中庭）
リビング
3,978
390
7,143
2,300
475

内部は屋根なりの空間とし、変化し続ける天井高を楽しめるようにした

図3　中庭を介して回遊　平面図［S＝1:400］

三角形の敷地いっぱいに「く」の字形のボリュームを設けた

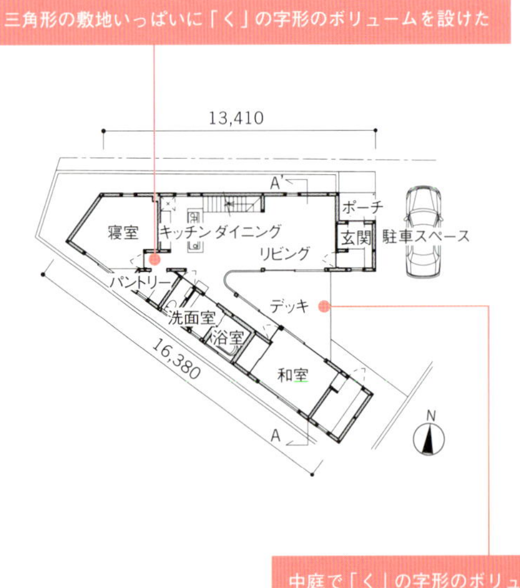
13,410
A'
ポーチ
寝室
キッチン ダイニング
玄関
駐車スペース
リビング
パントリー
デッキ
洗面室
浴室
和室
16,380
A
N

中庭で「く」の字形のボリュームをつなぎ、回遊プランとした

『嬉野の住宅』（設計：TKO-M.architects／写真：谷川ヒロシ）

屋根を分けて平屋の軒を低く抑える

外観の圧迫感を解消！

平屋の場合、建物の高さが高いと外観に圧迫感が生じる。陸屋根とすれば高さの調整は容易だが、雨仕舞いや軒の出を取ることを考えると、できるだけ勾配のある屋根にしたい。

本事例では、高さの異なる複数の片流れ屋根をかけている［図1］。平面計画に応じ、中央のLDK部分の屋根は高くし、周囲の諸室の屋根は一段低く抑えた。これにより、それぞれの軒先の高さをできる限り低く抑え、道路側や隣家に対して圧迫感を与えない屋根を実現している［図2］。［本間至］

図1 高さの異なる屋根を複数かける 屋根伏図［S＝1:200］｜平面図［S＝1:250］

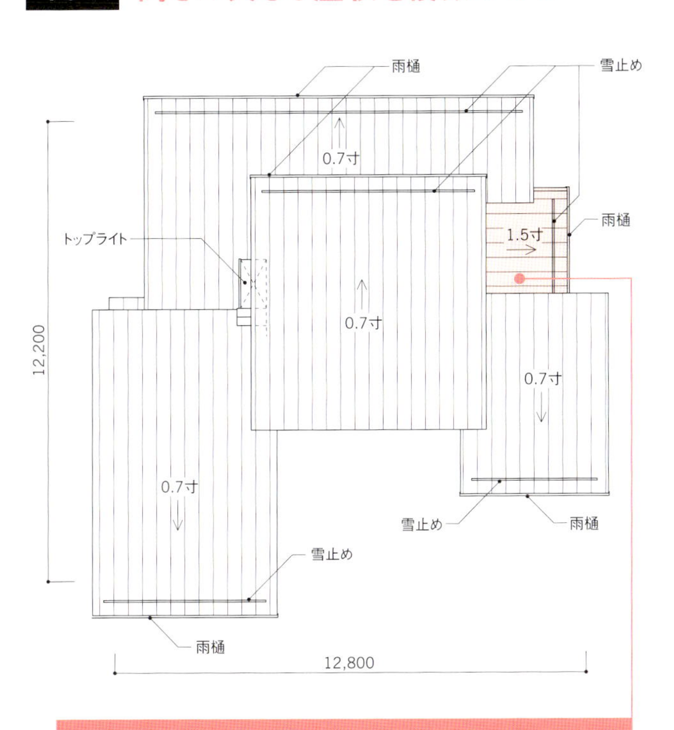
雨樋
雪止め
0.7寸
トップライト
1.5寸
雨樋
0.7寸
0.7寸
12,200
0.7寸
雪止め
雨樋
雪止め
雨樋
12,800

高さの異なる片流れ屋根を5枚に分けて架ける。玄関ポーチに架かる屋根は最も低く抑え、1.5寸の緩勾配とした。そのほかの屋根はすべて0.7寸勾配で統一している

東面外観。屋根を複数に分けたことで、広さのある平屋ながら圧迫感のない落ち着いた佇まいとなった

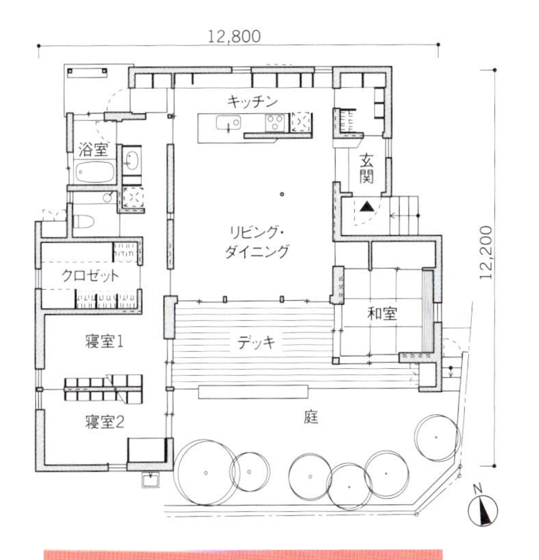
12,800
キッチン
浴室
玄関
リビング・ダイニング
クロゼット
和室
寝室1
デッキ
寝室2
庭
12,200
N

LDK・寝室・和室の各部屋は、デッキを通じて庭につながるコートハウスのようなプラン

図2 庭に向けた屋根なりの勾配天井 断面図［S＝1:150］

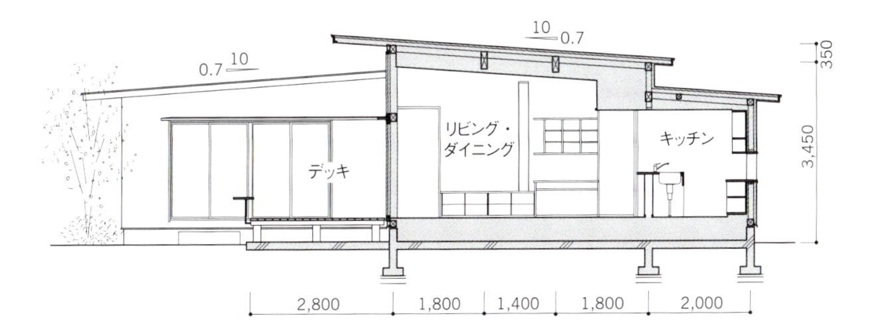
10
0.7
0.7
10
350
リビング・ダイニング
キッチン
デッキ
3,450
2,800
1,800
1,400
1,800
2,000

最も高いLDKの屋根は南側が高くなるように勾配を取った。屋根下の空間は勾配天井として空間に広がりをもたせた

LDKから庭を見る。上部にも間口幅いっぱいの開口（縦連窓）を設け、南からの採光を得ている

和小屋を組み合わせて軒高を抑える

高いほうは和小屋！低いほうは登り梁！

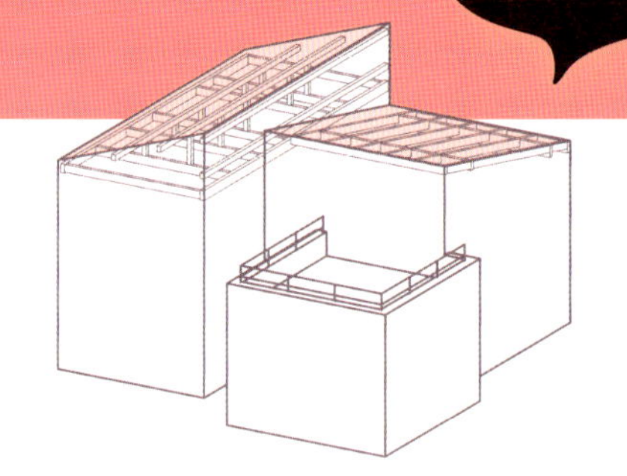

本事例では、敷地の高低差やプラン上の理由から、陸屋根と2つの片流れ屋根を組み合わせた。東側の片流れは登り梁＋勾配天井で開放的な空間とした一方、最も高さのある西側の片流れは梁を露しにした和小屋の空間としている。

地盤面が傾斜しているうえ、この地域では建築協定により軒高に厳しい制限がかかっていた。南側より2m以上低い北側の駐車場の上に建物を載せると地盤面が下がり不利になるのだが、西側の片流れを和小屋で組むことで軒高を低く抑えられた［※、図1〜3］。 ［向山博］

図1 高低差を生かして明るいリビングをつくる 1階平面図（左）｜2階平面図（右）［S＝1:250］

南側に庭を広く確保することが求められたため、南側より約2m低い北側に駐車場をつくり、その上部に片流れのボリュームを載せてリビングとし、採光した

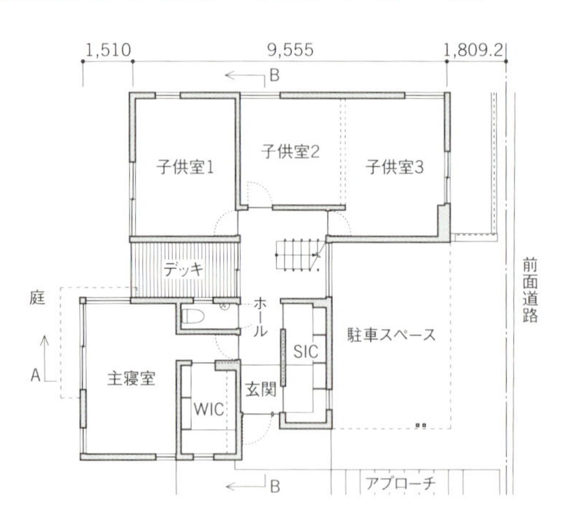
1,510
9,555
1,809.2
B
子供室1
子供室2
子供室3
デッキ
庭
ホール
SIC
駐車スペース
前面道路
A
主寝室
WIC
玄関
アプローチ

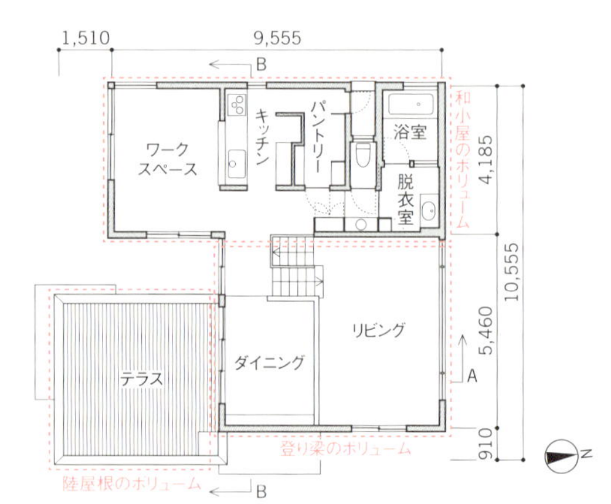
1,510
9,555
B
ワークスペース
キッチン
パントリー
浴室
脱衣室
和小屋のボリューム
4,185
10,555
5,460
910
テラス
ダイニング
リビング
A
登り梁のボリューム
陸屋根のボリューム
N

図2 3種類の屋根 屋根伏図［S＝1:150］

東側が登り梁、西側が和小屋の片流れ屋根。寝室上部のテラスは陸屋根となっており、すべて高さが異なる

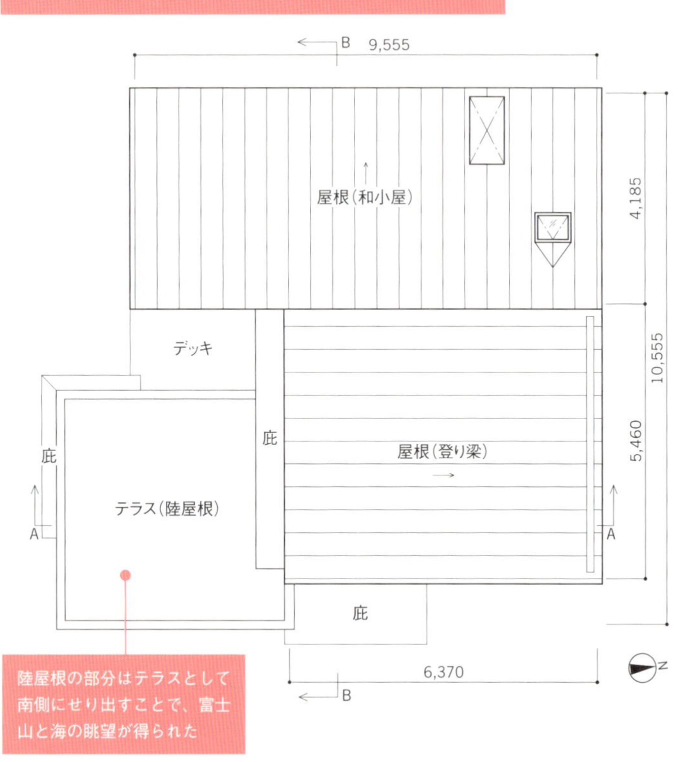
B
9,555
屋根（和小屋）
4,185
デッキ
10,555
庇
屋根（登り梁）
5,460
テラス（陸屋根）
A
庇
6,370
N

陸屋根の部分はテラスとして南側にせり出すことで、富士山と海の眺望が得られた

上：建物外観。写真右側（東側）に見える片流れのボリュームの屋根が最も高い。和小屋で小屋組をつくることで軒高を抑えた｜下：2階廊下からダイニング、リビングを見る。ちょうど登り梁と和小屋の境界部分にあたる

※ 通常、片流れ屋根の最高の軒の高さは高い側の軒の高さとなるが、屋根が小屋組で形成されている場合、その小屋組を支持する壁や桁の上端が最高の軒の高さとなる

図3 登り梁と和小屋を使い分ける A-A断面図｜B-B断面図[S＝1:100]

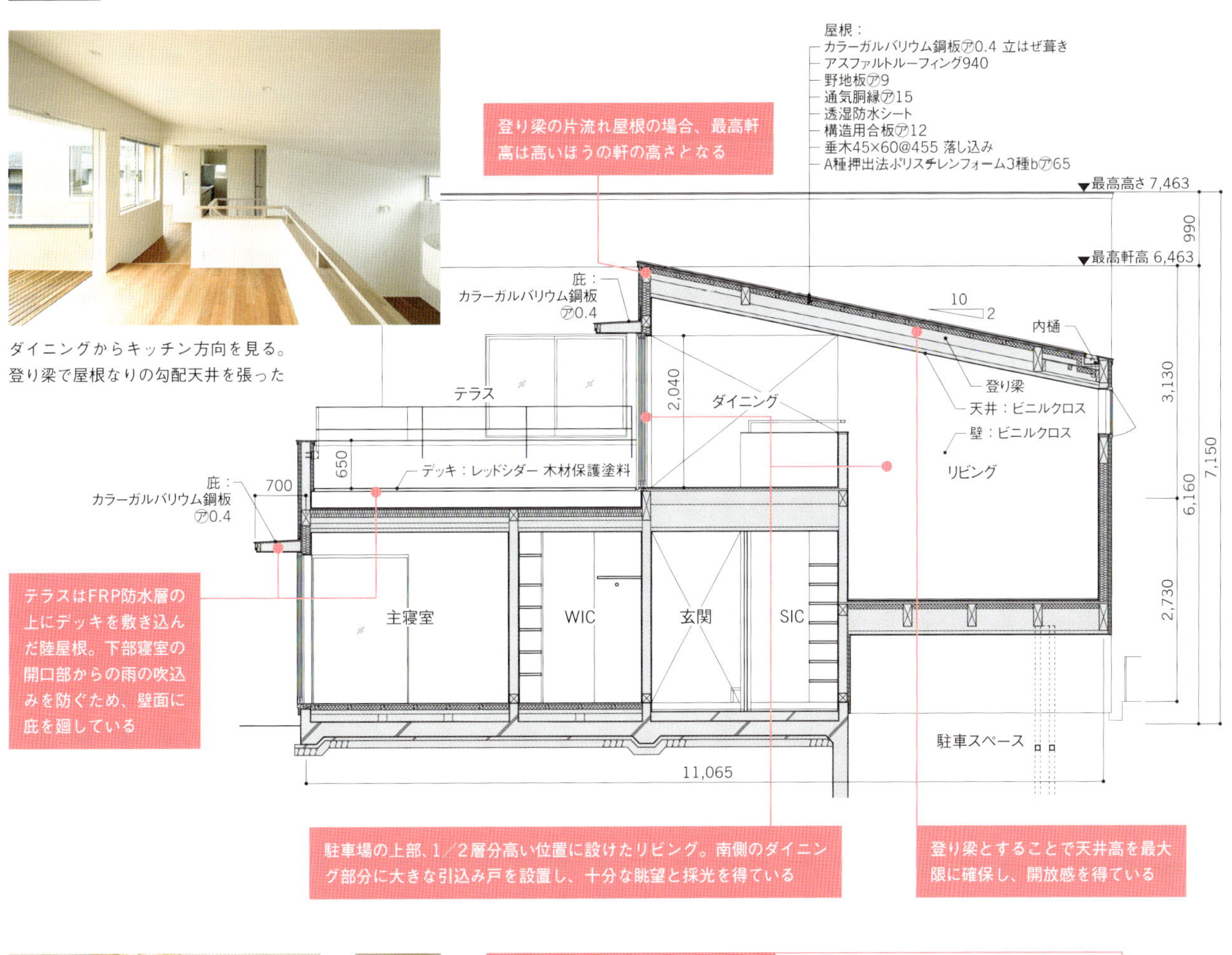

屋根：
カラーガルバリウム鋼板㋐0.4 立はぜ葺き
アスファルトルーフィング940
野地板㋐9
通気胴縁㋐15
透湿防水シート
構造用合板㋐12
垂木45×60@455 落し込み
A種押出法ポリスチレンフォーム3種b㋐65
登り梁の片流れ屋根の場合、最高軒高は高いほうの軒の高さとなる
最高高さ 7,463
990
最高軒高 6,463
庇：
カラーガルバリウム鋼板
㋐0.4
10
2
内樋
登り梁
天井：ビニルクロス
壁：ビニルクロス
テラス
2,040
ダイニング
リビング
3,130
7,150
6,160
2,730
庇：
カラーガルバリウム鋼板
㋐0.4
700
650
デッキ：レッドシダー 木材保護塗料
テラスはFRP防水層の上にデッキを敷き込んだ陸屋根。下部寝室の開口部からの雨の吹込みを防ぐため、壁面に庇を廻している
主寝室
WIC
玄関
SIC
駐車スペース
11,065
駐車場の上部、1／2層分高い位置に設けたリビング。南側のダイニング部分に大きな引込み戸を設置し、十分な眺望と採光を得ている
登り梁とすることで天井高を最大限に確保し、開放感を得ている

ダイニングからキッチン方向を見る。登り梁で屋根なりの勾配天井を張った

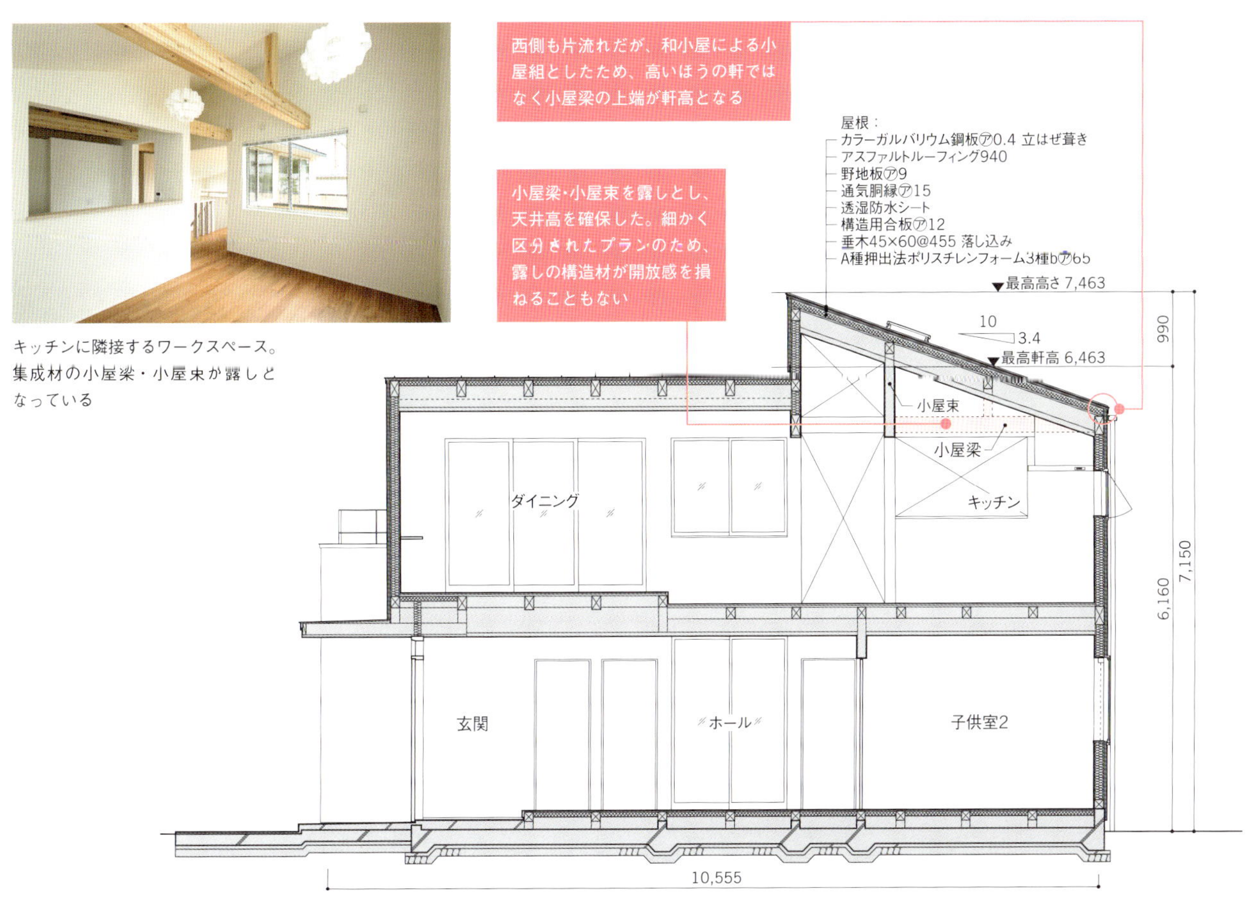

西側も片流れだが、和小屋による小屋組としたため、高いほうの軒ではなく小屋梁の上端が軒高となる
屋根：
カラーガルバリウム鋼板㋐0.4 立はぜ葺き
アスファルトルーフィング940
野地板㋐9
通気胴縁㋐15
透湿防水シート
構造用合板㋐12
垂木45×60@455 落し込み
A種押出法ポリスチレンフォーム3種b㋐65
小屋梁・小屋束を露しとし、天井高を確保した。細かく区分されたプランのため、露しの構造材が開放感を損ねることもない
最高高さ 7,463
10
3.4
最高軒高 6,463
990
小屋束
小屋梁
キッチン
ダイニング
7,150
6,160
玄関
ホール
子供室2
10,555

キッチンに隣接するワークスペース。集成材の小屋梁・小屋束が露しとなっている

フラットで継目のない無落雪屋根

防水層を一体にして漏水を防ぐ！

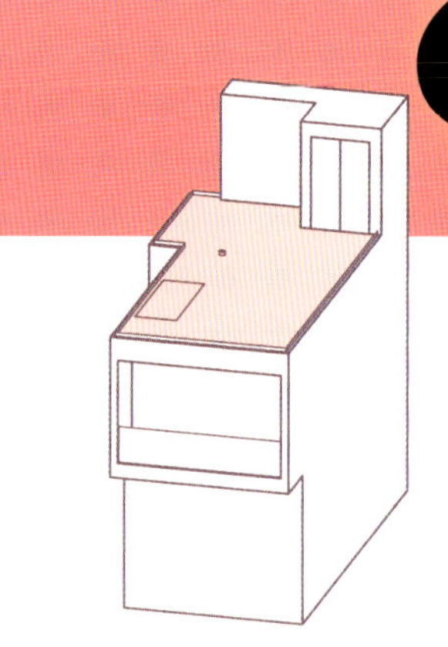

豪雪地帯の都市部などで普及しているスノーダクト式の無落雪屋根［※1］では、ルーフドレンが落ち葉などで詰まった場合、屋根板金とダクトの接合部から浸水するおそれがある。また、すが漏れ［※2］にもつながりやすい。

本事例では、屋根面に板金の接合部が生じないよう、シート防水による継目のない陸屋根とした［図1］。雨仕舞いに有利なほか、小屋裏にスノーダクトのためのスペースを設ける必要がないため、屋根の懐寸法を小さくできるというメリットもある［図2］。

［赤坂真一郎］

図1 排水管をPSに通して凍結を防ぐ 2階平面図｜屋根伏図［S＝1:200］

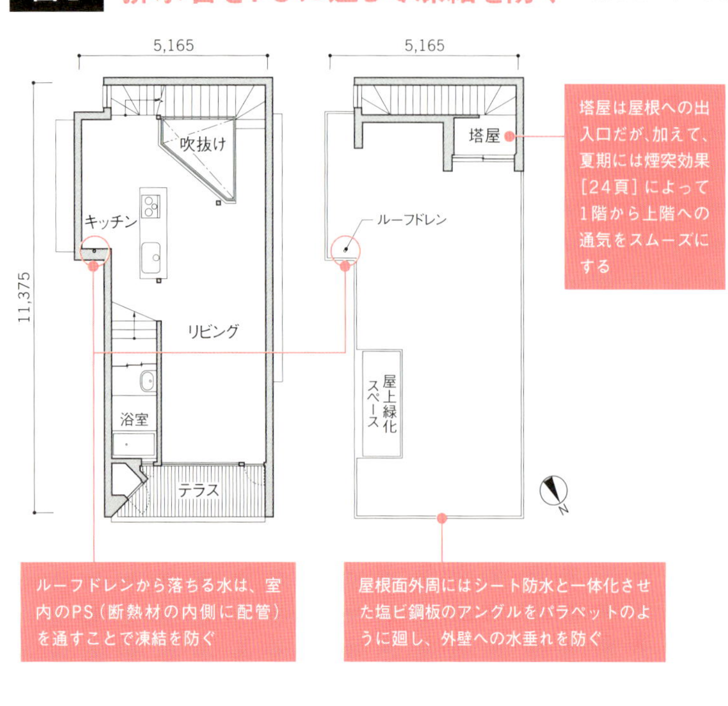
5,165
5,165
11,375
吹抜け
キッチン
リビング
浴室
テラス
塔屋
ルーフドレン
屋上緑化スペース
N
塔屋は屋根への出入口だが、加えて、夏期には煙突効果［24頁］によって1階から上階への通気をスムーズにする
ルーフドレンから落ちる水は、室内のPS（断熱材の内側に配管）を通すことで凍結を防ぐ
屋根面外周にはシート防水と一体化させた塩ビ鋼板のアングルをパラペットのように廻し、外壁への水垂れを防ぐ

隣家や道路が迫っており、堆雪スペースが確保できないため、フラットな無落雪屋根とした

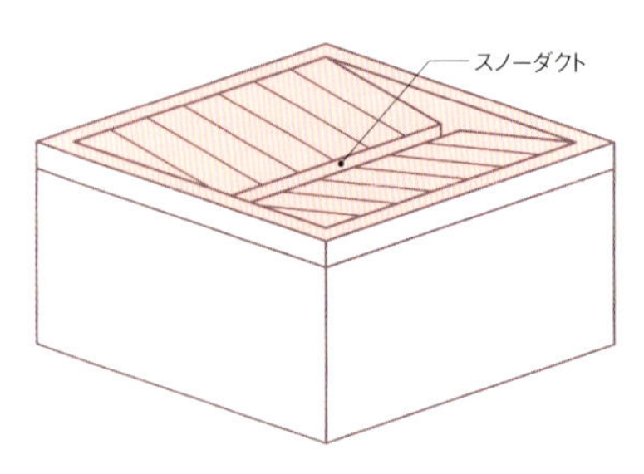
スノーダクト

スノーダクト方式の無落雪屋根。外観は陸屋根のように見えるが、中央はバタフライ屋根となっている。スノーダクトに勾配をつけ、ルーフドレンに排水する

図2 メンテナンスに有利な陸屋根 断面図［S＝1:120］

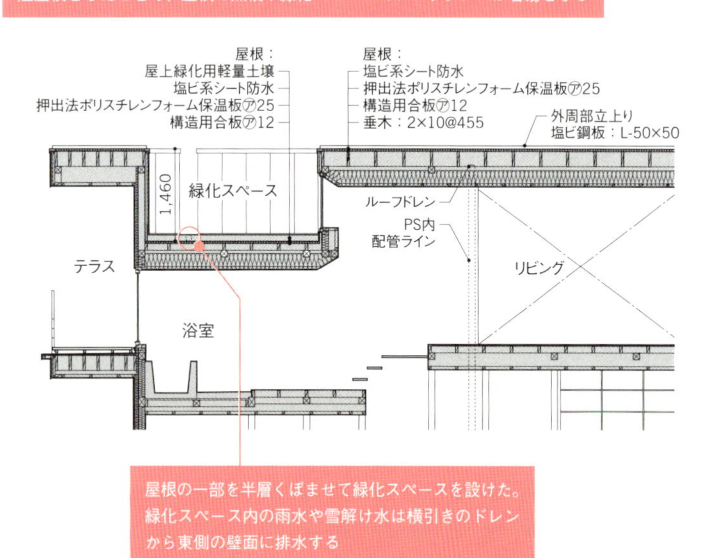
陸屋根としたことで、屋根の点検や緑化スペースのメンテナンスが容易となる
屋根：
屋上緑化用軽量土壌
塩ビ系シート防水
押出法ポリスチレンフォーム保温板㋐25
構造用合板㋐12
屋根：
塩ビ系シート防水
押出法ポリスチレンフォーム保温板㋐25
構造用合板㋐12
垂木：2×10@455
外周部立上り
塩ビ鋼板：L-50×50
1,460
緑化スペース
ルーフドレン
PS内
配管ライン
テラス
リビング
浴室
屋根の一部を半層くぼませて緑化スペースを設けた。緑化スペース内の雨水や雪解け水は横引きのドレンから東側の壁面に排水する

断熱サッシをはめ込んだ緑化スペースは、リビングから水槽のように楽しめる。室内に面し、屋根開口も小さいので、乾燥した雪は風で飛ばされ、雪が満杯に溜まることもない

※1 豪雪地帯の都市部などで、屋根から落ちた雪を堆積させるスペースが取れない場合に用いられる無落雪屋根の代表的な形式。外周にパラペットを立ち上げて内側をバタフライ屋根とし、中央にスノーダクトを設置して集水する｜※2 屋根に積もった雪が溶け、溜まった水の水圧や毛細管現象により屋根の内側に水が回り込み、雨漏りを引き起こす現象

『ナヤ・ノイエ』（設計：アカサカシンイチロウアトリエ／写真：グレイトーンフォトグラフス 酒井広司）

透明陸屋根で全方位から採光を得る

FRP折板で屋根をつくる！

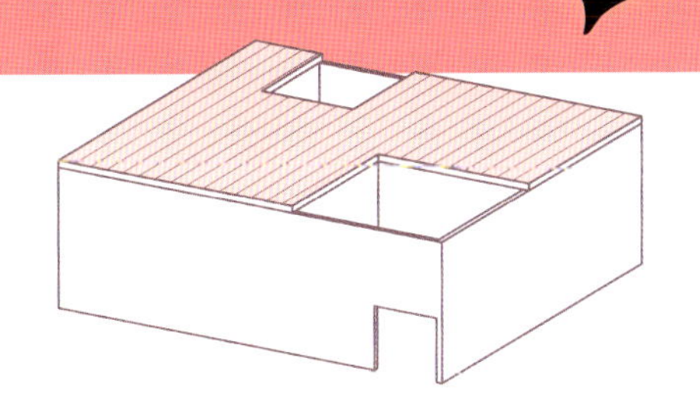

心地よい空間には、十分な採光が欠かせない。日射を遮る住宅などが、現状、隣地にない場合にも、将来の変化を想定して採光方法を工夫したい。

本事例は、区画されたばかりの旗竿敷地に計画した。将来は住宅に囲まれることになるが、どんな影響があるか想定できない。そのため、光を透過するFRP折板を用いた陸屋根を採用して、全方位から採光を得ている［図2～4］。

透明な屋根とするため屋根面の水平剛性は構造用合板ではなく、火打ち梁で確保した［図1］。　［佐藤森］

図1 火打ち梁で水平剛性をとる

小屋伏図［S＝1:150］

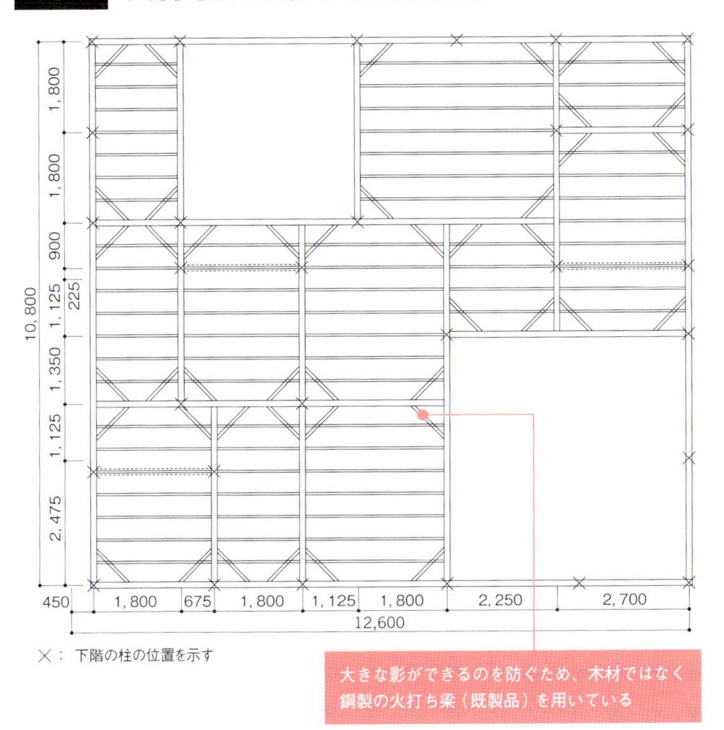

1,800
1,800
900
225
1,125
1,350
1,125
2,475
10,800
450
1,800
675
1,800
1,125
1,800
2,250
2,700
12,600
×：下階の柱の位置を示す

大きな影ができるのを防ぐため、木材ではなく鋼製の火打ち梁（既製品）を用いている

図2 屋根はFRP折板で仕上げる

屋根伏図［S＝1:400］

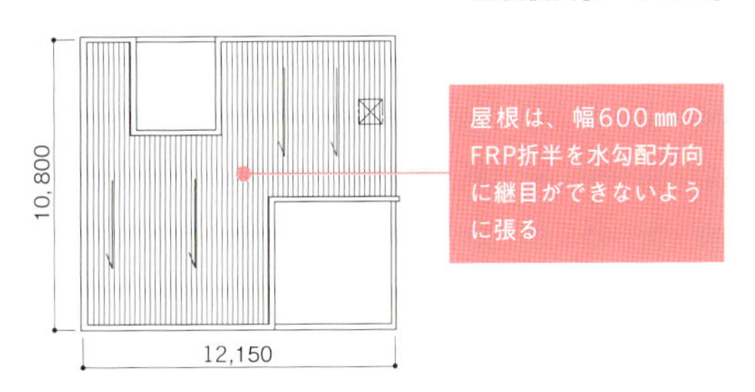

10,800
12,150

屋根は、幅600㎜のFRP折半を水勾配方向に継目ができないように張る

図3 ボックスを挿入して居場所をつくる

平面図［S＝1:400］

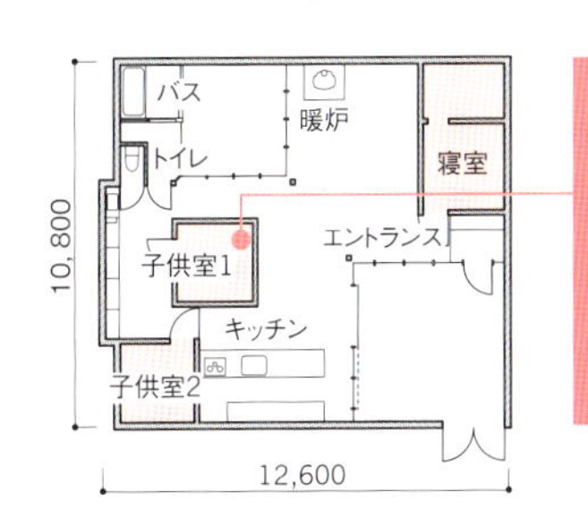

バス
暖炉
トイレ
寝室
エントランス
子供室1
キッチン
子供室2
10,800
12,600

屋根なりの共有スペースにラワン合板のボックスを挿入して家族それぞれの居場所とし、屋根の水平方向への広がりを損なわないようにした

図4 養生シートの天井で光を和らげる

断面図［S＝1:100］　断面詳細図［S＝1:20］

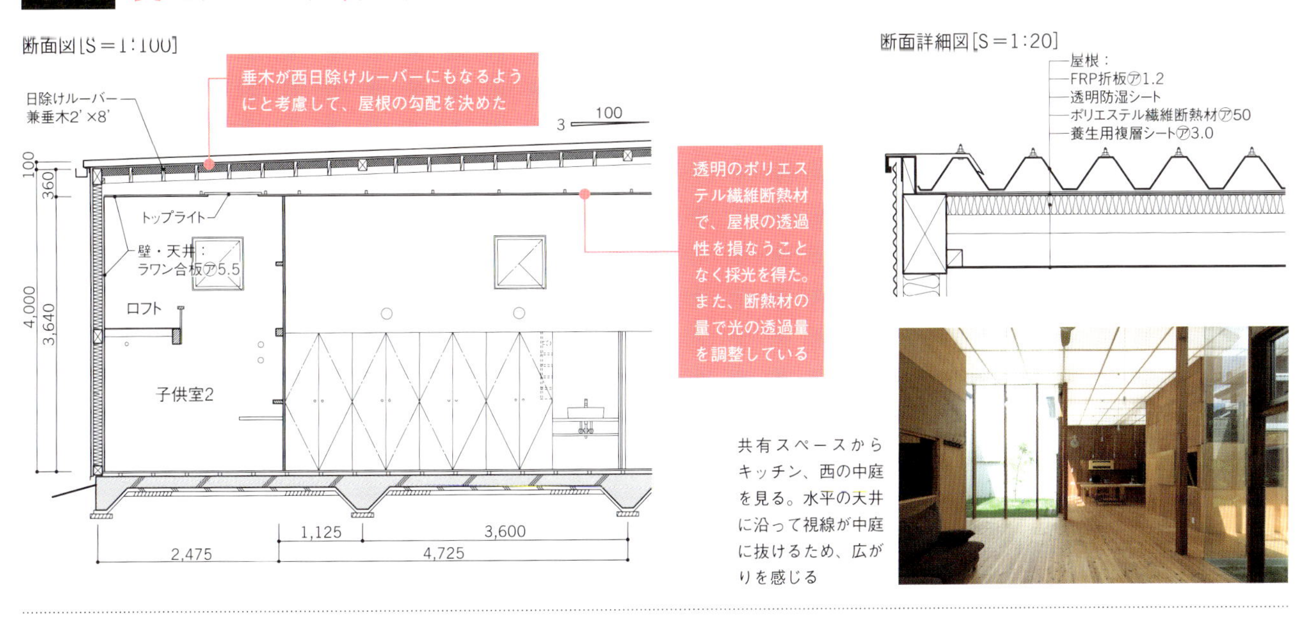

日除けルーバー兼垂木2'×8'
3
100
100
360
4,000
3,640
トップライト
壁・天井：ラワン合板⑦5.5
ロフト
子供室2
1,125
3,600
2,475
4,725
屋根：
FRP折板⑦1.2
透明防湿シート
ポリエステル繊維断熱材⑦50
養生用複層シート⑦3.0

垂木が西日除けルーバーにもなるようにと考慮して、屋根の勾配を決めた

透明のポリエステル繊維断熱材で、屋根の透過性を損なうことなく採光を得た。また、断熱材の量で光の透過量を調整している

共有スペースからキッチン、西の中庭を見る。水平の天井に沿って視線が中庭に抜けるため、広がりを感じる

『つくばみらいの家』（設計：+○ ARCHITECT／写真：新建築社写真部）

3
章

方形・寄棟

正方形のプランに適した方形。
軒先の4辺のレベルが水平にそろいモダンな印象の寄棟。
方形・寄棟を採用すれば、個性的な内観・外観ができる。
ここでは屋根を建築のイメージの中心として
設計をまとめた事例を紹介する

方形・寄棟の基本

図1 方形の特徴

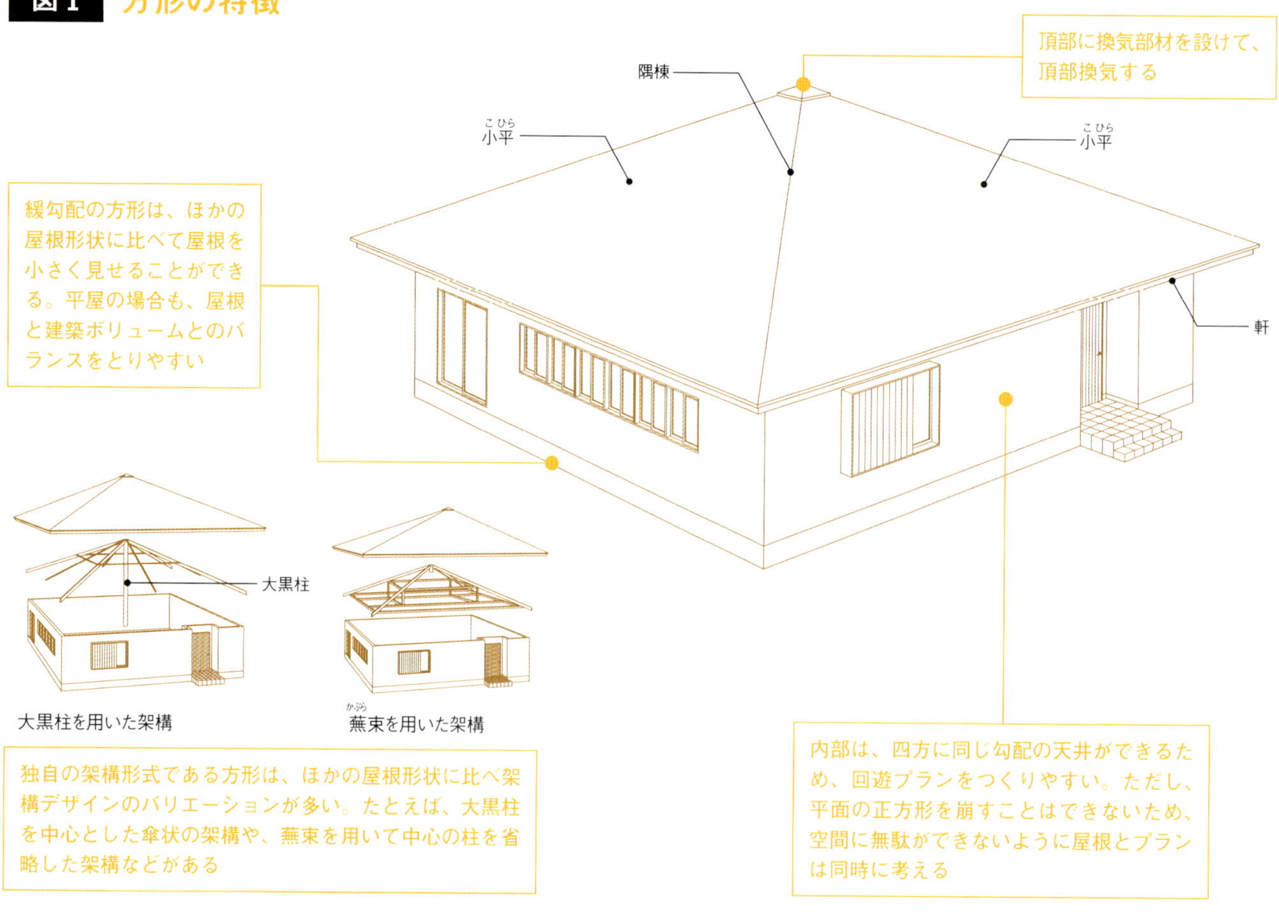
頂部に換気部材を設けて、頂部換気する
隅棟
小平（こひら）
小平（こひら）
緩勾配の方形は、ほかの屋根形状に比べて屋根を小さく見せることができる。平屋の場合も、屋根と建築ボリュームとのバランスをとりやすい
軒
大黒柱
大黒柱を用いた架構
蕪束（かぶら）を用いた架構
独自の架構形式である方形は、ほかの屋根形状に比べ架構デザインのバリエーションが多い。たとえば、大黒柱を中心とした傘状の架構や、蕪束を用いて中心の柱を省略した架構などがある
内部は、四方に同じ勾配の天井ができるため、回遊プランをつくりやすい。ただし、平面の正方形を崩すことはできないため、空間に無駄ができないように屋根とプランは同時に考える

隅木の取合いが複雑 ただし斜線には有利

方形は、4辺の長さが等しい正四角錐状の屋根。単純明快な形状だが、屋根面に4つの「隅棟」が生じることになり、切妻や片流れに比べて、躯体・仕上げ工事ともに納まりはより複雑になる。

特に屋根頂部は、勾配のある4本の隅木が角度をもって取り合うことになり、納め方には工夫が必要となる。隅木どうしを直接ぶつけて納めるのは難しいため、通常は頂部中央に「蕪束（かぶら）（かぼちゃ束）」を入れて取合いをシンプルにする。蕪束を内部に見せたくない場合は、傘骨状の金物などを製作して隅木の取合いをよりシンプルに見せる方法もある。

寄棟は方形を引っ張って伸ばしたような形状。方形と同様、4本の隅木が必要となる。和小屋で寄棟とする場合、隅木は母屋の一部を欠いて母屋の上に載せて納めるのが一般的だが、この母屋を支えるために小屋束、小屋梁などが必要となり、架構は複雑になる。そのため寄棟の屋根では架構を露しとせず、天井裏に隠すのが一般的だ。

このように複雑な架構であるにもかかわらず、多くの住宅ビルダーが寄棟を採用している。これは、寄棟が方形と同様、軒のレベルを低く抑えられる形状であり、斜線制限に有利となるためだ。切妻屋根で妻側に北側斜線がかかる場合などは、片側のみを寄棟にして斜線をかわすという方法もよく見られる。また、隅木に必要な斜めの加工の多くはプレカットでも対応できるうえ、日本の職人の技術レベルが施工に問題のない高さであることも、多く採用される理由だろう。

デザインの観点からは、方形や寄棟は軒先の4辺のレベルが水平にそろい、軒天井と外壁の取合いも水平となるため、モダンな印象をつくりやすいという利点がある。

また、寄棟を応用した多角形の屋根もある。象徴的な空間や個性的な外観をつくることができるので、設計の際には多角形屋根も選択肢として検討したい。

［飯塚豊］

図2 寄棟の特徴

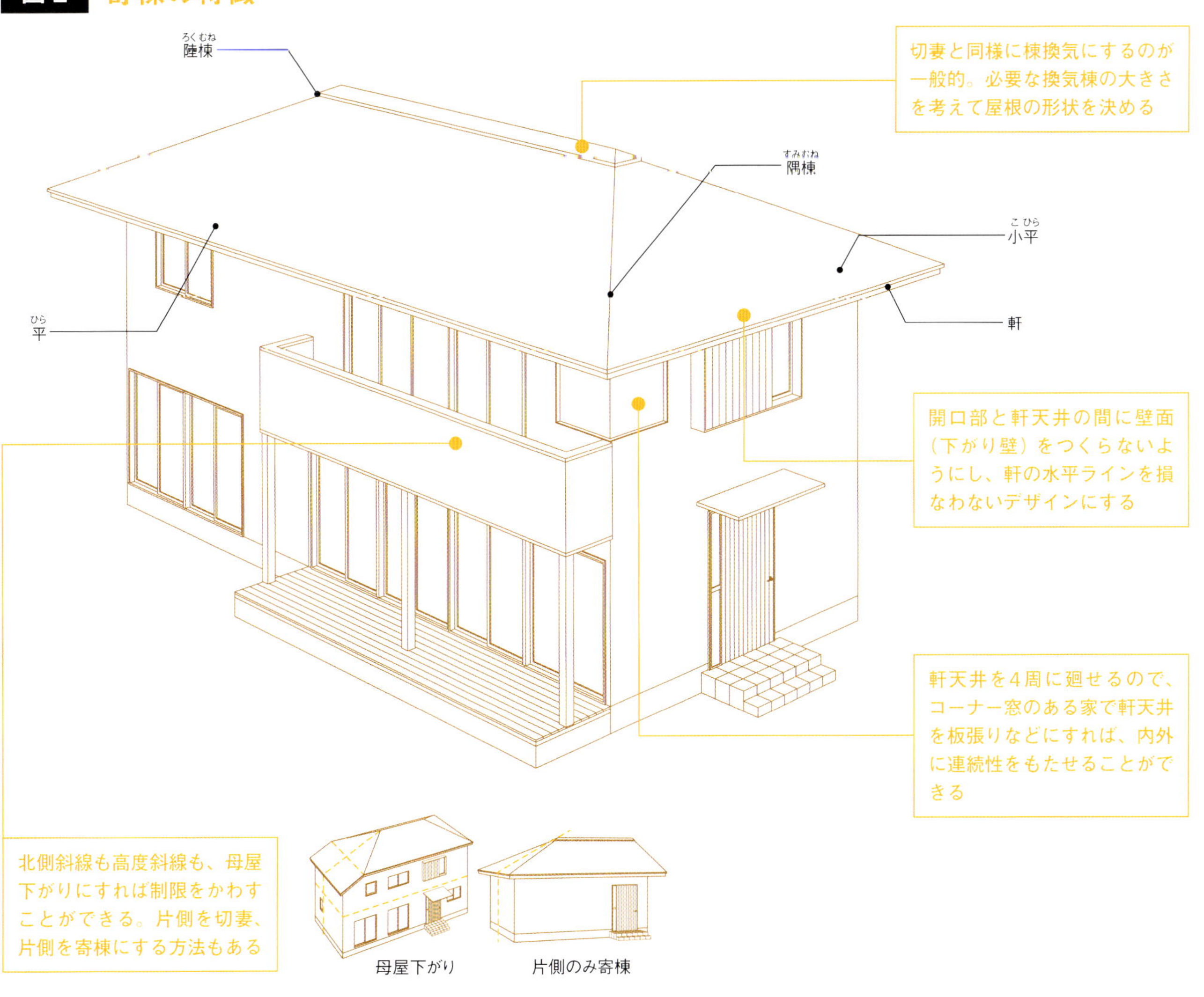
陸棟
切妻と同様に棟換気にするのが一般的。必要な換気棟の大きさを考えて屋根の形状を決める
隅棟
小平
平
軒
開口部と軒天井の間に壁面（下がり壁）をつくらないようにし、軒の水平ラインを損なわないデザインにする
軒天井を4周に廻せるので、コーナー窓のある家で軒天井を板張りなどにすれば、内外に連続性をもたせることができる
北側斜線も高度斜線も、母屋下がりにすれば制限をかわすことができる。片側を切妻、片側を寄棟にする方法もある
母屋下がり
片側のみ寄棟

図3 燕束を用いた架構

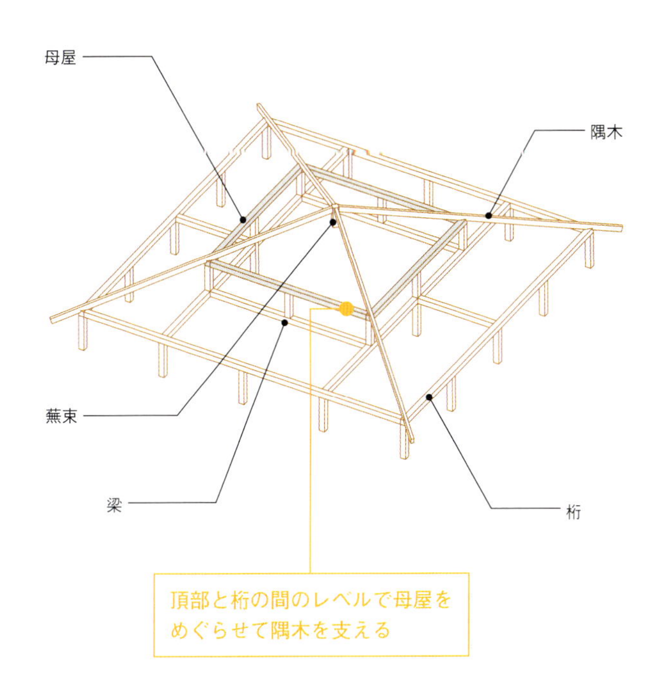
母屋
隅木
燕束
梁
桁
頂部と桁の間のレベルで母屋をめぐらせて隅木を支える

燕束によって4本の隅木を集結する。四方を巡る桁でスラストに対抗することで、隅木を相持ちにしている

図4 寄棟の梁組

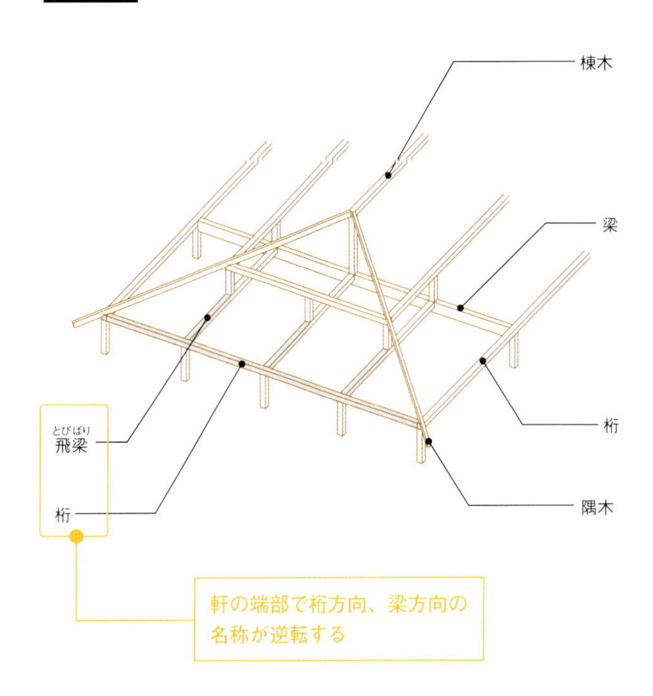
棟木
梁
桁
隅木
飛梁
桁
軒の端部で桁方向、梁方向の名称が逆転する

寄棟は切妻の妻部分で桁を廻し、隅棟で妻側の三角形をつくる。そのため、隅木を境に桁方向、梁方向が逆転する

異なる性格の中庭を生む方形リビング

小屋組を露しにして空間に規則性を出す

周囲に住宅が多い場合、広い敷地でも、設けた外庭が開放的にならないことが多い。そこで本事例では建物を小さなボリュームに分散してつなぐことで、外部に閉じながら異なる性格をもつ中庭を生み出した。その際、全体をつなぐ中心性のある部屋をつくりたいので、各室をリビングでつなぎ、リビングの屋根形状を方形とした［図1］。また小屋組を露しにすることで、広いリビングに規則性を与え、小屋梁に合わせて化粧柱を配置し、動線空間を分けている［図2］。［岸本和彦］

図1 諸室をつなぐ中心となる方形のリビング 断面図［S＝1:80］

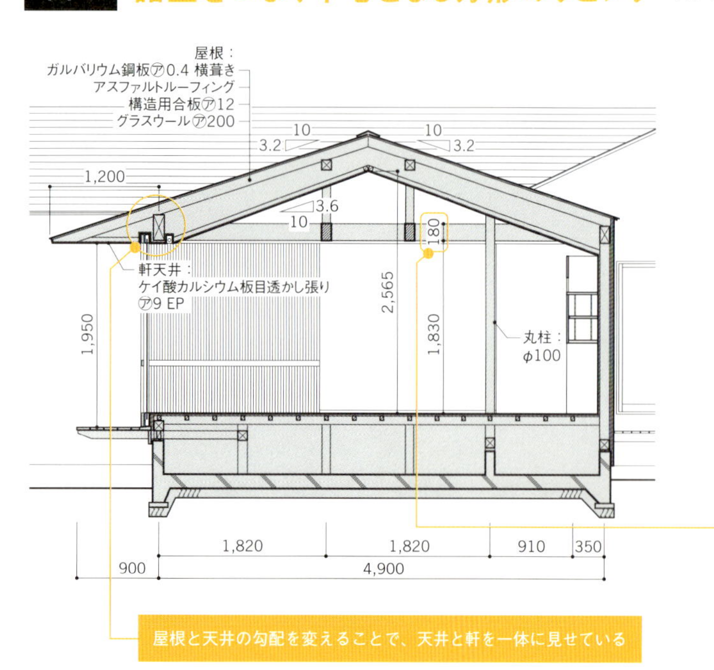

屋根：
ガルバリウム鋼板㋐0.4 横葺き
アスファルトルーフィング
構造用合板㋐12
グラスウール㋐200
10
3.2
10
3.2
1,200
3.6
10
180
軒天井：
ケイ酸カルシウム板目透かし張り
㋐9 EP
2,565
1,950
1,830
丸柱：
φ100
1,820
1,820
910
350
900
4,900

屋根と天井の勾配を変えることで、天井と軒を一体に見せている

梁を露す際に、大梁と小梁を同じ梁成にすることで、部材の上下関係をなくしフラットな仕上がりとした

東側外観。分散された片流れの諸室が、方形のリビングでつながれている

図2 天井の形状を際立たせる小屋組 断面図［S＝1:200］

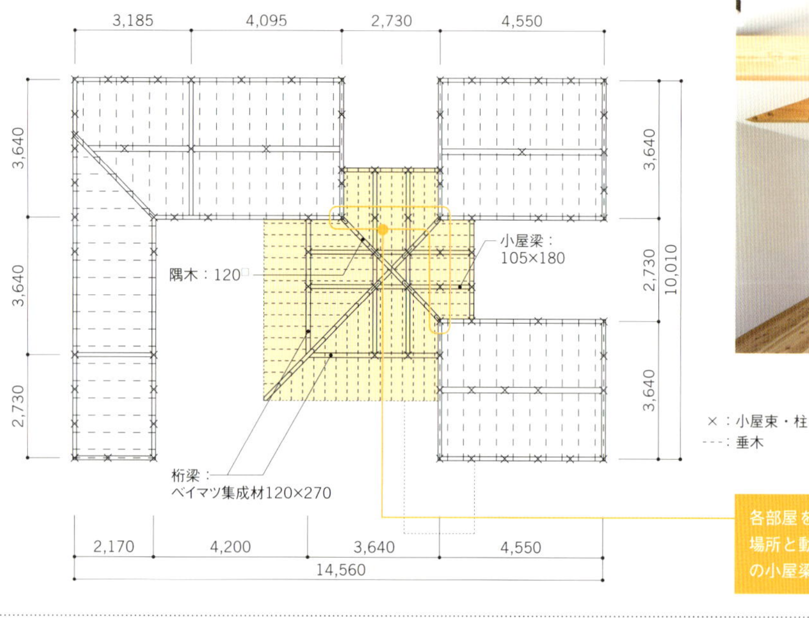

3,185
4,095
2,730
4,550
3,640
3,640
2,730
隅木：120□
小屋梁：
105×180
3,640
2,730
10,010
3,640
桁梁：
ペイマツ集成材120×270
2,170
4,200
3,640
4,550
14,560
×：小屋束・柱
---：垂木

各部屋をつなぐ広いリビングでは、くつろぐ場所と動線になる空間を仕切るために、露しの小屋梁に沿って化粧柱を配置した

リビングを南側から見る。方形の求心性が、露しの梁により強調されている

『岐阜の家』（設計：acaa／写真：上田宏）

正方形の平面に適する方形の屋根

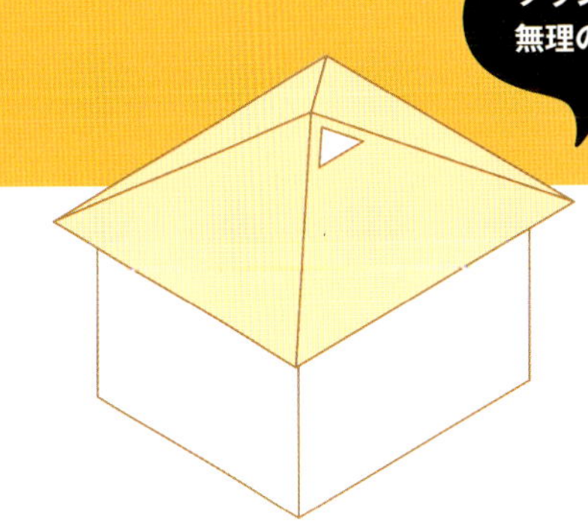
プランに合わせた
無理のない屋根！

正方形のプランに屋根を架ける場合、方形は最も自然な選択肢となる。

本事例では、長方形の敷地の東西に庭とアプローチや駐車場を設け、残った中央部分に正方形に近い建物を計画し、方形の屋根を架けた。地下室から1階まではスキップフロアとし、半地下の高さにリビングを設けて地上の庭とつなげている。2階は中央の階段室の周囲に寝室・個室を配置した。方形屋根とすることで外観も落ち着いた佇まいとなり、中心性のあるプランに対応する屋根形状となっている。　[村田淳]

図1 4本の隅木は金物で丸柱に接合する　小屋伏図[S＝1:100]

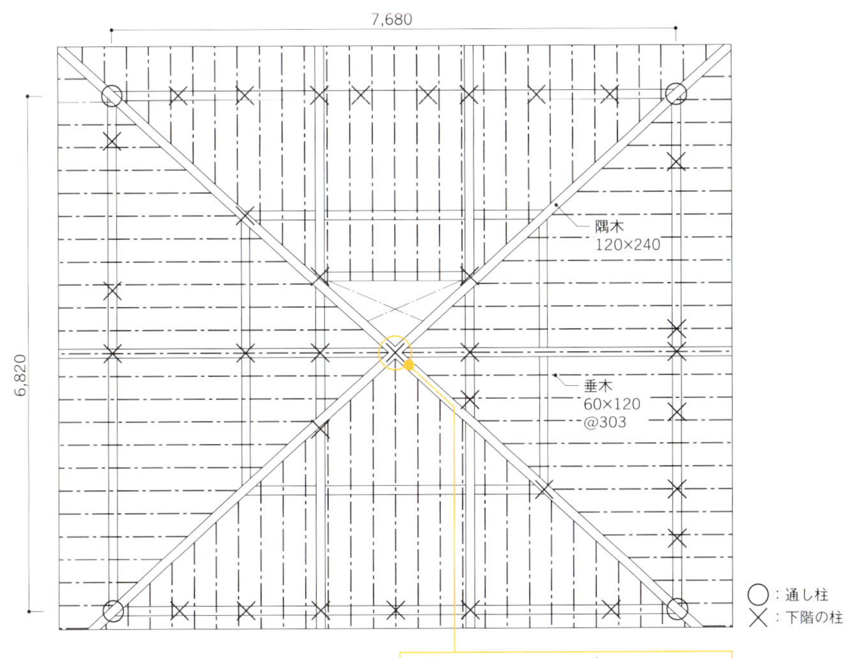
7,680
6,820
隅木
120×240
垂木
60×120
@303
○：通し柱
×：下階の柱

方形屋根では、隅木が取り合う中心部の納まりが複雑になる。ここでは傘骨状の金物を製作し、4本の隅木と丸柱（120㎜径）を接合して架構を形成した

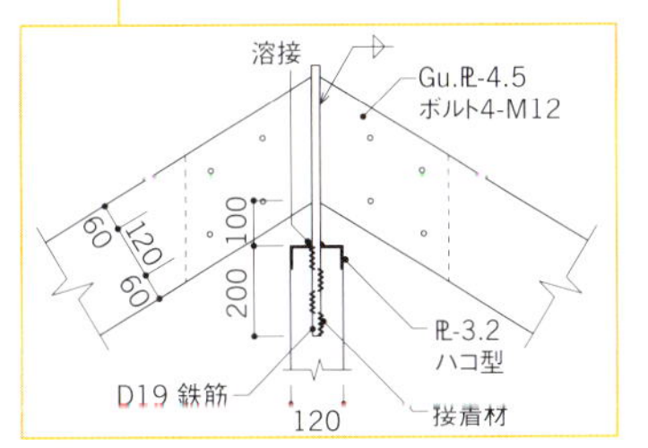
溶接
Gu.PL-4.5
ボルト4-M12
60
120
60
100
200
PL-3.2
ハコ型
D19 鉄筋
120
接着材

2階中央部ホール。中心には120㎜径の丸柱が立つ。2階はこのホールを囲むように諸室が配置されている。天井は屋根なりの勾配（6寸）で、視線の抜けをつくり、広がりが感じられるよう、各室の扉の上部はガラスの欄間とした。屋根北側には三角形のトップライトを設けた

図2 方形に適するプラン　1階平面図[S＝1:200]

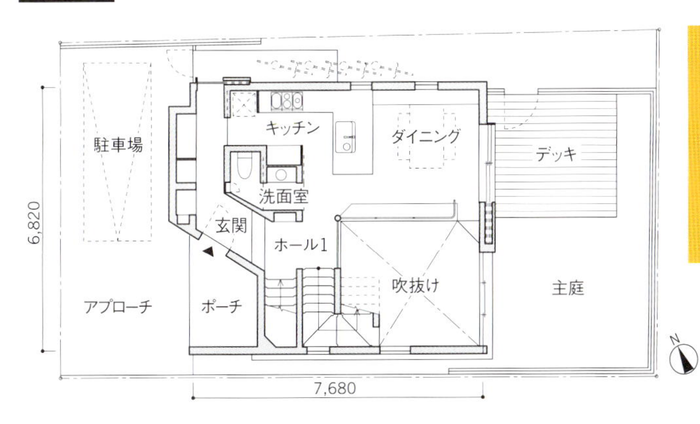
駐車場
キッチン
ダイニング
デッキ
洗面室
玄関
ホール1
吹抜け
主庭
アプローチ
ポーチ
6,820
7,680
N

建ぺい率40%という条件の下、西側に駐車場、東側にデッキと庭を配置し、中央の建物部分は正方形に近い長方形として必要な諸室と眺望・採光を確保した

1階ダイニングから半地下のリビング、階段ホールを見る。2階のトップライトの光が、階段室を通して下階まで届く（写真：村田淳建築研究室）

回遊プランは大黒柱のある方形でつくる

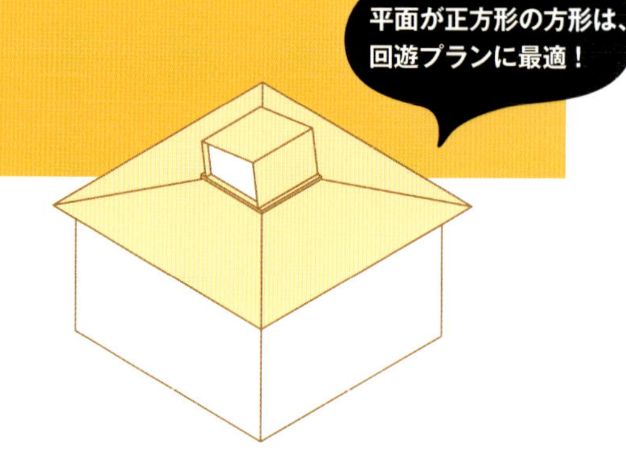
平面が正方形の方形は、
回遊プランに最適！

平面が正方形である方形は、同じ面積の平面が長方形の建物に比べて外壁の表面積が抑えられるためのローコスト化が図れる。また、4方が同じ形状の寄棟であるため、頂部に越屋根を設ければ、住宅全体を均一に換気することができる。

本事例は、4間四方の平面の中心に大黒柱を設け、傘骨状の桁組みの方形を支えた［図1・2］。平面は、大黒柱を中心として田の字に区切っているが、屋根頂部には1間四方の越屋根を設けて内部を吹抜けとし、吹抜けを介してすべての部屋をつないでいる［図3・4］。

［瀬野和広］

図1 1間四方の吹抜けで1階、2階をつなぐ 断面図［S＝1:60］

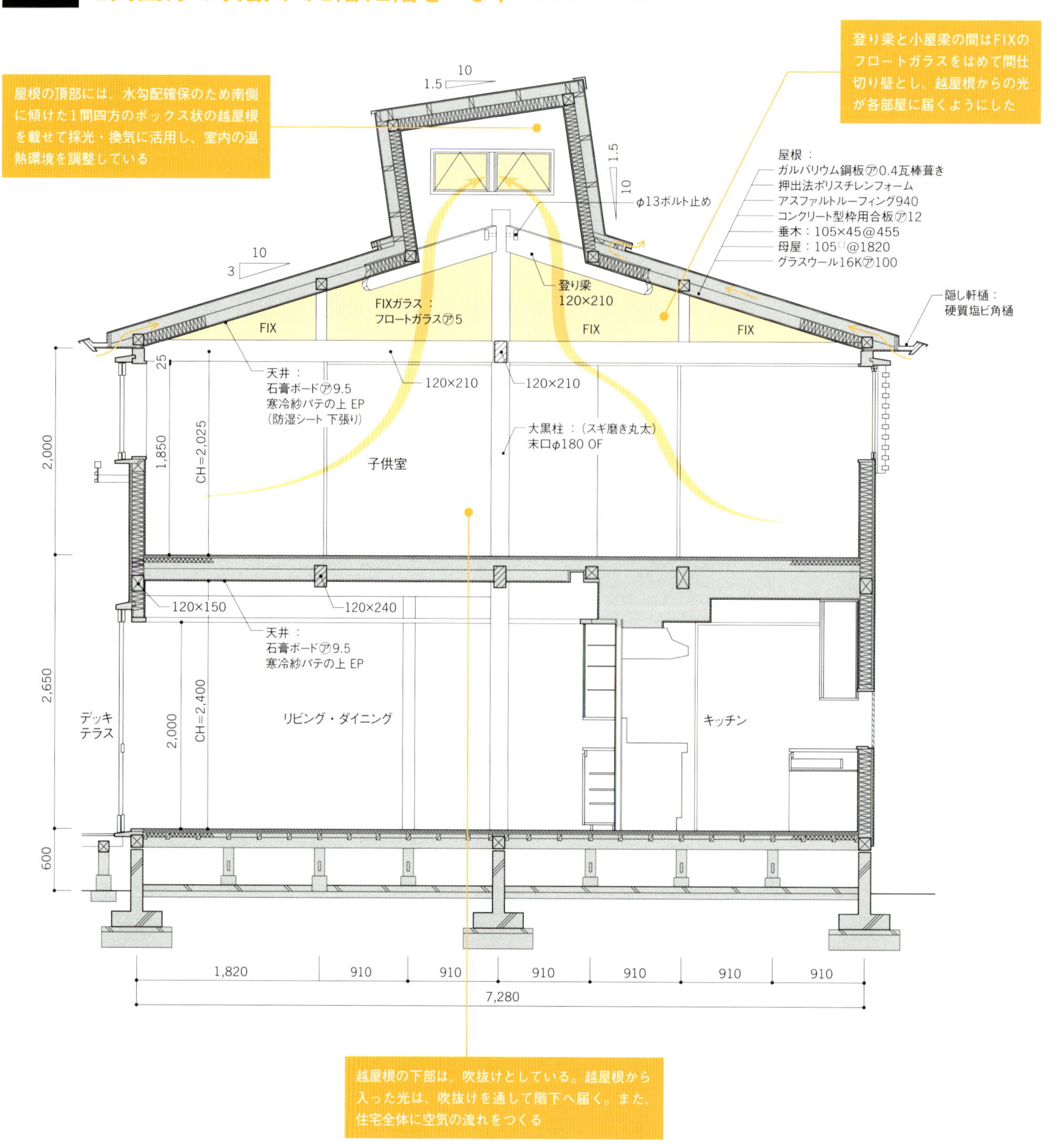
屋根の頂部には、水勾配確保のため南側に傾けた1間四方のボックス状の越屋根を載せて採光・換気に活用し、室内の温熱環境を調整している
登り梁と小屋梁の間はFIXのフロートガラスをはめて間仕切り壁とし、越屋根からの光が各部屋に届くようにした
屋根：
ガルバリウム鋼板㋐0.4瓦棒葺き
押出法ポリスチレンフォーム
アスファルトルーフィング940
コンクリート型枠用合板㋐12
垂木：105×45@455
母屋：105□@1820
グラスウール16K㋐100
φ13ボルト止め
隠し軒樋：
硬質塩ビ角樋
登り梁
120×210
FIXガラス：
フロートガラス㋐5
FIX
天井：
石膏ボード㋐9.5
寒冷紗パテの上 EP
（防湿シート 下張り）
120×210
大黒柱：（スギ磨き丸太）
末口φ180 OF
子供室
CH=2,025
1,850
2,000
2,650
600
120×150
120×240
天井：
石膏ボード㋐9.5
寒冷紗パテの上 EP
デッキ
テラス
リビング・ダイニング
キッチン
CH=2,400
1,820
910
7,280
越屋根の下部は、吹抜けとしている。越屋根から入った光は、吹抜けを通して階下へ届く。また、住宅全体に空気の流れをつくる

図2 大黒柱を中心に8方に梁が広がる

小屋伏図[S＝1:120]

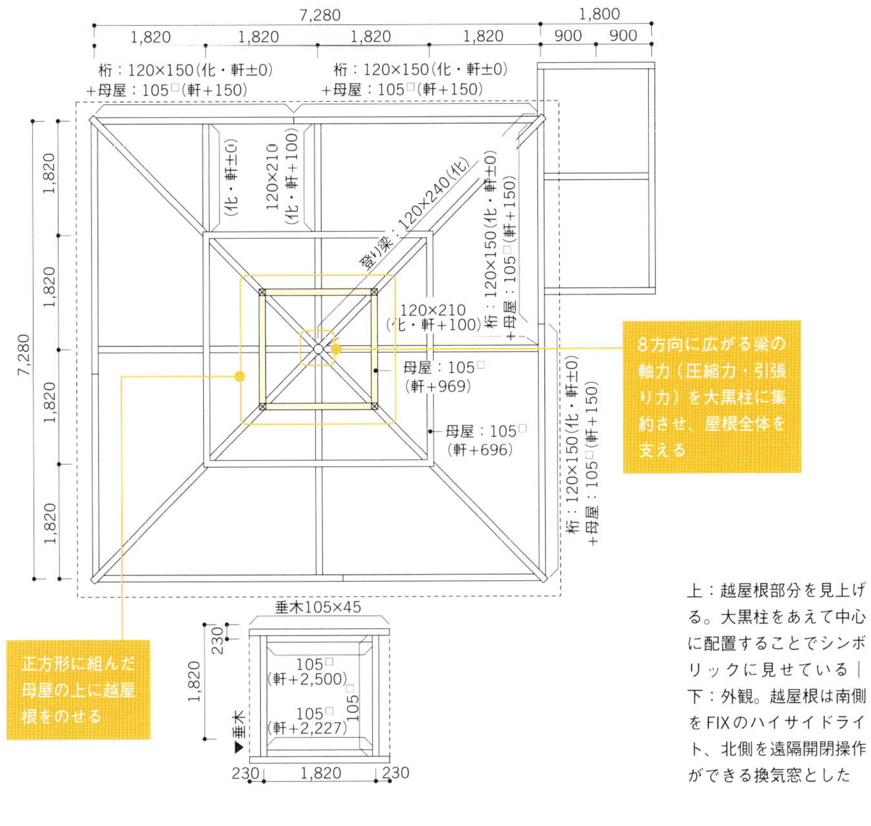
7,280
1,800
1,820
900
桁：120×150(化・軒±0)
+母屋：105□(軒+150)
登り梁：120×240(化)
120×210
(化・軒+100)
母屋：105□
(軒+969)
母屋：105□
(軒+696)
桁：120×150(化・軒±0)
+母屋：105□(軒+150)
垂木105×45
105□
(軒+2,500)
105□
(軒+2,227)
垂木
230
8方向に広がる梁の軸力（圧縮力・引張り力）を大黒柱に集約させ、屋根全体を支える
正方形に組んだ母屋の上に越屋根をのせる

上：越屋根部分を見上げる。大黒柱をあえて中心に配置することでシンボリックに見せている｜下：外観。越屋根は南側をFIXのハイサイドライト、北側を遠隔開閉操作ができる換気窓とした

図3 合理的で経済的な架構

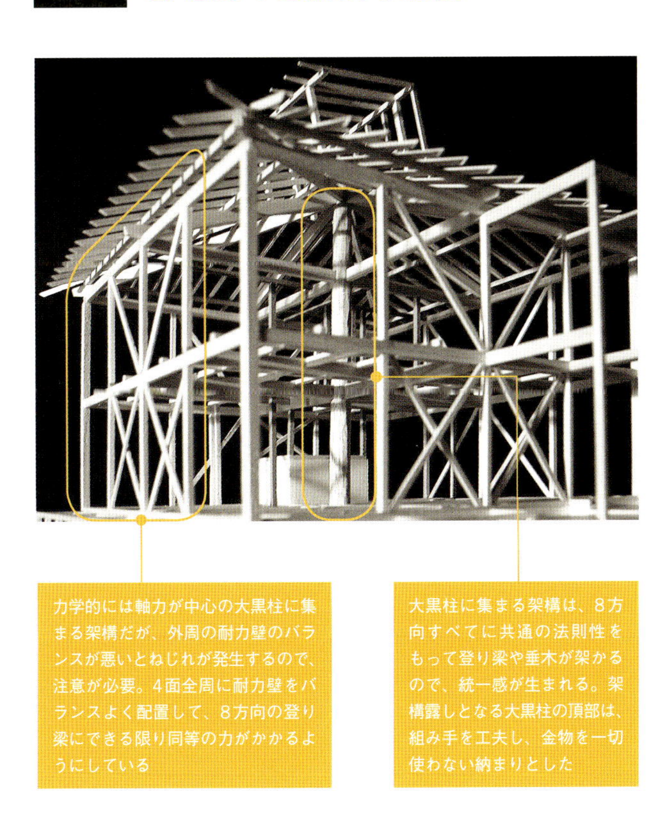

力学的には軸力が中心の大黒柱に集まる架構だが、外周の耐力壁のバランスが悪いとねじれが発生するので、注意が必要。4面全周に耐力壁をバランスよく配置して、8方向の登り梁にできる限り同等の力がかかるようにしている

大黒柱に集まる架構は、8方向すべてに共通の法則性をもって登り梁や垂木が架かるので、統一感が生まれる。架構露しとなる大黒柱の頂部は、組み手を工夫し、金物を一切使わない納まりとした

図4 大黒柱を設けることで間取りが自由に

平面図[S＝1:200]

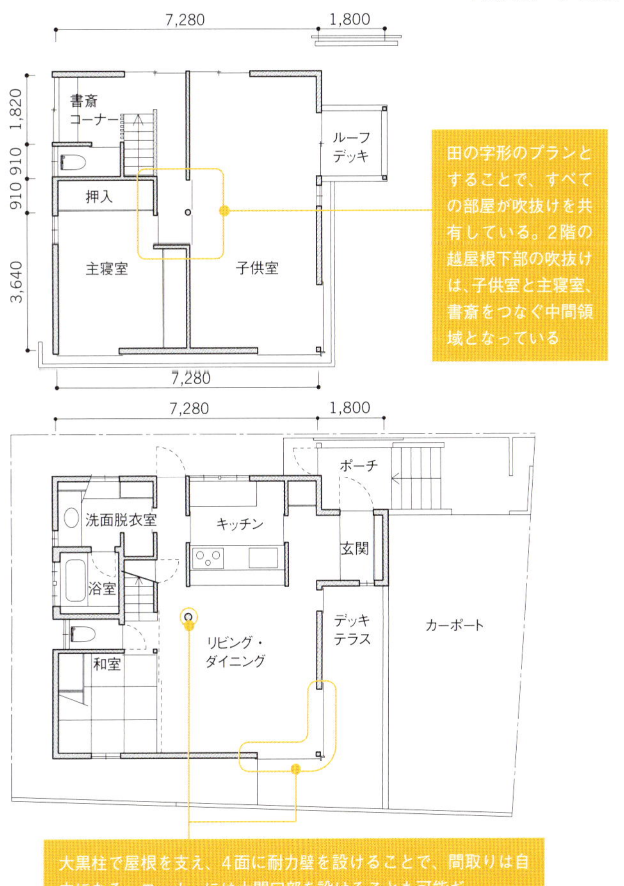
7,280
1,800
1,820
910
3,640
書斎コーナー
ルーフデッキ
押入
主寝室
子供室
田の字形のプランとすることで、すべての部屋が吹抜けを共有している。2階の越屋根下部の吹抜けは、子供室と主寝室、書斎をつなぐ中間領域となっている
ポーチ
洗面脱衣室
キッチン
玄関
浴室
デッキテラス
カーポート
リビング・ダイニング
和室
大黒柱で屋根を支え、4面に耐力壁を設けることで、間取りは自由になる。コーナーには大開口部を設けることも可能だ

枠組壁工法に合わせたパネルの方形

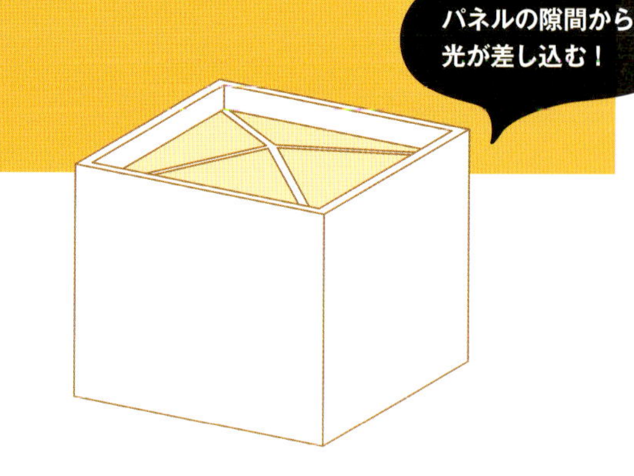
パネルの隙間から
光が差し込む！

本事例は、車が進入できる道路から100mほど坂道を登った場所に建つ。そのため、材を手揚げでき、工期も短縮できる木造枠組壁工法を採用した。

竪枠間を収納として使えるよう、室内側の合板を省略したため、パネル内のフレームの存在が各所に露れている。屋根もこれに合わせてパネル状に見せるため、4枚の2等辺三角形の合板が互いにもたれ合うような架構とした。屋根を支える4本の隅木はそれぞれダブルとし、その隙間にスリット状のトップライトを仕込んでいる［図1・2］。

［田井幹夫］

図1 4枚のパネルでつくる方形屋根 小屋伏図［S＝1:100］

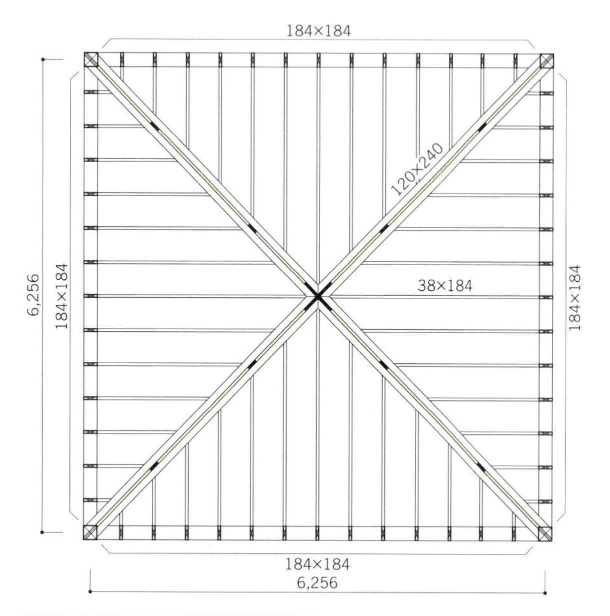
184×184
120×240
38×184
6,256
184×184
184×184
184×184
6,256

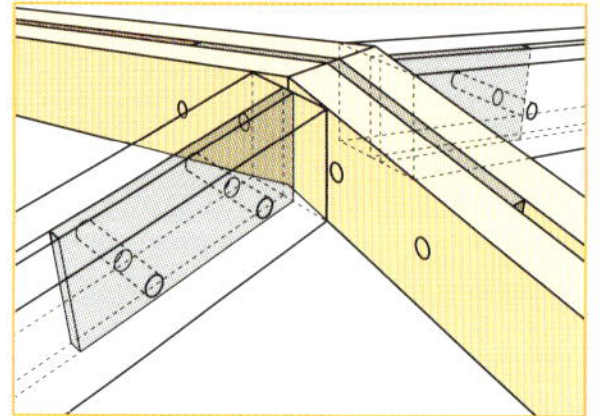

方形の対角線上にダブルの隅木を山形に組み、もう一方の対角線上にある隅木をそこに寄り掛けるようにして、ラグスクリューで接合する。ダブルの隅木の中間にはスペーサーを挟み、間隔を一定にする。これによって生じたスリット部分はトップライトとして利用した

2階寝室。棚などを設置して収納とするため、枠組壁工法のパネルはすべて露しとした。屋根もこれに対応するよう、三角形のパネルが4枚もたれ合うような架構としている。スリット状のトップライトから差し込む光によって、この架構を常に感じられる

図2 陸屋根のように見える緩勾配の方形屋根 断面図［S＝1:50］

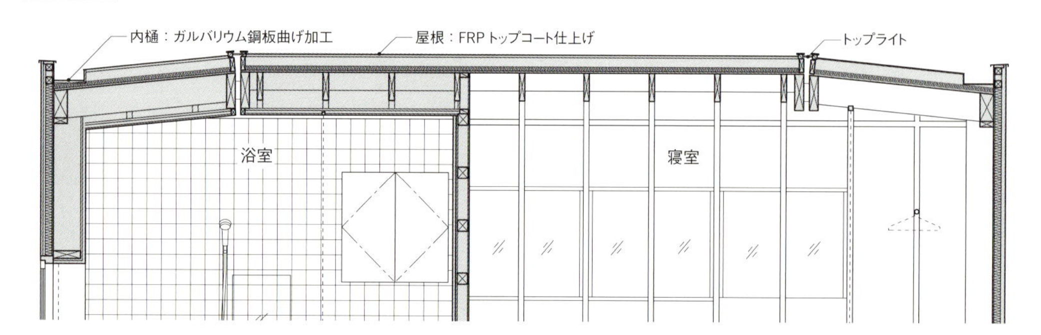
内樋：ガルバリウム鋼板曲げ加工
屋根：FRPトップコート仕上げ
トップライト
浴室
寝室

屋根面はFRPトップコート仕上げ。屋根面の勾配は2寸とかなり緩やかなため、方形の屋根はパラペットで隠れ、外観はフラットな屋根のように見える

『上麻生の家』（設計：アーキテクトカフェ／写真：淺川敏）

方形の四隅を折板構造で柱なしに

四隅を柱から解放する折板構造

眺望に恵まれた広い敷地では、周辺環境を引き立てるために建築の存在感を小さくしたい。そこで、緩勾配の方形屋根を架け、建築が周辺になじむようにした［図1］。また、風景をできるだけ内部空間に取り込むため、四隅の柱を取り払った。これを成立させるために、屋根に2重の構造用合板を用いて折板構造とし、屋根自体を構造体とすることで「柱なし」を成立させた［図3］。省略した四隅の柱の代わりに、耐力壁を集約した4つのコア状の諸室ユニットで屋根を支えている［図2］。［岸本和彦］

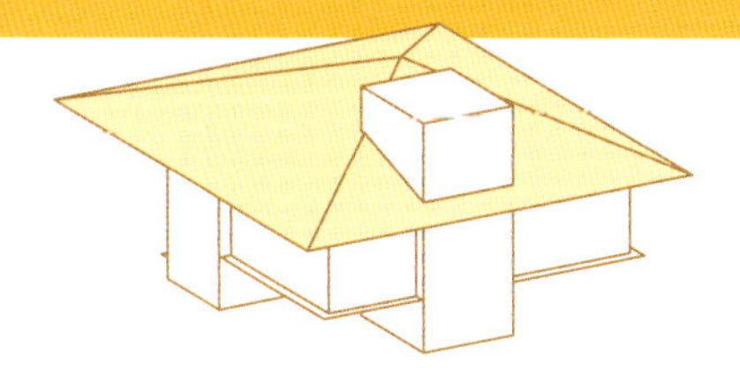

図1 方形を折板構造にして四隅を解放する 断面図［S＝1:80］

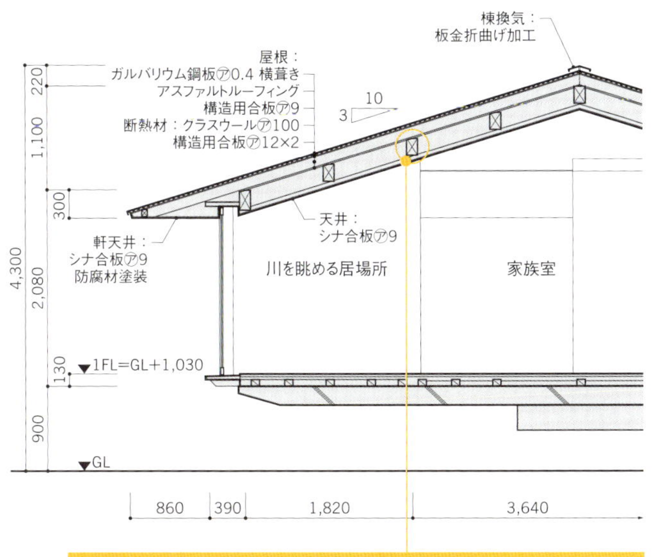

棟換気：
板金折曲げ加工
屋根：
ガルバリウム鋼板⑦0.4 横葺き
アスファルトルーフィング
構造用合板⑦9
断熱材：クラスウール⑦100
構造用合板⑦12×2
10
3
天井：
シナ合板⑦9
軒天井：
シナ合板⑦9
防腐材塗装
川を眺める居場所
家族室
1FL=GL+1,030
GL
220
1,100
300
4,300
2,080
130
900
860
390
1,820
3,640

屋根のクリープ対策として、2重の構造用合板だけでもたせるのではなく、桁・母屋だけでも最低限は構造的に成立するようにした

南西方向への眺望。周辺の緑豊かな風景が、柱で分断されることなくパノラマ状に一望できる

図2 折板構造の屋根は諸室で支える 平面図［S＝1:200］

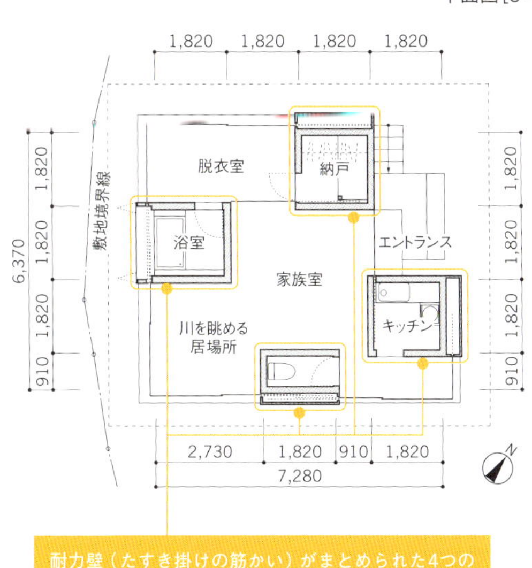

1,820
1,820
1,820
1,820
脱衣室
納戸
敷地境界線
浴室
エントランス
家族室
キッチン
川を眺める
居場所
6,370
1,820
1,820
1,820
910
2,730
1,820
910
1,820
7,280
N

耐力壁（たすき掛けの筋かい）がまとめられた4つの諸室で屋根荷重を支持し、四隅の柱をなくしている

図3 折板構造の構成 ダイアグラム

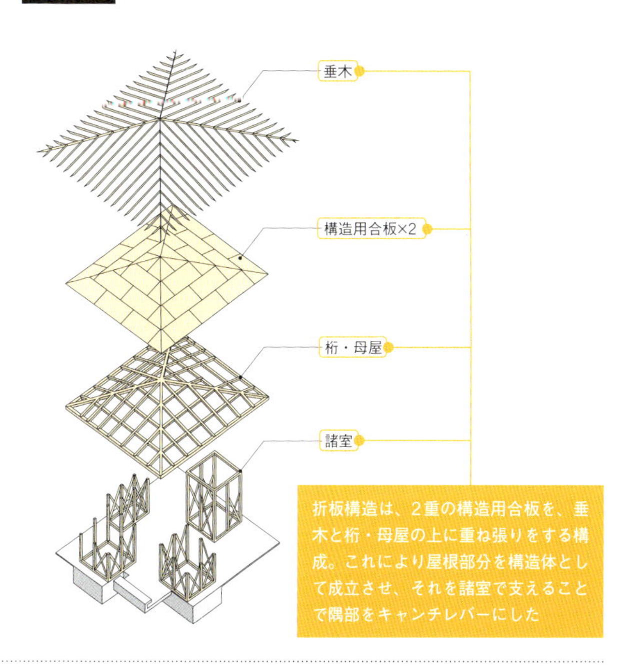

垂木
構造用合板×2
桁・母屋
諸室

折板構造は、2重の構造用合板を、垂木と桁・母屋の上に重ね張りをする構成。これにより屋根部分を構造体として成立させ、それを諸室で支えることで隅部をキャンチレバーにした

方形屋根で 隅柱のないテラスを実現

十字型プラン＆方形で
コーナーを開放的に！

方形屋根には、4辺の外周すべてを覆えるという利点がある。

本事例は別荘地に建つ「週末住宅」で、休日を心地よく過ごすために最低限必要な空間と、メンテナンス性のよさが求められた。そこで、すべての外壁面が低い軒で守られる方形屋根とした［図1・2］。3隅にそれぞれ屋根に覆われた屋外スペースを確保し、薪置き場、設備機械置き場、テラスといった異なる用途をもたせている。残りの1隅には寄棟状の屋根をつなぎ合わせ、玄関、玄関収納といった用途に当てている。

［熊澤安子］

図1 梁を持ち出して隅柱を省略する 小屋伏図［S＝1:150］

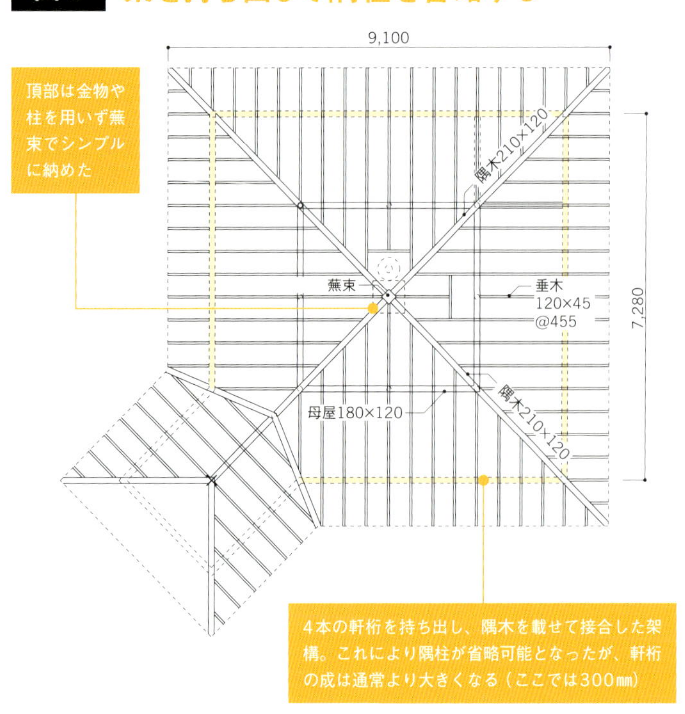
9,100
7,280
頂部は金物や柱を用いず蕪束でシンプルに納めた
蕪束
垂木 120×45 @455
隅木210×120
隅木210×120
母屋180×120
4本の軒桁を持ち出し、隅木を載せて接合した架構。これにより隅柱が省略可能となったが、軒桁の成は通常より大きくなる（ここでは300㎜）

図2 十字型プランで隅部を開放的に 平面図［S＝1:200］

十字形のプランで、広間を中心に諸室が配置され、隅部は屋根に守られた軒下空間とした。方形屋根との相性がよい
7,680
3,640
3,640
7,280
浴室
薪置き場
トイレ
設備機材スペース
脱衣室
納戸
キッチン
和室
広間
テラス
倉庫
玄関
軒ライン
N
頂部を蕪束で納めたため柱が不要となり、中央に広いスペースを確保できた

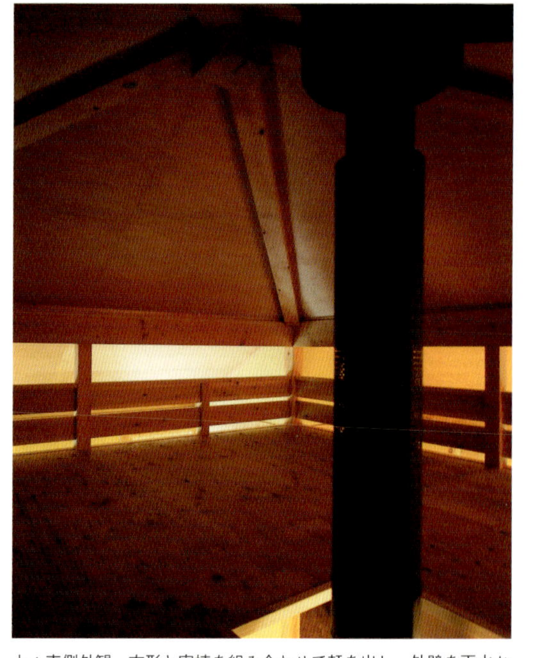

上：東側外観。方形と寄棟を組み合わせて軒を出し、外壁を雨水から守る｜中：東側テラス。隅柱を省略したことで柱が野ざらしになることを防ぐとともに、視界にも広がりを生んでいる｜下：建物中央のロフト。隅木の取合いは蕪束で納めた

『南平台の休暇小屋』（設計・写真：熊澤安子建築設計室）

緩勾配の方形で屋根を小さく見せる

緩勾配の方形なら、屋根の存在感を抑えられる！

小さな平屋を計画する場合、切妻や寄棟では建物ボリュームに対して屋根が大きく見えてしまうことも多い。本事例は、緩勾配の方形とすることで、屋根を小さく抑え、建物ボリュームと屋根とのバランスをとっている［図1］。また、屋根が小さく低いので、前面道路からはこの建物越しに、敷地の奥に前からあった蔵と茶室を見通せる。

内部空間は切妻や片流れに比べやや狭くなるが、傘骨状の小屋に肘木を設けたダイナミックな架構を露して、開放感をだしている［図2］。　［三澤文子］

図1 方形で屋根を小さく見せる 断面図［S＝1:100］

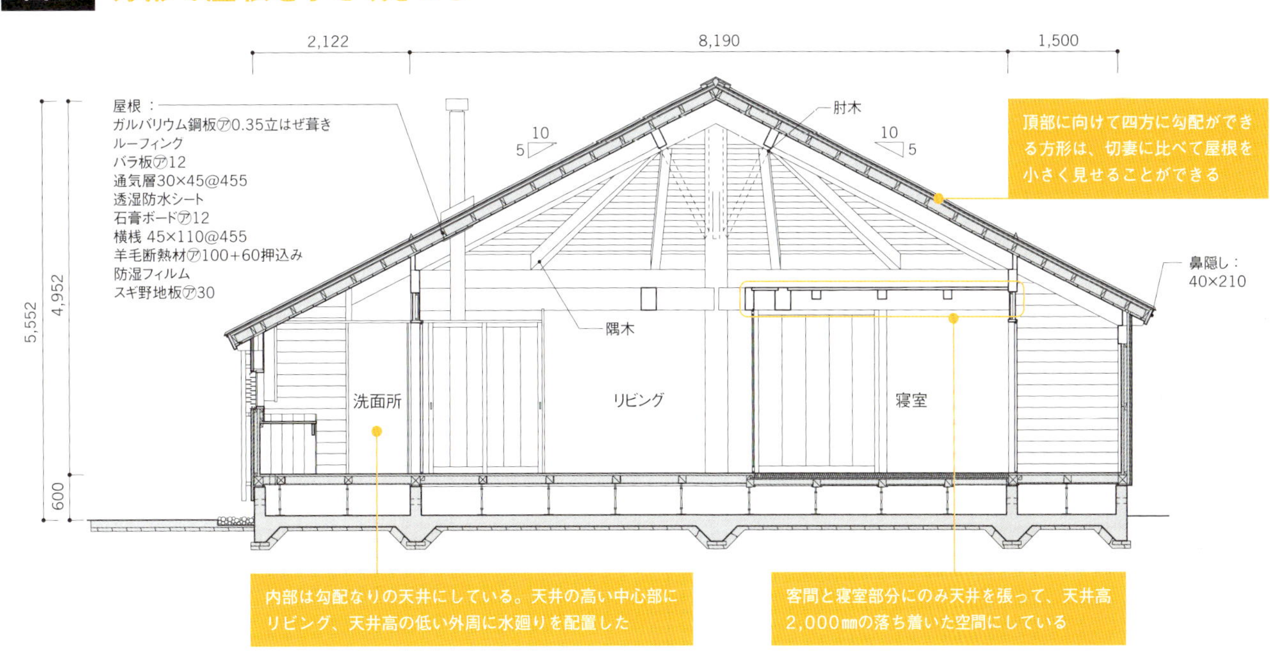
2,122
8,190
1,500
屋根：
ガルバリウム鋼板㋐0.35立はぜ葺き
ルーフィング
バラ板㋐12
通気層30×45@455
透湿防水シート
石膏ボード㋐12
横桟 45×110@455
羊毛断熱材㋐100＋60押込み
防湿フィルム
スギ野地板㋐30
肘木
10
5
10
5
頂部に向けて四方に勾配ができる方形は、切妻に比べて屋根を小さく見せることができる
鼻隠し：
40×210
5,552
4,952
600
隅木
洗面所
リビング
寝室
内部は勾配なりの天井にしている。天井の高い中心部にリビング、天井高の低い外周に水廻りを配置した
客間と寝室部分にのみ天井を張って、天井高2,000㎜の落ち着いた空間にしている

図2 傘骨状の架構と肘木で支える 小屋伏図［S＝1:250］

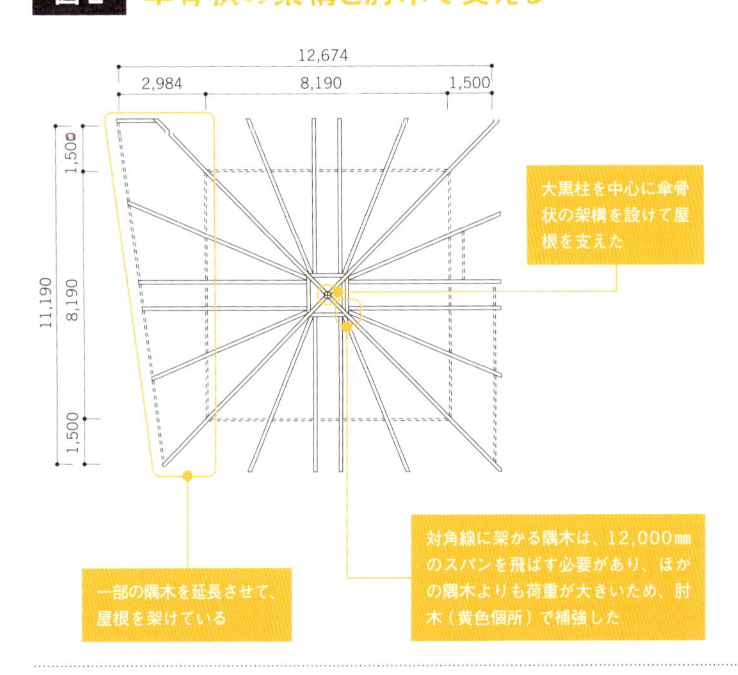
12,674
2,984
8,190
1,500
1,500
11,190
8,190
1,500
大黒柱を中心に傘骨状の架構を設けて屋根を支えた
一部の隅木を延長させて、屋根を架けている
対角線に架かる隅木は、12,000㎜のスパンを飛ばす必要があり、ほかの隅木よりも荷重が大きいため、肘木（黄色個所）で補強した

上：外観。屋根の一辺を延長させた空間に、水廻りを納めた。玄関のある道路側に屋根の平面を向けることになり、人を招き入れる雰囲気をつくっている｜下：リビングから和室を見る。大黒柱から伸びた肘木は弁柄で赤色に塗装し、空間のアクセントにした

無落雪屋根を切妻でつくる方法

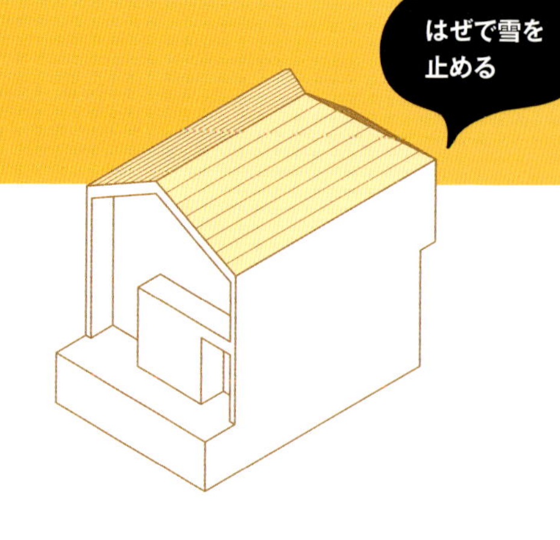
はぜで雪を
止める

豪雪地帯の都市部などに見られる無落雪屋根［52頁］はフラットなものが多いが、本事例では上階の天井高を確保するため、切妻（一部寄棟）を採用した。

切妻で無落雪屋根を実現するために、桁行方向に大きなはぜを立ち上げ、これに雪止めの機能をもたせている。本事例のある北海道の雪は湿気が少なく、風に飛ばされやすい。そのため屋根に残る雪は意外と少なく、載せたままでも問題は起きにくい。ただし、雨水や春先の雪溶け水を流す工夫は必須となる［図1・2］。　［赤坂真一郎］

図1　切妻でつくる無落雪屋根　屋根伏図［S＝1:150］｜小屋伏図［S＝1:150］

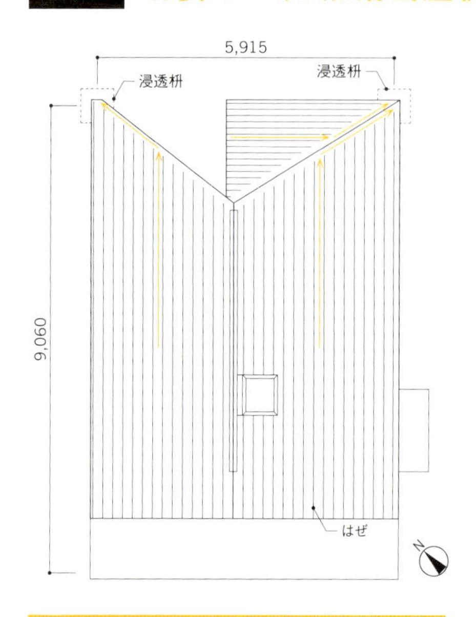
5,915
浸透枡
浸透枡
9,060
はぜ

雪止めのはぜは、北側（寄棟部は東側）に向けて角度をつけている。これにより雪溶け水がはぜを伝って寄棟部の2カ所から地面（浸透枡）に落ちる

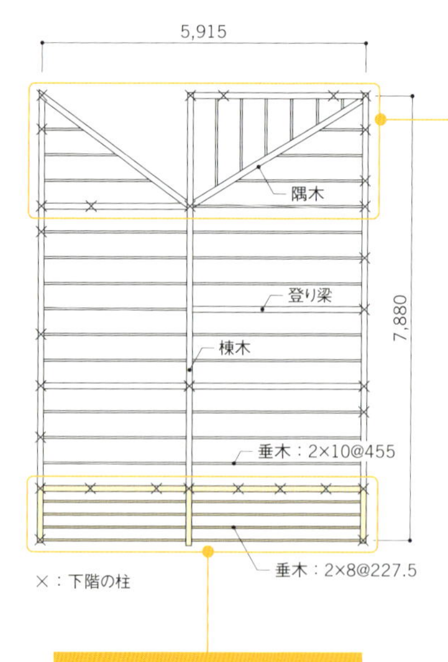
5,915
隅木
登り梁
棟木
7,880
垂木：2×10@455
垂木：2×8@227.5
×：下階の柱

けらばを大きく出すために棟木と軒桁を持ち出し、垂木のピッチを小さくしている

北側斜線をかわすために片側を寄棟状とし、一部を切り欠いて直下にテラスを設けた

南側外観。けらばと袖壁を妻側の壁面から半間ほど出し、切妻の家型を強調した。大きく出たけらばは、テラスやポーチを覆う庇の役割も果たしている

図2　雨水と雪溶け水の処理　断面図［S＝1:60］

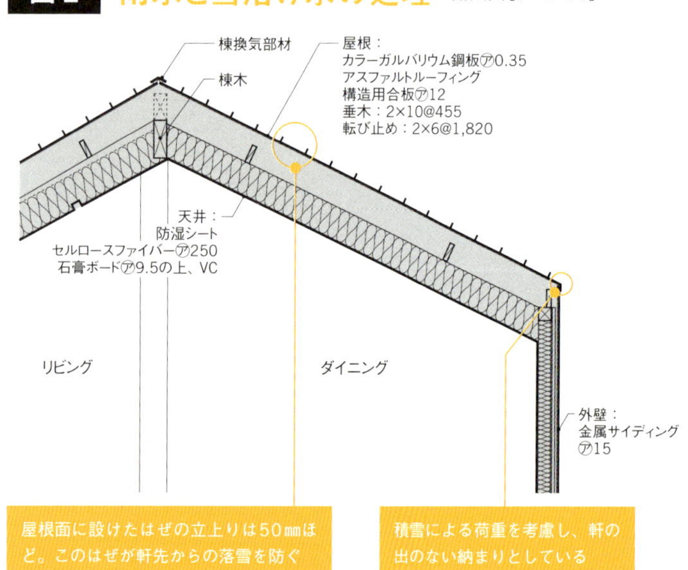
棟換気部材
棟木
屋根：
カラーガルバリウム鋼板㋐0.35
アスファルトルーフィング
構造用合板㋐12
垂木：2×10@455
転び止め：2×6@1,820
天井：
防湿シート
セルロースファイバー㋐250
石膏ボード㋐9.5の上、VC
リビング
ダイニング
外壁：
金属サイディング
㋐15

屋根面に設けたはぜの立上りは50㎜ほど。このはぜが軒先からの落雪を防ぐ

積雪による荷重を考慮し、軒の出のない納まりとしている

2階リビングから北側ダイニング、テラスを見る。テラス上部は屋根が一部切り欠かれており、庇のある空間と、ダイレクトに空を望める空間が同居している。寄棟を形成する2本の隅木は屋根頂部で棟木と取り合い、テラス出隅部の柱で支えた

『ヤネニワ・ノイエ』（設計：アカサカシンイチロウアトリエ／写真：グレイトーンフォトグラフス 酒井広司）

急勾配の寄棟で外観を小さく見せる

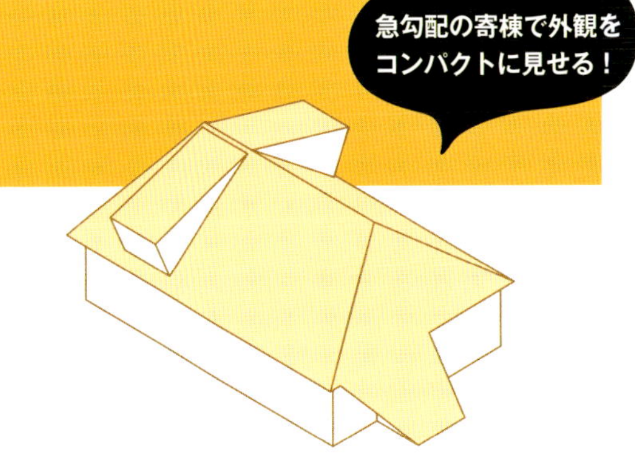
急勾配の寄棟で外観をコンパクトに見せる！

本事例は、農家集落の茅葺き屋根をイメージした寄棟の住宅。急勾配の寄棟の小屋裏空間をロフトとすることで、外観を小さく見せながらも、必要な内部空間を確保している。ロフトには、南北に2つのドーマーを設けて採光を得た。

内部は真壁とし、小屋組をはじめすべての構造材を露しとした。水廻りや収納などの小さな空間は、無理に寄棟に納めるのではなく下屋と小平（こひら）[56頁]の一部を延長させた軒下空間に追い出して、寄棟の美しい構造を損なわないプランとしている[図1～3]。

[三澤文子]

図1 寄棟の大屋根で外観を小さく見せる

小屋伏図[S＝1:200]

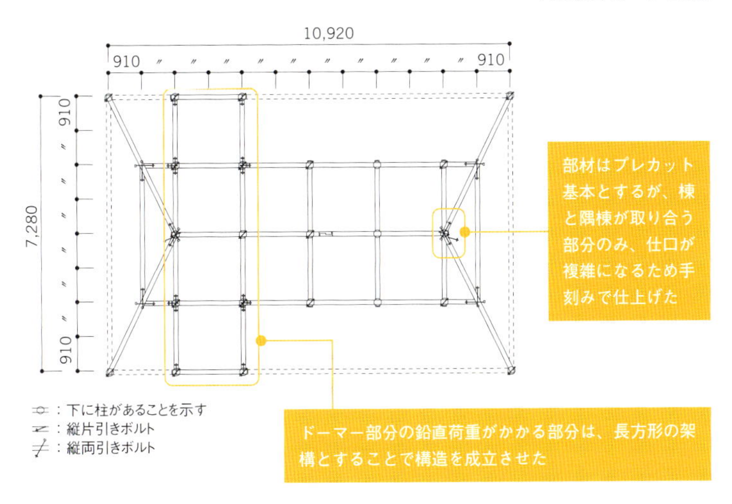
10,920
910
910
7,280
910
910
：下に柱があることを示す
：縦片引きボルト
：縦両引きボルト
部材はプレカット基本とするが、棟と隅棟が取り合う部分のみ、仕口が複雑になるため手刻みで仕上げた
ドーマー部分の鉛直荷重がかかる部分は、長方形の架構とすることで構造を成立させた

図2 小さな空間は下屋に納める

平面図[S＝1:400]

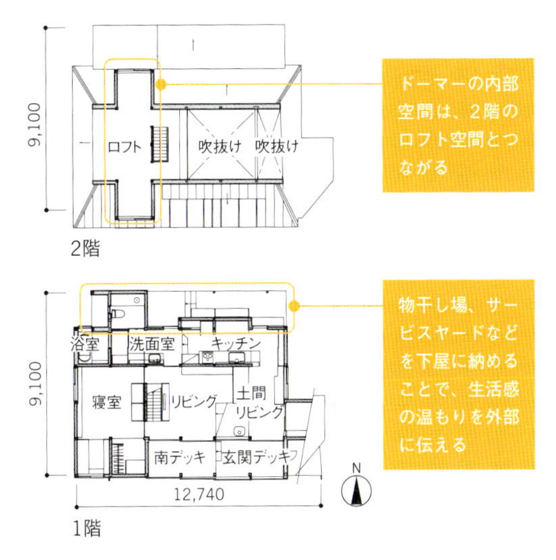
9,100
ロフト
吹抜け
吹抜け
2階
ドーマーの内部空間は、2階のロフト空間とつながる
9,100
浴室
洗面室
キッチン
寝室
リビング
土間リビング
南デッキ
玄関デッキ
12,740
1階
N

物干し場、サービスヤードなどを下屋に納めることで、生活感の温もりを外部に伝える

図3 大きな小屋裏を吹抜けとして空間に広がりをつくる

断面図[S＝1:100]

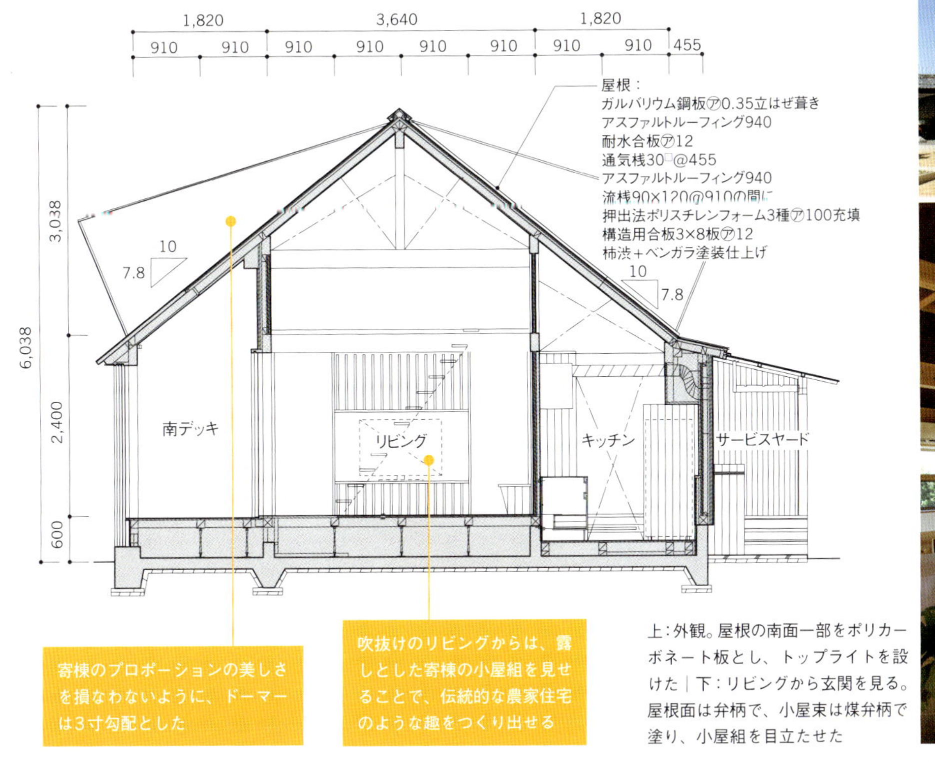
1,820
3,640
1,820
910
910
910
910
910
910
910
910
455
屋根：
ガルバリウム鋼板㋐0.35立はぜ葺き
アスファルトルーフィング940
耐水合板㋐12
通気桟30□@455
アスファルトルーフィング940
流桟90×120@910の間に
押出法ポリスチレンフォーム3種㋐100充填
構造用合板3×8板㋐12
柿渋＋ベンガラ塗装仕上げ
10
7.8
10
7.8
3,038
6,038
2,400
600
南デッキ
リビング
キッチン
サービスヤード
寄棟のプロポーションの美しさを損なわないように、ドーマーは3寸勾配とした
吹抜けのリビングからは、露しとした寄棟の小屋組を見せることで、伝統的な農家住宅のような趣をつくり出せる

上：外観。屋根の南面一部をポリカーボネート板とし、トップライトを設けた｜下：リビングから玄関を見る。屋根面は弁柄で、小屋束は煤弁柄で塗り、小屋組を目立たせた

寄棟の下屋で1階の天井に変化をつける

軒先のラインも
水平で美しく！

総2階の1階にリビングを設けた場合、天井はフラットにせざるを得ず、マンションのような空間となってしまいがちである。建築面積に余裕があるなら、下屋を設けてリビングを外側に張り出し、天井に変化をつけたい。

本事例では、張り出した下屋の屋根を寄棟とし、直下のリビングは屋根なりの勾配天井として変化のある空間をつくった。また下屋が寄棟のため、軒のラインは水平となる。ここに軒天井を連続させれば、外部に大きく開放された空間ができる。 ［藤原昭夫］

図1 1階リビングを下屋に配置する 1階平面図、屋根伏図［S＝1:300］

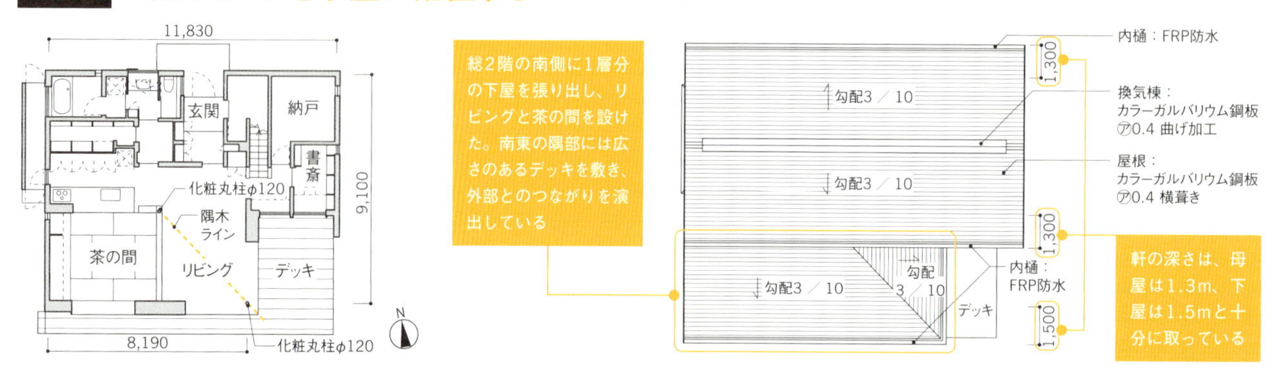
11,830
玄関
納戸
書斎
化粧丸柱φ120
隅木ライン
茶の間
リビング
デッキ
9,100
8,190
化粧丸柱φ120
N
総2階の南側に1層分の下屋を張り出し、リビングと茶の間を設けた。南東の隅部には広さのあるデッキを敷き、外部とのつながりを演出している
勾配3／10
勾配3／10
勾配3／10
勾配3／10
デッキ
内樋：FRP防水
換気棟：カラーガルバリウム鋼板⑦0.4 曲げ加工
屋根：カラーガルバリウム鋼板⑦0.4 横葺き
内樋：FRP防水
1,300
1,300
1,500
軒の深さは、母屋は1.3m、下屋は1.5mと十分に取っている

図2 片側のみ寄棟とした下屋の架構 小屋伏図［S＝1:120］

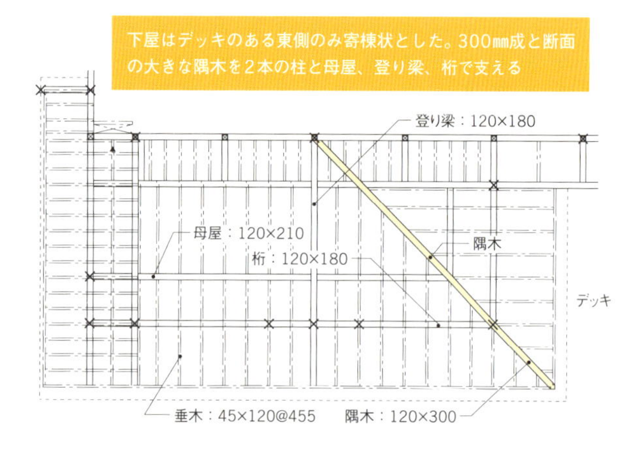
下屋はデッキのある東側のみ寄棟状とした。300㎜成と断面の大きな隅木を2本の柱と母屋、登り梁、桁で支える
登り梁：120×180
母屋：120×210
桁：120×180
隅木
デッキ
垂木：45×120@455
隅木：120×300

図3 母屋（おもや）と下屋 断面図［S＝1:150］

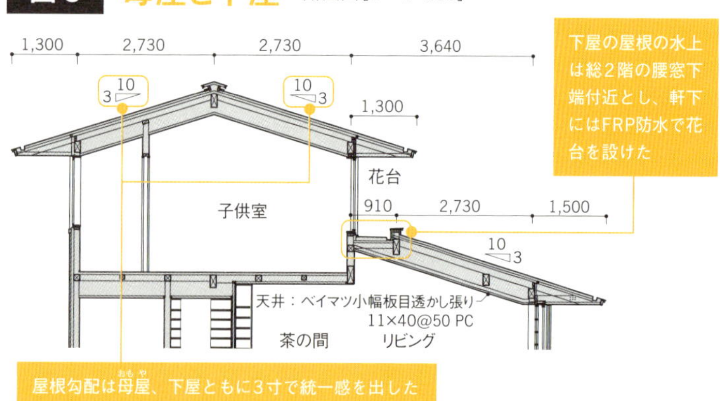
1,300
2,730
2,730
3,640
1,300
子供室
花台
910
2,730
1,500
天井：ベイマツ小幅板目透かし張り 11×40@50 PC
茶の間
リビング
下屋の屋根の水上は総2階の腰窓下端付近とし、軒下にはFRP防水で花台を設けた
屋根勾配は母屋、下屋ともに3寸で統一感を出した

上：デッキからリビングを見る。隅棟の先端で直角に折れる軒がシャープな水平のラインを描く｜下：下屋の天井はベイマツの小幅板で仕上げた。隅木のラインを境界に直交しながら屋根なりに下っていき、ガラス1枚を隔てて水平に張られた軒天井（写真上）へと続く。床・デッキへの連続性と相まって、内外につながりが生まれる

『茶の間のある家』（設計：結設計／写真：齊部功）

3方向からの斜線をかわす五角形の屋根

天井高を確保する奥の手

住宅密集地域や角地などでは、多方向から斜線制限がかかることが多い。本事例も角地にあり、南と西からは道路斜線が、北からは斜線がかかる［図1、図2］。そこで、高度斜線に対してはボリュームを斜線なりにカット、道路斜線には天空率を適用した上で、急勾配の屋根を外壁と一体に見せてデザインを成立させた。斜線なりの屋根とすることで天井高を確保しつつ、開放的な小屋裏空間とするため、登り梁と構造用合板で屋根構面をつくり、小屋梁・火打ち梁などの水平材を極力減らした［図3］。　［杉浦充］

図1　3方向から斜線がかかる屋根　屋根伏図［S＝1:100］

北面には第1種高度地区の斜線がかかる

隣地境界線　道路境界線　隣地境界線　道路境界線　道路境界線　4,820　7,550　A

道路斜線がかかる西面・南面は天空率を適用して容積を確保した

斜線のかからない東面も、天空率で有利になるよう、西面と同様の勾配を付けた

屋根と外壁をガルバリウム鋼板の一文字葺きで連続させ、統一感のある外観としている

図2　外壁と一体化した屋根　断面図［S＝1:50］

軒高を抑えるため、屋根頂部の手前で勾配を緩くし、トップライトを設けた

天空率の緩和が適用されない高度斜線地域のため、北面は斜線なりの勾配としている

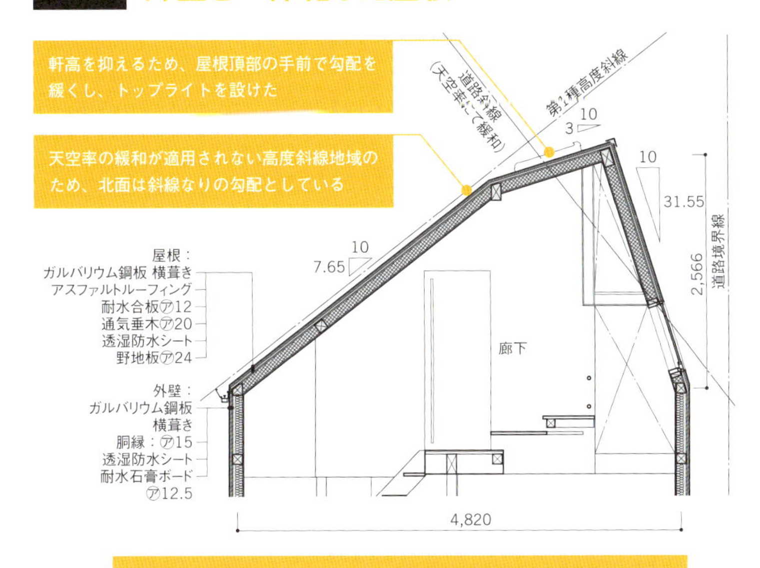

道路斜線（天空率にて緩和）
第1種高度斜線
10
3
10
31.55
10
7.65
2,566
道路境界線
廊下
屋根：
ガルバリウム鋼板 横葺き
アスファルトルーフィング
耐水合板㋐12
通気垂木㋐20
透湿防水シート
野地板㋐24
外壁：
ガルバリウム鋼板
横葺き
胴縁：㋐15
透湿防水シート
耐水石膏ボード
㋐12.5
4,820

通気は四周とも外壁下端から取り、樋のある北側は軒先部から、そのほかの3面は外壁から屋根まで通気層を連続させ、換気棟から排気する

図3　外壁同様に屋根を組む

小屋伏図［S＝1:200］

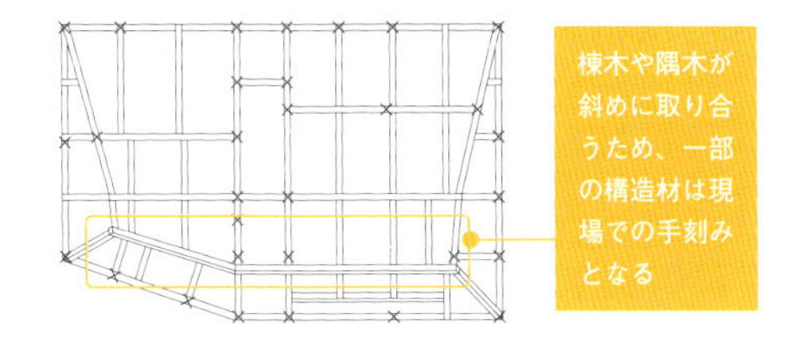

棟木や隅木が斜めに取り合うため、一部の構造材は現場での手刻みとなる

外周の柱をそのまま立ち上げて傾斜させたような登り梁の架構（写真右側）

リング金物で六角形屋根の頂部を納める

多方向からの梁が集中する頂部も簡単に納まる！

多方向から頂部に向けて梁が取り合う架構の場合、頂部の納まりは極めて複雑になる。本事例は、ダイナミックな架構露しの空間をつくるため、六角形の平面に屋根頂部から放射状に梁が広がる屋根を計画した。頂部はスチールのリング状の金物を使用することで、梁の取合いを単純化し、施工を容易にしている［図1］。

リング状の金物の内側はトップライトとし、暗くなりがちな室内の中心部に光を導いた。丸いトップライトからの光は、教会のような神聖な雰囲気を演出している［図2］。

［西久保毅人］

図1 六角形の平面に放射状の梁を架ける 屋根伏図［S＝1:100］

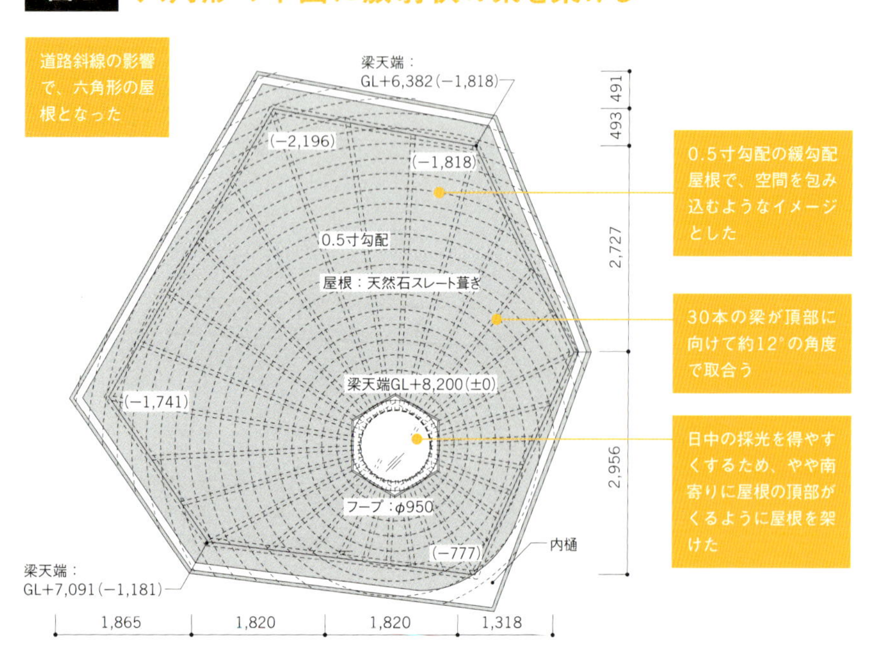
道路斜線の影響で、六角形の屋根となった
梁天端：GL+6,382(−1,818)
(−2,196)
(−1,818)
0.5寸勾配
屋根：天然石スレート葺き
梁天端GL+8,200(±0)
(−1,741)
フープ：φ950
(−777)
内樋
梁天端：GL+7,091(−1,181)
1,865
1,820
1,820
1,318
491
493
2,727
2,956
0.5寸勾配の緩勾配屋根で、空間を包み込むようなイメージとした
30本の梁が頂部に向けて約12°の角度で取合う
日中の採光を得やすくするため、やや南寄りに屋根の頂部がくるように屋根を架けた

トップライトの下には階段棟があり、吹抜けを通った光が階下まで届くようにした。トップライトから注ぐ光は、季節や時間によって角度・方向が移ろい、折々の変化を楽しめる

図2 リング状の金物の詳細 断面詳細図［S＝1:20］｜金物詳細図［S＝1:20］

トップライトの下には内部に水が落ちないよう結露受けを設けた

防水テープ先張り後、ガルバリウム鋼板施工
ガラス受け：ステンレスW50⑦1
結露受け：ステンレス25×25×2
梁成：270
ガセット：PL-6+防錆塗装+OP 貫通ボルト2-M12
枠(埋込み)：ステンレス50×30
防水テープ先張り後、ガルバリウム鋼板施工
リング：PL-9+防錆塗装+OP

トップライトのガラス面は1寸勾配とし、雨仕舞いをよくした。25㎜厚の複層ガラスを使用して断熱性能を確保している

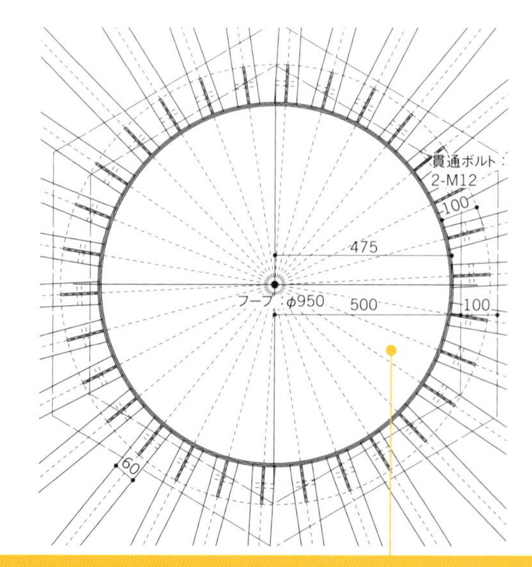
貫通ボルト：2-M12
100
475
フープ：φ950
500
100
60

スチール製のリングに梁の本数分のブラケットを溶接した特注の金物。ブラケットには2個の孔があけられており、梁に差し込んでからボルトで留めている

『神宮前の家』（設計：ニコ設計室／写真：西久保毅人）

異なる空間には
異なる屋根を！

六角形屋根で
空間の役割を区分する

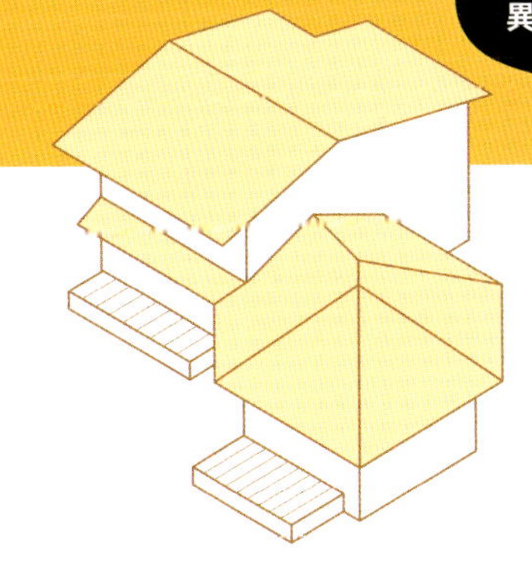

1つの住宅内に、用途を異にする空間を併存させるケースでは、それぞれのボリュームを異なる形状にすると区分が明確になる。

本事例は、山麓の住宅地に建つ二世帯住宅。親世帯と子世帯をつなげながらも、親世帯は六角形の平屋、子世帯は長方形の2階建てとし、それぞれを異なる空間とした。親世帯にはプランに合わせた六角形の屋根を、子世帯にはシンプルな切妻屋根を架け、北側の中間部分に共同の玄関、水廻りなどを設けている。 ［熊澤安子］

図1 寄棟を引き伸ばした六角形屋根 小屋伏図［S＝1:150］

寄棟屋根の妻側を引っ張ったような横長六角形の架構。棟木の両端は柱で、妻側の屋根面（小平）は4本の隅木と登り梁で支える。軒の出を取るために、隅木と登り梁は桁から外部に持ち出している

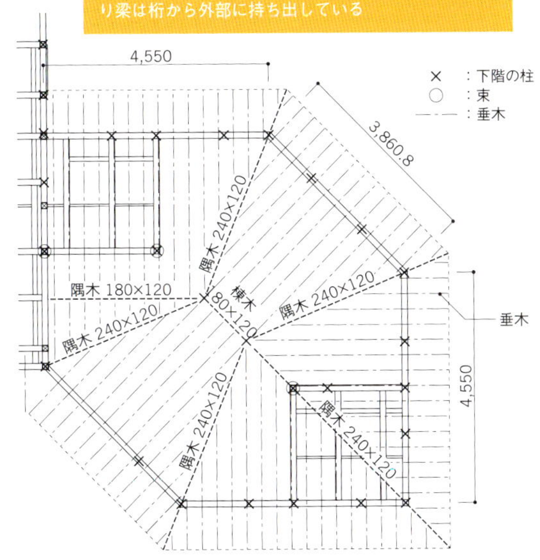
4,550
×：下階の柱
○：束
垂木
3,860.8
隅木 240×120
隅木 180×120
棟木 180×120
隅木 240×120
隅木 240×120
垂木
4,550
隅木 240×120
隅木 240×120

親世帯は六角形の屋根勾配なりに天井を張った。棟木を支える2本の柱は空間の中央に現れるが、柱間に壁を張り、寝室とダイニングを隔てるパーティションの役割を与えることで、邪魔な存在には感じない

図2 プランに合わせて屋根を架ける 1階平面図［S＝1:200］

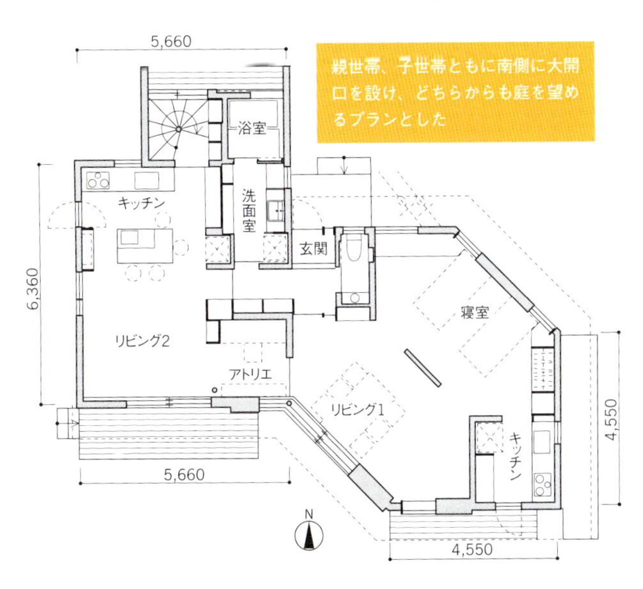
5,660
浴室
キッチン
洗面室
玄関
6,360
寝室
リビング2
アトリエ
リビング1
キッチン
5,660
4,550
4,550
N

親世帯、子世帯ともに南側に大開口を設け、どちらからも庭を望めるプランとした

図3 勾配・屋根葺き材を変える 断面図［S＝1:150］

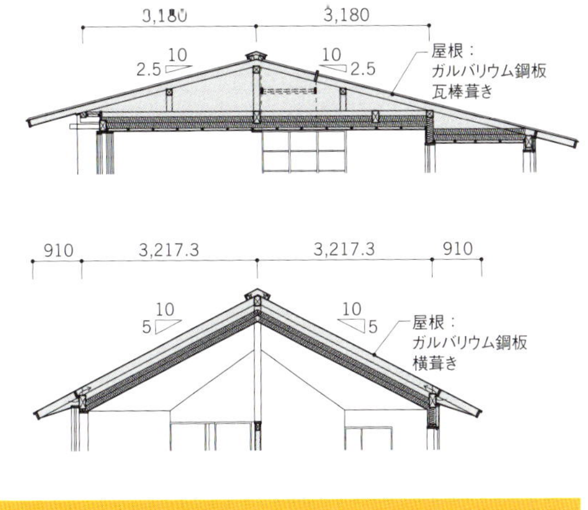
3,180
3,180
10
2.5
10
2.5
屋根：
ガルバリウム鋼板
瓦棒葺き
910
3,217.3
3,217.3
910
10
5
10
5
屋根：
ガルバリウム鋼板
横葺き

子世帯の切妻屋根は2寸5分勾配で、ガルバリウム鋼板の瓦棒葺き。それに対し、親世帯の六角形の屋根は5寸勾配でガルバリウム鋼板の平葺きとしたことで、両者の屋根面の表情も大きく異なる

『大磯の家』（設計・写真：熊澤安子建築設計室）

4章

熱性能・防露性能

屋根の性能で最も重要なのは熱性能・防露性能である。
これらの性能に気を配れば、
快適な内部空間をつくることができる。
ここでは、高い性能を担保しながらも
意匠に優れた事例を紹介する

熱性能・防露性能の基本

図1 標準的な屋根の納まり

野縁と天井、母屋と屋根材の取り合い部などは、隙間ができやすいので気密テープや気密シートを用いて屋根と壁が連続するように施工する

通気層を設けて、内部結露と室内への雨水侵入を防止する。通気層があれば、屋根内部に湿気が入っても通気層を通して湿気を排出することができる。さらに、通気層があることで2重防水の機能を果たし、雨漏りのリスクを軽減する。ただし、切妻の場合は頂部を塞がないように、湿気の排出経路をきちんと計画する

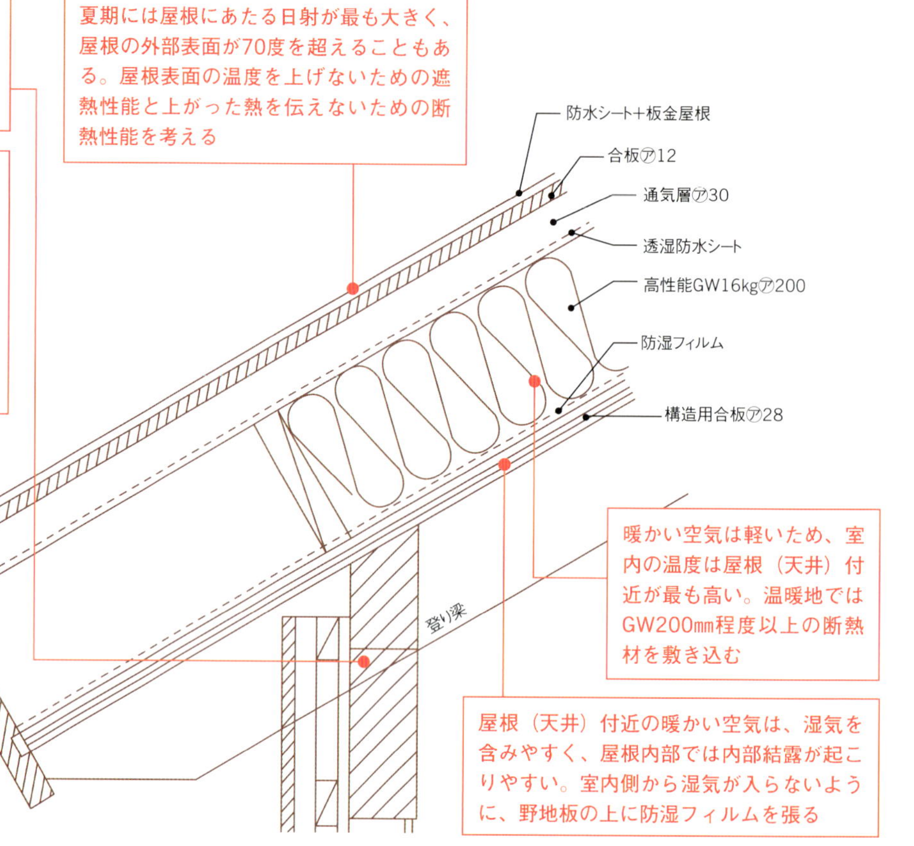
夏期には屋根にあたる日射が最も大きく、屋根の外部表面が70度を超えることもある。屋根表面の温度を上げないための遮熱性能と上がった熱を伝えないための断熱性能を考える
防水シート+板金屋根
合板㋐12
通気層㋐30
透湿防水シート
高性能GW16kg㋐200
防湿フィルム
構造用合板㋐28
登り梁
空気
暖かい空気は軽いため、室内の温度は屋根（天井）付近が最も高い。温暖地ではGW200㎜程度以上の断熱材を敷き込む
屋根（天井）付近の暖かい空気は、湿気を含みやすく、屋根内部では内部結露が起こりやすい。室内側から湿気が入らないように、野地板の上に防湿フィルムを張る

屋根の性能は断熱と結露対策がポイント

屋根の性能については、大きく①断熱、②防露、③日射遮蔽、④気密の4つがポイントとなる［図1］。①～④の対策については、冬期と夏期で異なるため、それぞれで熱や湿気などの動きを考えてみるとよい。

まず、冬期は日射や暖房によって暖められた空気が屋根付近に集まる。屋根付近と外気との温度差が大きくなり、屋根から熱が逃げやすい。結果、室温が低下し、暖房エネルギーが多くかかる。冬期に室内を快適に保つには、屋根の断熱性能、気密性能を強化することが重要だ。

また、屋根付近に溜まった温かい空気は水蒸気を含みやすい。この水蒸気が屋根内部に入って冷やされることで発生する内部結露は躯体の劣化を引き起こす。防露対策の基本的な考え方は、湿気を屋根内部に入れないようにする、万が一屋根内部に湿気が入った場合には湿気を外気に逃すことだ。それを考慮したうえで、材料を透過する湿気の量について計算などを行う。内部結露の危険度を判定する方法には、決められた材料を用いる仕様規定［※］と湿気の通しにくさを計算する透湿抵抗比計算、屋根内部の温度と湿度を計算する定常計算、非定常計算の4つがある。後述したものほど精度が高い。仕様規定と透湿抵抗比計算の具体的な計算方法については図2に示す。

一方、夏期は屋根面への日射が大きく、屋根表面が高温になり熱が流入するため、室温や体感温度が上がることが問題になる。そのため、日射遮蔽と断熱性能が重要だ。仕上げを明るめの色にして表面反射率を向上させるか遮熱シートなどを用いるとよい。ただし、冬期に室内温度が低下することを考えると、屋根の断熱性能を向上させることの方がメリットが多い［図3～6］。

近年、屋根に通気層を設ける納まりが標準となってきている。通気層を設ける目的は、内部結露対策、屋根が2重になることにより防水効果を高める、排熱効果を高めることの3つだ。通気層を設けると、軒先にボリュームがでてしまい、野暮ったくなりがちだが、屋根の納まりを工夫して意匠と性能を両立できるようにしたい。［辻充孝］

※ 透湿抵抗の小さい断熱材を施工する場合は湿気を屋根内部に入れないように、ポリエチレンフィルムなどの防湿フィルムを室内側に入れる。計算を必要としないため、湿気を通さない強い性能をもったシートに頼った方法だ。透湿抵抗の小さい断熱材としては、グラスウール、ロックウール、セルロースファイバーなどの繊維系断熱材に加え、吹付け硬質ウレタンフォームA種3に該当するものも含む

図2 防露対策の考え方

防露対策として最も一般的な仕様規定と透湿抵抗比計算について紹介する

①仕様規定

湿気を通さない強い性能を持ったシートを用いることで、湿気を屋根内部に入れない様にする。決められた素材を使えば、計算は必要ない

通気層
防風層
断熱材
防湿層(ポリエチレンフィルムなど)
母屋

室内側に湿気を通さない強い性能を持ったポリエチレンフィルムなどのシートを張る

②透湿抵抗比計算

表1に示すような省エネルギー基準の地域区分によって比率が決められており、断熱材を含む内側と外側に材料構成を分けその比率で判定する[*1] [表1・2]。たとえば、6地域の場合、室内側の材料を室外側と比べて3倍湿気を通しにくい素材を配置する。下記に計算例を示す

「透湿抵抗=透湿比抵抗×厚み」で計算され、0.901m・s・Pa/ng×0.028m =0.0252㎡・s・Pa/ngとなる

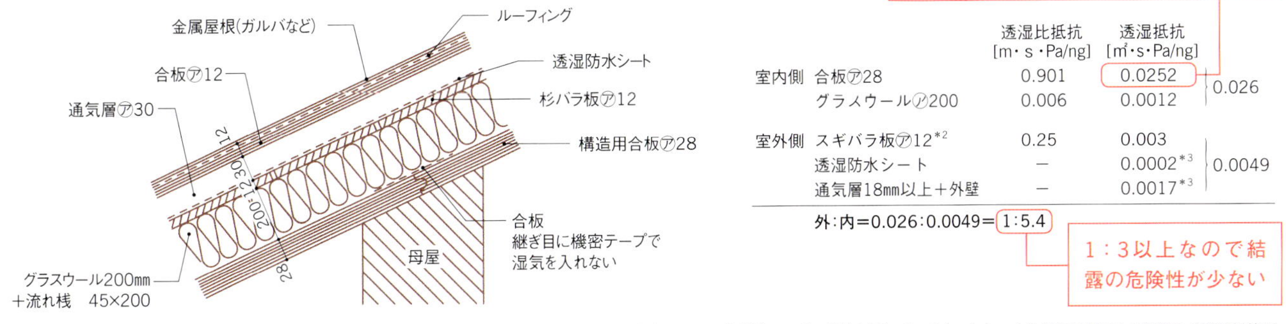

金属屋根(ガルバなど)
ルーフィング
合板㋐12
透湿防水シート
通気層㋐30
杉バラ板㋐12
構造用合板㋐28
12
30
12
200
28
母屋
合板
継ぎ目に機密テープで
湿気を入れない
グラスウール200mm
+流れ桟 45×200
透湿比抵抗 [m・s・Pa/ng]
透湿抵抗 [㎡・s・Pa/ng]
室内側 合板㋐28 0.901 0.0252
グラスウール㋐200 0.006 0.0012
0.026
室外側 スギバラ板㋐12*2 0.25 0.003
透湿防水シート － 0.0002*3
通気層18mm以上+外壁 － 0.0017*3
0.0049
外:内=0.026:0.0049=1:5.4
1:3以上なので結露の危険性が少ない

*1 簡易計算のため、断熱材は単一材料の場合にのみ対応する | *2 バラ板は隙間があるが、安全策として室外側にスギの抵抗を足している | *3 シートや通気層は厚みに関係なく透湿抵抗が決められている

表1 | 省エネ法に基づく地域区分における透湿抵抗比

地域区分	外:内(外壁の場合)
1・2・3地域	1:6(1:5)
4地域	1:4(1:3)
5・6・7地域	1:3(1:2)

石膏ボードは面材の中でも湿気をよく通すため、室内側の防湿にはほとんど効果はない

表2 | 代表的な透湿抵抗

材料名	透湿比抵抗 [m・s・Pa/ng]	厚み [m]	透湿抵抗 [㎡・s・Pa/ng]
せっこうボード㋐12.5	0.02520	0.0125	0.00032
ダイライトMS㋐12	0.11996	0.0120	0.00144
モイスTM㋐9.5	0.22000	0.0120	0.00264
合板㋐12	0.90100	0.0120	0.01081
OSB㋐12	1.68000	0.0120	0.02016
スギ(辺材)㋐12	0.25000	0.0120	0.00300
グラスウール㋐100	0.00588	0.1000	0.00059

材料名	透湿比抵抗 [m・s・Pa/ng]	厚み [m]	透湿抵抗 [㎡・s・Pa/ng]
吹付け硬質ウレタンフォームA種1㋐100	0.11000	0.1000	0.01100
押出法ポリスチレンフォーム3種b(スキンあり)㋐25	0.73000	0.0250	0.01825
透湿防水シート			0.00019
防湿フィルムA種(0.1mm厚)			0.08200
防湿フィルムB種(0.2mm厚)			0.14400
屋根:通気層18mm以上+外壁			0.00170
屋根:通気層9mm以上+外壁			0.00260

図3 断熱性能:熱貫流率U値の目安

屋根・天井断熱が重要

温暖地(6、7地域)における各部位の熱貫流率U値の目安では、他の部位と比べ屋根・天井断熱の目安が高い。屋根・天井に求められる性能は寒冷地ほど高い。ただし、ほかの部位もしっかり断熱することで、建物全体の断熱効果が期待できるため総合的に考える。

表3 | 各部の熱貫流率U値の目安(6,7地域)

	省エネ基準	HEAT20 G1	HEAT20 G2	HEAT20 G3
屋根・天井	0.24 W/㎡K	0.24 W/㎡K	0.19 W/㎡K	0.156 W/㎡K
外壁	0.53 W/㎡K	0.43 W/㎡K	0.32 W/㎡K	0.136 W/㎡K
床	0.48 W/㎡K	0.34 W/㎡K	0.34 W/㎡K	0.134 W/㎡K
開口部	4.65 W/㎡K	2.33 W/㎡K	1.90 W/㎡K	1.30 W/㎡K
建物全体U_A値	0.87 W/㎡K	0.56 W/㎡K	0.46 W/㎡K	0.26 W/㎡K

表4 | 屋根の熱貫流U値の目安

	省エネ基準	HEAT20 G1	HEAT20 G2	HEAT20 G3
1、2地域	0.17 W/㎡K	0.13 W/㎡K	0.13 W/㎡K	0.119 W/㎡K
3地域	0.24 W/㎡K	0.19 W/㎡K	0.13 W/㎡K	0.119 W/㎡K
4地域	0.24 W/㎡K	0.19 W/㎡K	0.13 W/㎡K	0.093 W/㎡K
5地域	0.24 W/㎡K	0.17 W/㎡K	0.13 W/㎡K	0.093 W/㎡K
6、7地域	0.24 W/㎡K	0.24 W/㎡K	0.19 W/㎡K	0.156 W/㎡K

※熱貫流率U値は、室内外の温度差が1℃時、部位面積1㎡を通過する熱量をW(ワット)で示したもの。値が小さいほど熱を伝えにくく、断熱性能が高いことを意味する。
※HEAT20は研究者と住宅・建材生産団体の有志によって構成され、室内環境とエネルギーの両面から省エネ基準以上の断熱目標レベルを設定している。省エネ基準より性能が高くコストパフォーマンスに優れたG1から、コスト高になるが無暖房住宅レベルに近いG3まで設定されている。

図4 天井断熱と屋根断熱の考え方

①どちらを選ぶか

天井断熱と屋根断熱のメリット・デメリットを表にまとめた。それぞれに長短があるので、設計者や住まい手の要望に合わせて選択する

表5｜メリット・デメリット

屋根断熱（屋根断熱）	メリット	小屋裏空間が活用できる
		勾配天井の採用やロフトの設置など設計の自由度が高い
		断熱上部に熱がこもりにくいため暑さ対策で有利
	デメリット	垂木や登り梁の成による断熱厚さの制限が出やすい
		勾配分と妻面の面積が大きくなるためコストが少し高くなる
		小屋裏分空間が増えるため、暖冷房費（エネルギー）が少し増える
天井断熱（天井断熱）	メリット	小屋裏空間に断熱が入れられるため断熱厚さ制限が少ない
		施工面積が抑えられるため、コストが抑えられる
		空間がコンパクトになり、暖冷房費（エネルギー）が抑えられる
	デメリット	小屋裏空間の活用は難しい
		工法によっては吊り木等の処理で施工手間が増える
		小屋裏が過熱するため、小屋裏換気をしっかりとる必要がある

②熱損失量と熱取得量の計算

熱貫流率U値の計算手順を下記に示す

STEP1　素材を順番に書き出す（断熱層と熱橋は続けて記入）
STEP2　図面から厚みを記入する（m単位）
STEP3　熱伝導率を調べて記入する
STEP4　熱抵抗を計算する。熱抵抗＝厚み÷熱伝導率（一部固定値が入る）
STEP5　断熱部、熱橋部のそれぞれの熱抵抗を足す
STEP6　熱貫流率を計算する。熱貫流率＝1÷熱抵抗
STEP7　熱橋面積比率を調べて記入する
STEP8　熱橋面積比を考慮して部位平均熱貫流率U値を計算する
STEP9　熱貫流率U値に0.034を乗じて日射熱取得率η値を計算する

※詳しい計算手順や各種係数は、オンラインで見れる「住宅省エネルギー技術講習テキスト基準・評価方法編」を参照のこと。

内装仕上げ：石膏ボードア9.5の上、EP
防湿シート：（計算に算入しない）
断熱材：　高性能グラスウール16kg㋐300
構造部：　梁・桁あり
小屋裏空間

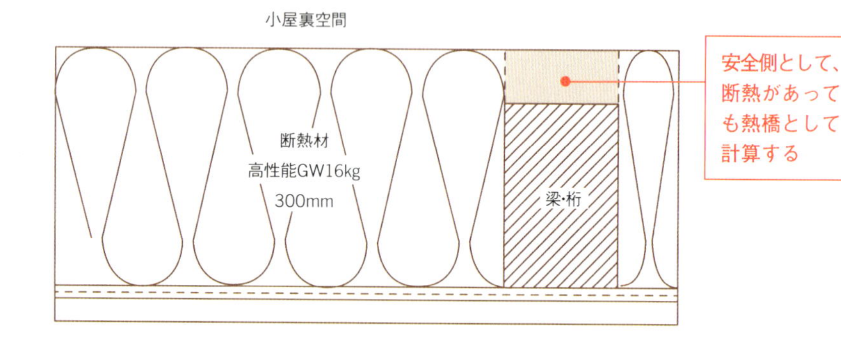
小屋裏空間
断熱材
高性能GW16kg
300mm
梁・桁
安全側として、断熱があっても熱橋として計算する

表6｜屋根の熱貫流率U値と日射取得率η値の計算

天井	素材名称	厚さd [m]	熱伝導率λ [W/mK]	熱抵抗 R=d/λ [㎡K/W] 断熱部	熱抵抗 熱橋部	
室内表面	熱伝達抵抗 (STEP1)	(STEP2) -	(STEP3) -	(STEP4) 0.090	0.090	⇐固定値
素材1	せっこうボード GB-R	0.0095	0.221	0.043	0.043	
素材2-1（断熱材）	高性能グラスウール16kg	0.3000	0.038	7.895	-	
素材2-2（熱橋）	天然木材（構造材）	0.3000	0.120	-	2.500	
室外表面	熱伝達抵抗（小屋裏）	-	-	0.090	0.090	⇐固定値
熱抵抗合計			[㎡・K/W]	(STEP5) 8.118	2.723	
熱貫流率　＝1÷熱抵抗合計			[W/㎡・K]	(STEP6) 0.123	0.367	
熱橋面積比率				(STEP7) 0.87	0.13	
（天井平均）熱貫流率 U値	0.123W/㎡・K×0.87+0.367W/㎡・K×0.13			(STEP8) 0.15 W/㎡K		
（天井平均）日射熱取得率 η値	0.15W/㎡K×0.034㎡K/W			(STEP9) 0.005		

上記仕様の熱貫流率U値は0.15W/㎡Kとなり、屋根1㎡あたり、内外温度差1℃の時、0.15Wの速さで熱が移動することがわかる。前頁の表から6地域のHEAT20G3目安の断熱性能が確保されていることになる

日射熱取得率η（イータ）値0.005とは屋根にあたる日射の0.5％が室内に流入してくることを示し、断熱された屋根からは日射がほとんど入ってこないことがわかる

求めた熱貫流率U値から、屋根の熱損失量が下記の式で求めることができる。

熱損失量＝熱貫流率U値　×　面積　×　温度差

たとえば、熱貫流率U値0.15W/㎡K、天井面積60㎡、室温20℃、外気温0℃の時、
天井の熱損失量＝0.15W/㎡K×60㎡×20℃＝180W
つまり屋根全体から180Wの速さで熱が逃げている。180Wというと、電気ストーブの弱の発熱量が400W程度なので、その半分程度とかなり少ない熱損失である。

求めた日射熱取得率η値から、日射による熱取得が下記の式で求めることができる。

熱取得量＝日射熱取得率η値　×　面積　×　日射量

たとえば、日射熱取得率η値0.005、天井面積60㎡、屋根にあたる日射量900W/㎡（夏季晴天時の日射量）の時
天井の熱取得量＝0.005×60㎡×900W/㎡＝270W
つまり夏の日中は屋根全体から270Wの速さで熱が入ってきていることがわかる。
一方、無断熱のU値が4.5W/㎡K（η値0.153）の場合、0.153×60㎡×900W/㎡＝8,262Wと膨大な熱（電気ストーブ強10台分程度）が入ってくる。断熱強化による日射遮蔽の効果の大きさがわかる。

図5 屋根の表面温度

屋根に日射が当たると一部は反射するが、残りは吸収され屋根の表面温度（相当外気温度）が上がる。この熱が室内に流入し天井面の温度を上げることになる。
表面温度は素材の「日射吸収率」、風速影響の「表面熱伝達抵抗」、「全天日射量」の３つに影響され、下記の簡単な式で求めることができる。

$$\text{相当外気温度} = \text{外気温}[℃] + \underbrace{\text{日射吸収率}[-] \times \text{表面熱伝達抵抗}[㎡K/W] \times \text{全天日射量}[W/㎡]}_{\text{温度上昇分}}$$

たとえば、外気温35℃、グレーの屋根［表7］で風速が3.3m/s［表8］、晴天日の全天日射量900W/㎡の時、
相当外気温度＝35℃＋0.80×0.043㎡K/W×900W/㎡＝66.0℃
と、気温の倍以上に相当外気温があがる。一方、日射吸収率の低い白い屋根だと、
相当外気温度＝35℃＋0.20×0.043㎡K/W×900W/㎡＝42.7℃
と温度上昇はかなり少なくなる。ただし、日射吸収率の低い外装材や遮熱塗料を使用しても、汚れによって吸収率が上がるため、定期的な清掃が必要な点に注意する。

表7｜代表的な建材の日射吸収率

代表的な素材	日射吸収率	日射反射率
黒色ペイント	0.92	0.08
スレートグレー	0.85	0.15
省エネ基準・グレー・酸化亜鉛鉄板	0.80	0.20
明るい色のコンクリート	0.60	0.40
赤レンガ	0.55	0.45
ステンレス・白大理石	0.45	0.55
クリーム色ペイント	0.40	0.60
白色ペイント・アルミペイント	0.20	0.80
白色プラスター・光ったアルミ箔	0.10	0.90

※建築設計資料集成1環境（日本建築学会編 丸善 1978年）より

表8｜外部風速の影響による表面熱伝達抵抗

日射吸収率	風速	表面熱伝達抵抗
0.8	10.0 m/s	0.021
	5.0 m/s	0.034
	3.3 m/s	0.043
	2.0 m/s	0.056
	1.0 m/s	0.071
	0.1 m/s	0.095
0.6	3.3 m/s	0.046
0.4	3.3 m/s	0.048
0.2	3.3 m/s	0.051

図6 天井の表面温度

体感温度は、おおむね（室温＋放射温度）/2で考える。つまり放射温度は室温と同等に大切である。また、体感温度は適温でも、局所的に暑い・冷たい部位があると不快感が伴う。
特に夏期は過熱した屋根表面の熱が天井面を暖めることになるため注意が必要である。室温との差が４℃以内が推奨範囲である。（ISO7730-2005のカテゴリAを満たす値で不快に感じる人が５％以内）

天井面の室内表面温度は熱貫流率U値が出ていれば、下記の簡単な式で求めることができる。

天井の表面温度＝室温［℃］＋｛(室内の表面熱伝達抵抗[㎡K/W]×内外温度差［℃］)÷全体の熱抵抗［㎡K/W］｝

たとえば、熱貫流率U値0.15W/㎡K（熱抵抗6.67㎡K/W）、室温28℃、外気温35℃、日射の当たった屋根表面温度60℃、表面熱伝達抵抗0.09㎡K/Wの時、
天井の表面温度＝28℃＋{(0.09㎡K/W×32℃)÷6.67㎡K/W}＝28.43℃
と、断熱された屋根からはほとんど熱の流入がなく、天井面の温度が上がっていない。
一方、無断熱のU値が4.5W/㎡K（熱抵抗0.22㎡K/W）の場合、上記式で計算すると、43.09℃となり、室温より15℃も高くパネルヒーターのようになる。

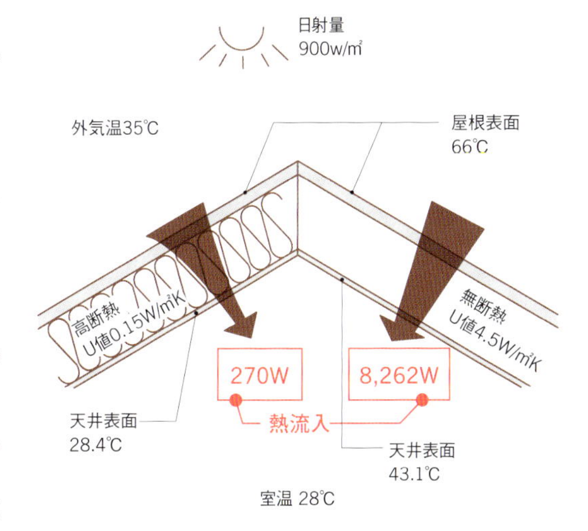
日射量
900w/㎡
外気温35℃
屋根表面
66℃
高断熱
U値0.15W/㎡K
無断熱
U値4.5W/㎡K
270W
8,262W
熱流入
天井表面
28.4℃
天井表面
43.1℃
室温 28℃

格子に組んだ垂木間に300mmの断熱材を充填

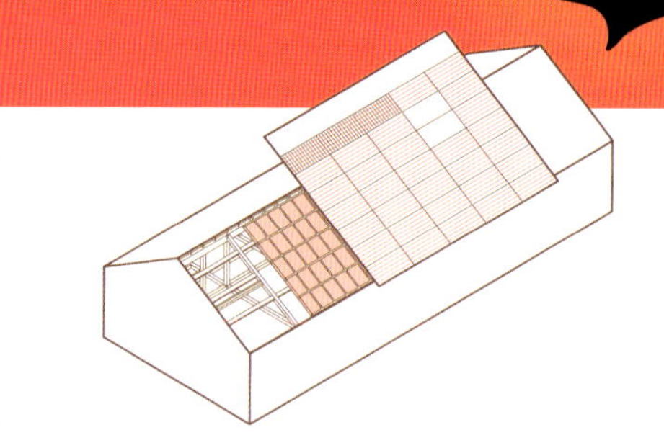
招き屋根の南面に
太陽光パネルをのせる！

ZEH[※]仕様の住宅。東西両端のみ切妻、それ以外は太陽光パネルを効率的に働かせるために南面を長くした招き屋根とした。太陽光パネルの一部はシースルーモジュールとし、外付けシェードの天窓を設置している[図3]。

小屋組は登り梁形式で欠込みを設けた母屋に登り梁を落とし込んだ架構とした。その上に構造用合板24mm厚を張って剛性をとる。母屋間には105mmのグラスウールを充填。その上に断熱材の支持材兼垂木として枠組壁構法の2×12のランバー材を455mmピッチで格子状に設置し、300mm厚のグラスウールを充填している[図1・2]。[西方里見]

図1 発電効率に配慮しつつ小屋裏空間も確保 矩計図[S＝1:80]

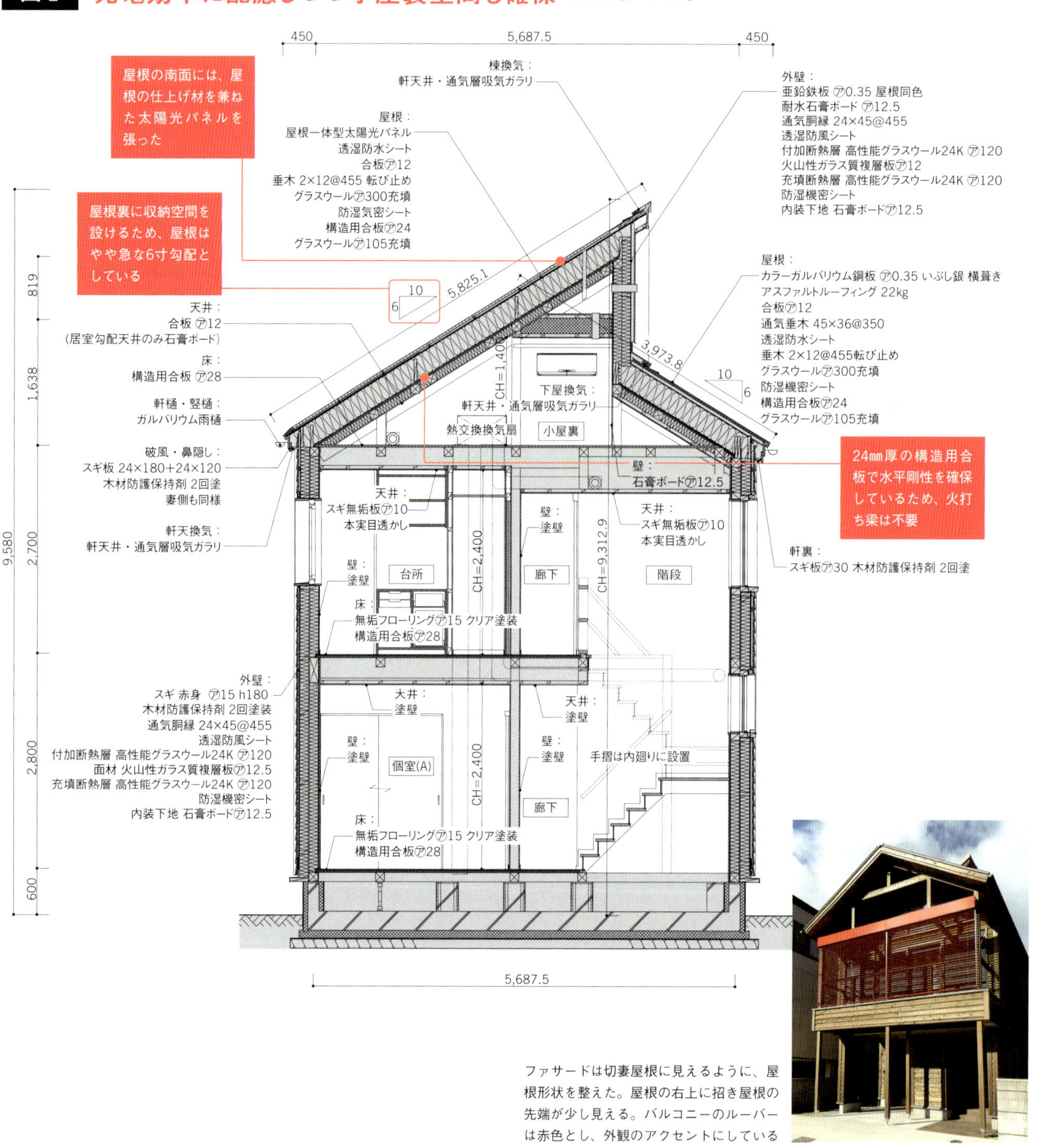
450
5,687.5
450
屋根の南面には、屋根の仕上げ材を兼ねた太陽光パネルを張った
棟換気：
軒天井・通気層吸気ガラリ
屋根：
屋根一体型太陽光パネル
透湿防水シート
合板㋐12
垂木 2×12@455 転び止め
グラスウール㋐300充填
防湿気密シート
構造用合板㋐24
グラスウール㋐105充填
外壁：
亜鉛鉄板 ㋐0.35 屋根同色
耐水石膏ボード ㋐12.5
通気胴縁 24×45@455
透湿防風シート
付加断熱層 高性能グラスウール24K ㋐120
火山性ガラス質複層板㋐12
充填断熱層 高性能グラスウール24K ㋐120
防湿機密シート
内装下地 石膏ボード㋐12.5
屋根裏に収納空間を設けるため、屋根はやや急な6寸勾配としている
10
6
5,825.1
屋根：
カラーガルバリウム鋼板 ㋐0.35 いぶし銀 横葺き
アスファルトルーフィング 22kg
合板㋐12
通気垂木 45×36@350
透湿防水シート
垂木 2×12@455転び止め
グラスウール㋐300充填
防湿機密シート
構造用合板㋐24
グラスウール㋐105充填
天井：
合板 ㋐12
(居室勾配天井のみ石膏ボード)
床：
構造用合板 ㋐28
軒樋・竪樋：
ガルバリウム雨樋
破風・鼻隠し：
スギ板 24×180+24×120
木材防護保持剤 2回塗
妻側も同様
軒天換気：
軒天井・通気層吸気ガラリ
3,973.8
10
6
CH=1,400
下屋換気：
軒天井・通気層吸気ガラリ
熱交換換気扇
小屋裏
24mm厚の構造用合板で水平剛性を確保しているため、火打ち梁は不要
壁：
石膏ボード㋐12.5
天井：
スギ無垢板㋐10
本実目透かし
壁：
塗壁
台所
CH=2,400
廊下
CH=9,312.9
天井：
スギ無垢板㋐10
本実目透かし
階段
軒裏：
スギ板㋐30 木材防護保持剤 2回塗
床：
無垢フローリング㋐15 クリア塗装
構造用合板㋐28
外壁：
スギ 赤身 ㋐15 h180
木材防護保持剤 2回塗装
通気胴縁 24×45@455
透湿防風シート
付加断熱層 高性能グラスウール24K ㋐120
面材 火山性ガラス質複層板㋐12.5
充填断熱層 高性能グラスウール24K ㋐120
防湿機密シート
内装下地 石膏ボード㋐12.5
天井：
塗壁
天井：
塗壁
壁：
塗壁
個室(A)
CH=2,400
壁：
塗壁
手摺は内廻りに設置
廊下
床：
無垢フローリング㋐15 クリア塗装
構造用合板㋐28
9,580
819
1,638
2,700
2,800
600
5,687.5

ファサードは切妻屋根に見えるように、屋根形状を整えた。屋根の右上に招き屋根の先端が少し見える。バルコニーのルーバーは赤色とし、外観のアクセントにしている

※ ZEH(ゼッチ)(ネット・ゼロ・エネルギー・ハウス)とは、住宅の高断熱化と高効率設備により、快適な室内環境と大幅な省エネルギーを同時に実現したうえで、太陽光発電などによってエネルギーをつくり、年間で消費する正味(ネット)のエネルギー量を概ねゼロとする住宅

図2 太陽光パネル設置部分は特に漏水、結露に注意する 屋根部分詳細図[S＝1:30]

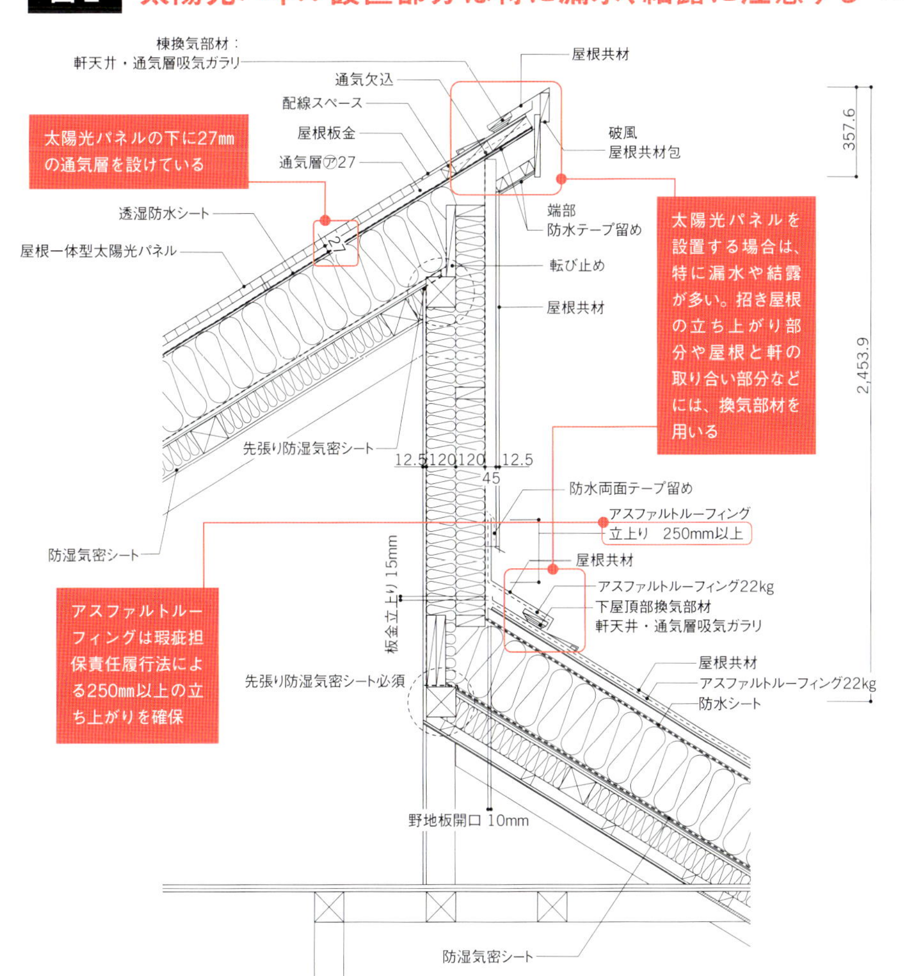
棟換気部材：
軒天井・通気層吸気ガラリ
通気欠込
配線スペース
屋根板金
通気層⑦27
透湿防水シート
屋根一体型太陽光パネル
屋根共材
破風
屋根共材包
端部
防水テープ留め
転び止め
屋根共材
357.6
2,453.9
太陽光パネルの下に27㎜の通気層を設けている
太陽光パネルを設置する場合は、特に漏水や結露が多い。招き屋根の立ち上がり部分や屋根と軒の取り合い部分などには、換気部材を用いる
先張り防湿気密シート
12.5 120 120 12.5
45
防水両面テープ留め
アスファルトルーフィング
立上り 250mm以上
防湿気密シート
屋根共材
アスファルトルーフィング22kg
下屋頂部換気部材
軒天井・通気層吸気ガラリ
板金立上り15mm
アスファルトルーフィングは瑕疵担保責任履行法による250㎜以上の立ち上がりを確保
先張り防湿気密シート必須
屋根共材
アスファルトルーフィング22kg
防水シート
野地板開口 10mm
防湿気密シート

上：格子状に組んだ枠組み工法の2×12のランバー材の間300㎜厚のグラスウールを充填する様子｜下：リビング・ダイニングからベランダを見る。構造用合板で水平剛性を確保しているため、火打ち梁は不要。登り梁のみ露しのすっきりとした空間に仕上がっている

図3 太陽光パネルを設置した面の一部に天窓を設ける 屋根伏図[S＝1:200]

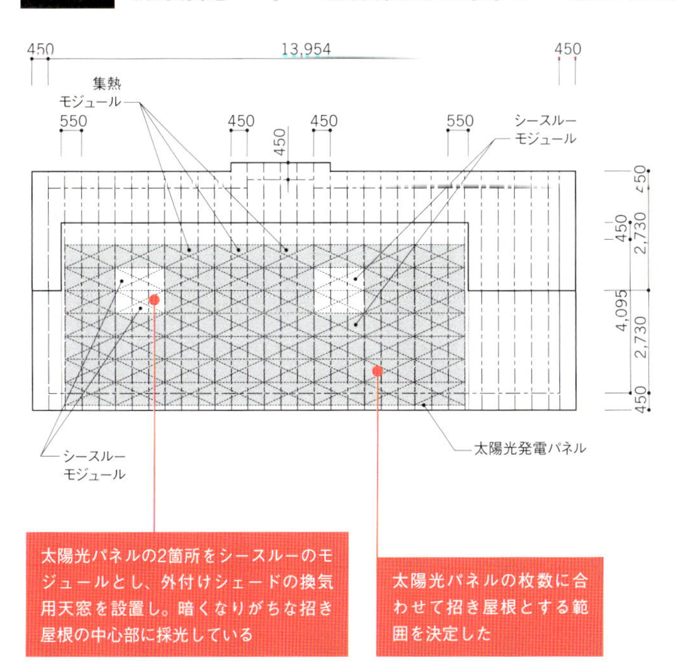
450
13,954
450
集熱
モジュール
550
450
450
450
550
シースルー
モジュール
450
2,730
4,095
2,730
450
シースルー
モジュール
太陽光発電パネル
太陽光パネルの2箇所をシースルーのモジュールとし、外付けシェードの換気用天窓を設置し。暗くなりがちな招き屋根の中心部に採光している
太陽光パネルの枚数に合わせて招き屋根とする範囲を決定した

天窓と太陽光パネルはほぼフラットに納まるため、天窓からの漏水の心配も少ない

緩勾配の片流れは桁上断熱で合理的につくる

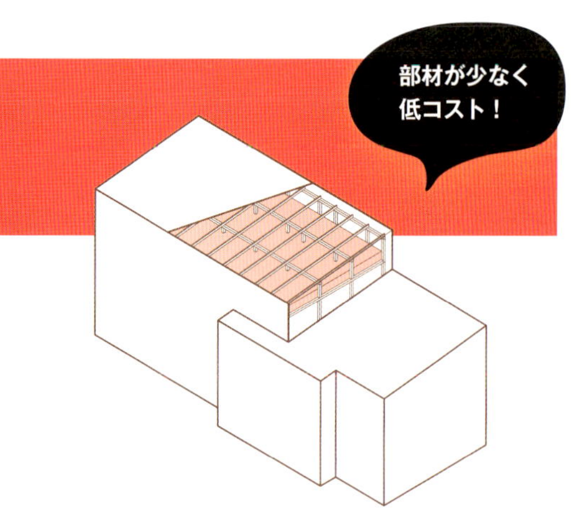
部材が少なく
低コスト！

隣家が迫っており屋根からの堆雪空間が確保できなかったため、1/10勾配のほぼフラットな片流れの無落雪屋根とした。

小屋裏をロフトなどに活用しないため、通常の束立ての片流れの小屋組で桁上断熱とした。桁上断熱は、水平な合板の上であるため屋根断熱よりも気密をとりやすい。また、屋根断熱に比べ部材が少なくて済むので低コスト。桁や梁などに105×45㎜の垂木根太を落とし込み、9㎜厚の構造用合板を打ち込み桁面の剛性を確保した。その上に防湿気密シートを敷き込み、400㎜厚のグラスウールを吹き込んでいる。［西方里見］

図1 緩勾配の片流れ＋桁上断熱で低コストにつくる 断面図[S＝1：80]

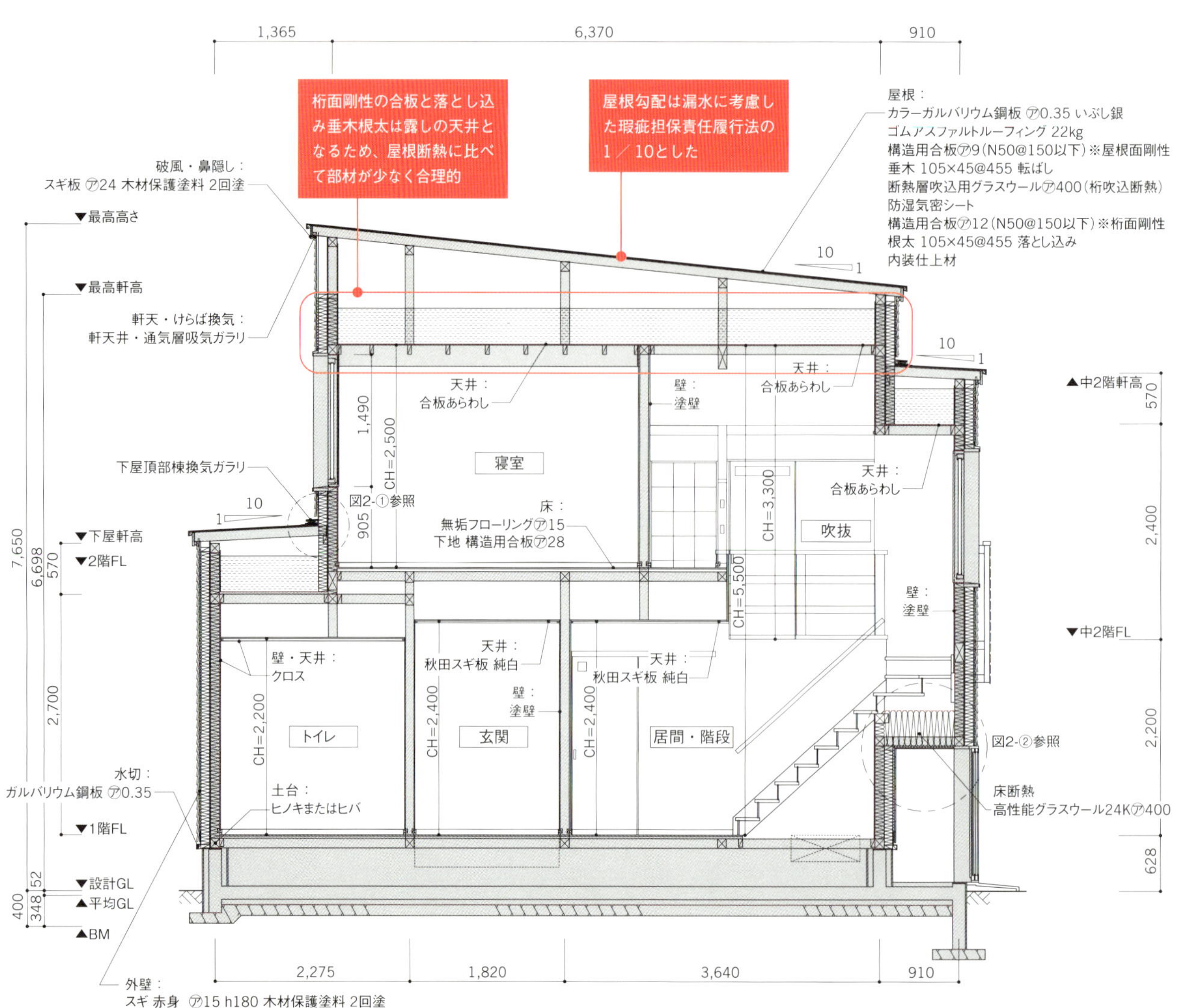
1,365
6,370
910
桁面剛性の合板と落とし込み垂木根太は露しの天井となるため、屋根断熱に比べて部材が少なく合理的
屋根勾配は漏水に考慮した瑕疵担保責任履行法の1／10とした
屋根：
カラーガルバリウム鋼板 ㋐0.35 いぶし銀
ゴムアスファルトルーフィング 22kg
構造用合板㋐9（N50@150以下）※屋根面剛性
垂木 105×45@455 転ばし
断熱層吹込用グラスウール㋐400（桁吹込断熱）
防湿気密シート
構造用合板㋐12（N50@150以下）※桁面剛性
根太 105×45@455 落とし込み
内装仕上材
破風・鼻隠し：
スギ板 ㋐24 木材保護塗料 2回塗
▼最高高さ
▼最高軒高
軒天・けらば換気：
軒天井・通気層吸気ガラリ
10
1
天井：
合板あらわし
壁：
塗壁
天井：
合板あらわし
▲中2階軒高
1,490
CH=2,500
寝室
下屋頂部棟換気ガラリ
図2-①参照
905
床：
無垢フローリング㋐15
下地 構造用合板㋐28
CH=3,300
天井：
合板あらわし
吹抜
▼下屋軒高
▼2階FL
7,650
6,698
570
CH=5,500
壁：
塗壁
▼中2階FL
2,400
壁・天井：
クロス
天井：
秋田スギ板 純白
壁：
塗壁
天井：
秋田スギ板 純白
2,700
CH=2,200
トイレ
CH=2,400
玄関
CH=2,400
居間・階段
図2-②参照
2,200
水切：
ガルバリウム鋼板 ㋐0.35
土台：
ヒノキまたはヒバ
床断熱
高性能グラスウール24K㋐400
▼1階FL
628
▼設計GL
▲平均GL
▲BM
52
348
400
2,275
1,820
3,640
910
外壁：
スギ 赤身 ㋐15 h180 木材保護塗料 2回塗
下見板張り（見えがかり h150、重ねしろ h30）
通気胴縁 45×18@455
透湿防水 シート
付加断熱層 高性能グラスウール24K ㋐100
面材 火山性ガラス質複層板㋐12（壁倍率3.0倍）
充填断熱層 高性能グラスウール24K ㋐100
防湿気密シート
内装下地 石膏ボード㋐12.5
内装仕上材

緩勾配の片流れの大きなボリュームに、内部の機能に合わせて小さな下屋を設けている

図2 透湿気密シートで確実に止水する 断面詳細図[S＝1:15]

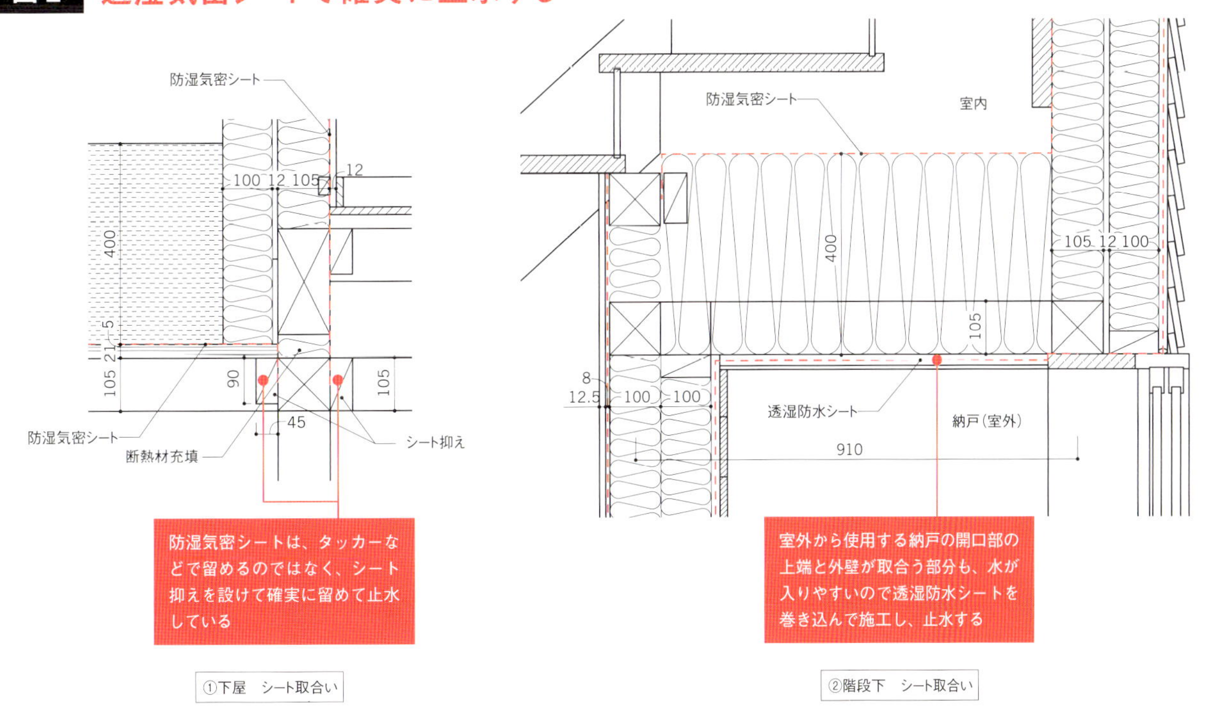
防湿気密シート
100 12 105
12
400
21 5
105
90
45
105
防湿気密シート
断熱材充填
シート抑え
防湿気密シートは、タッカーなどで留めるのではなく、シート抑えを設けて確実に留めて止水している
①下屋 シート取合い
防湿気密シート
室内
400
105 12 100
105
8
12.5 100 100
透湿防水シート
納戸(室外)
910
室外から使用する納戸の開口部の上端と外壁が取合う部分も、水が入りやすいので透湿防水シートを巻き込んで施工し、止水する
②階段下 シート取合い

図3 合板と垂木根太は露しとしてダイナミックに見せる 平面図[S＝1:250]

5,155
5,460
5,460
910
7,280
5,460
910
WIC
トイレ
収納
寝室
床の間
和室
納戸
押入
こども室
吹抜
ホール
書斎
リンルーム
緩勾配の片流れであるため、壁面に大きな開口部を設けることができる。大きな開口を設けた子ども室の手前は、吹き抜けとし階下に光を落としている
2,275
455
1,820
6,370
5,460
910
洗面脱衣室
浴室
トイレ
ポーチ
食品庫
冷
台所
ホール
玄関
車庫
居間
食堂
SC
納戸
片流れの大きなボリュームを中心としつつ、納戸や水廻りなどの機能に合わせて、下屋を設けてプランニングしている

上：桁上にグラスウールを吹き込む様子。ここでは400㎜厚のグラスウールを吹き込んでいるが、さらに高断熱にする場合はブローイングを厚くすればよい。また、マット状のグラスウールを重ねてもよい｜下：ホールから子ども室を見る。合板と垂木根太は露しとしているためダイナミックな架構が見える

意匠に応じて屋根通気の仕様を変える

屋根内結露を防止！

室内に屋根の架構を露し、野地板の上に断熱材を設ける屋根断熱では、必ず屋根に通気層を設けたい。屋根内結露の防止に加え、軒下から外部の冷たい空気を取り入れることで、屋根内部に空気の流れをつくり、夏期には高温になりがちな屋根を冷やす効果も期待できる。

筆者は主に、通気垂木を設けて、断熱材と屋根葺き材の間に通気層を確保する一般的な方法と、断熱材の上に細い通気桟を設けて通気層を確保する方法の2種類を目的に応じて使い分けている［図1～4］。［三澤文子］

図1 通気垂木を設けて通気層を確保（標準仕様） 断面図［S＝1:20］

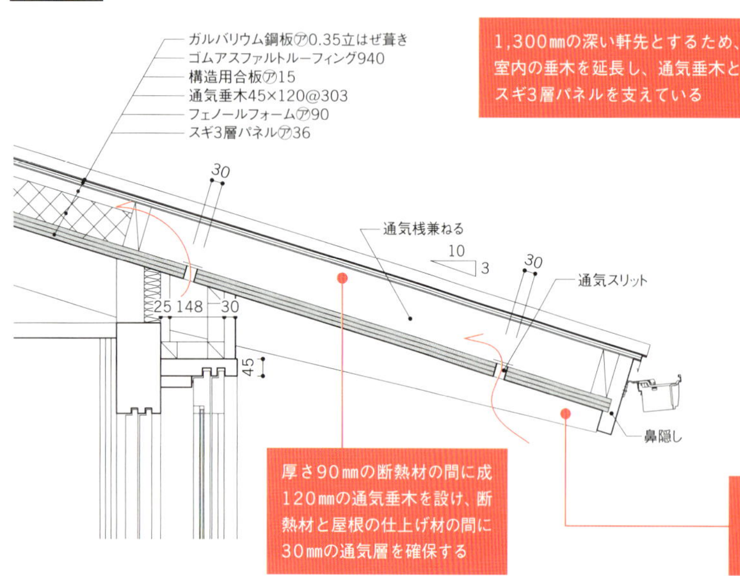
ガルバリウム鋼板⑦0.35立はぜ葺き
ゴムアスファルトルーフィング940
構造用合板⑦15
通気垂木45×120@303
フェノールフォーム⑦90
スギ3層パネル⑦36
1,300㎜の深い軒先とするため、室内の垂木を延長し、通気垂木とスギ3層パネルを支えている
30
通気桟兼ねる
10
3
30
通気スリット
25 148 30
45
鼻隠し
厚さ90㎜の断熱材の間に成120㎜の通気垂木を設け、断熱材と屋根の仕上げ材の間に30㎜の通気層を確保する
室内から厚さ36㎜のスギ3層パネルを跳ね出し、軒天井とする。30㎜以上の軒天井であれば軒裏を木の露しにできる（平12建告1358号第5第2号ハ）ため、準防火地域にも使用できる

軒下と室内の天井の仕上げが同じになるため、内外に連続感が生まれる

図2 垂木による断熱材の欠損部は断熱材で蓋をして断熱効果を高める 断面図［S＝1:20］

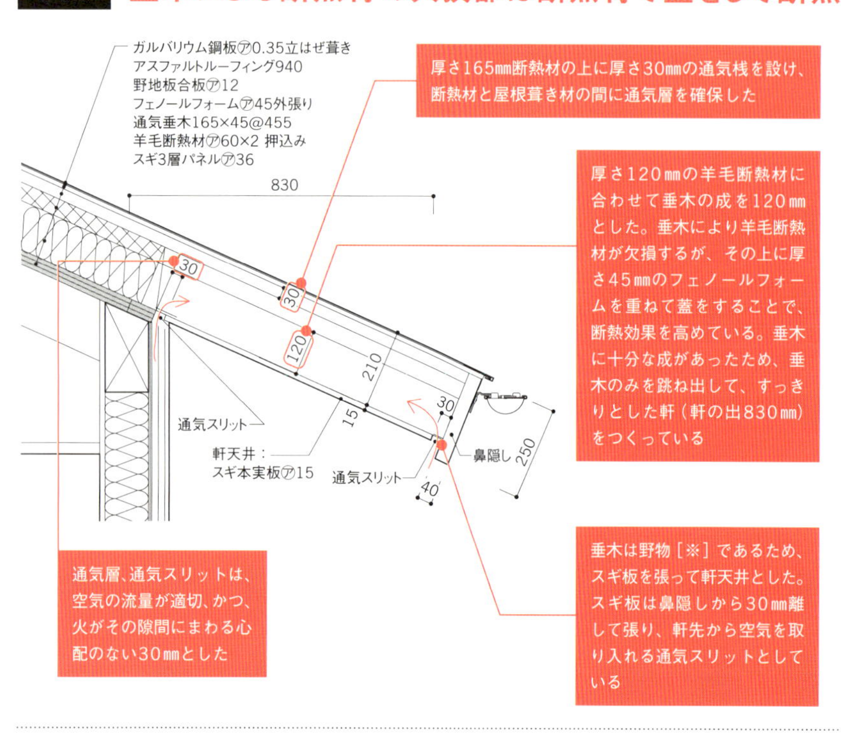
ガルバリウム鋼板⑦0.35立はぜ葺き
アスファルトルーフィング940
野地板合板⑦12
フェノールフォーム⑦45外張り
通気垂木165×45@455
羊毛断熱材⑦60×2 押込み
スギ3層パネル⑦36
厚さ165㎜断熱材の上に厚さ30㎜の通気桟を設け、断熱材と屋根葺き材の間に通気層を確保した
830
30
30
120
210
15
30
250
40
厚さ120㎜の羊毛断熱材に合わせて垂木の成を120㎜とした。垂木により羊毛断熱材が欠損するが、その上に厚さ45㎜のフェノールフォームを重ねて蓋をすることで、断熱効果を高めている。垂木に十分な成があったため、垂木のみを跳ね出して、すっきりとした軒（軒の出830㎜）をつくっている
通気スリット
軒天井：
スギ本実板⑦15
通気スリット
鼻隠し
通気層、通気スリットは、空気の流量が適切、かつ、火がその隙間にまわる心配のない30㎜とした
垂木は野物［※］であるため、スギ板を張って軒天井とした。スギ板は鼻隠しから30㎜離して張り、軒先から空気を取り入れる通気スリットとしている

軒天井と外壁の仕上げをスギ板にそろえることで、統一感のある意匠となる

※ 鉋（かんな）がけされていない部材。天井裏・床下など、見えない部分に用いられる

図3 パネルにスリットが設けられない場合は通気孔で対応 断面図[S＝1:20]

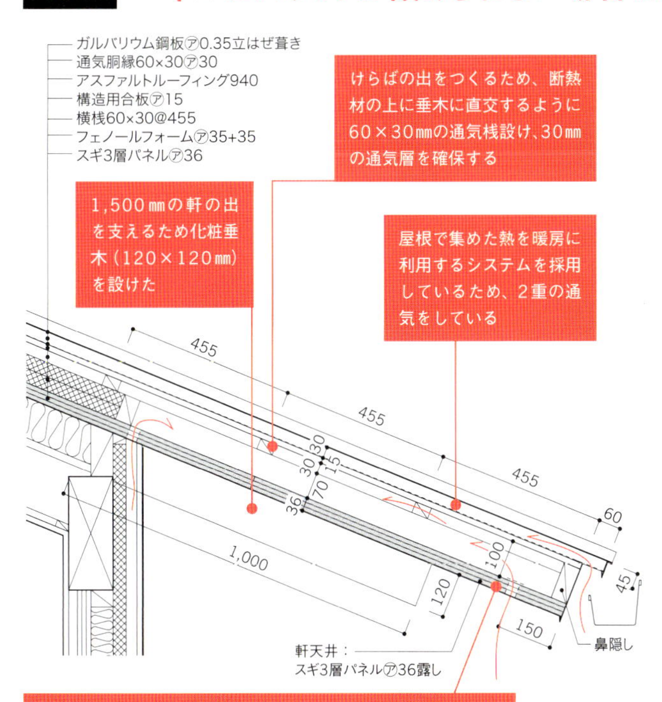

ガルバリウム鋼板㋐0.35立はぜ葺き
通気胴縁60×30㋐30
アスファルトルーフィング940
構造用合板㋐15
横桟60×30@455
フェノールフォーム㋐35+35
スギ3層パネル㋐36
けらばの出をつくるため、断熱材の上に垂木に直交するように60×30㎜の通気桟設け、30㎜の通気層を確保する
1,500㎜の軒の出を支えるため化粧垂木（120×120㎜）を設けた
屋根で集めた熱を暖房に利用するシステムを採用しているため、2重の通気をしている
455
455
455
30
30
15
70
36
60
1,000
100
120
45
150
軒天井：
スギ3層パネル㋐36露し
鼻隠し
スギ3層パネルを跳ね出して軒天井としている。パネルを長手方向に使用して跳ね出す場合、パネルにスリットをつくりにくいため、φ30の丸孔を303ピッチであけて通気口とした

NEOMA

右上：外壁取り付け前の軒下の様子。軒の母屋(おもや)側に通気孔が空けられている。この孔を覆うように外壁を施工して壁の通気層を確保する｜上：垂木取り付け後の軒下。軒先に外気を取り入れるための通気孔が見える｜右：構造用合板を張る前の屋根の様子。通気桟は、上部を決って通気層を設けている

図4 外張り断熱を欠損させずに断熱材の上の通気桟で通気層を確保（寒冷地仕様）

けらば側断面図[S＝1:20]｜断面図[S＝1:15]

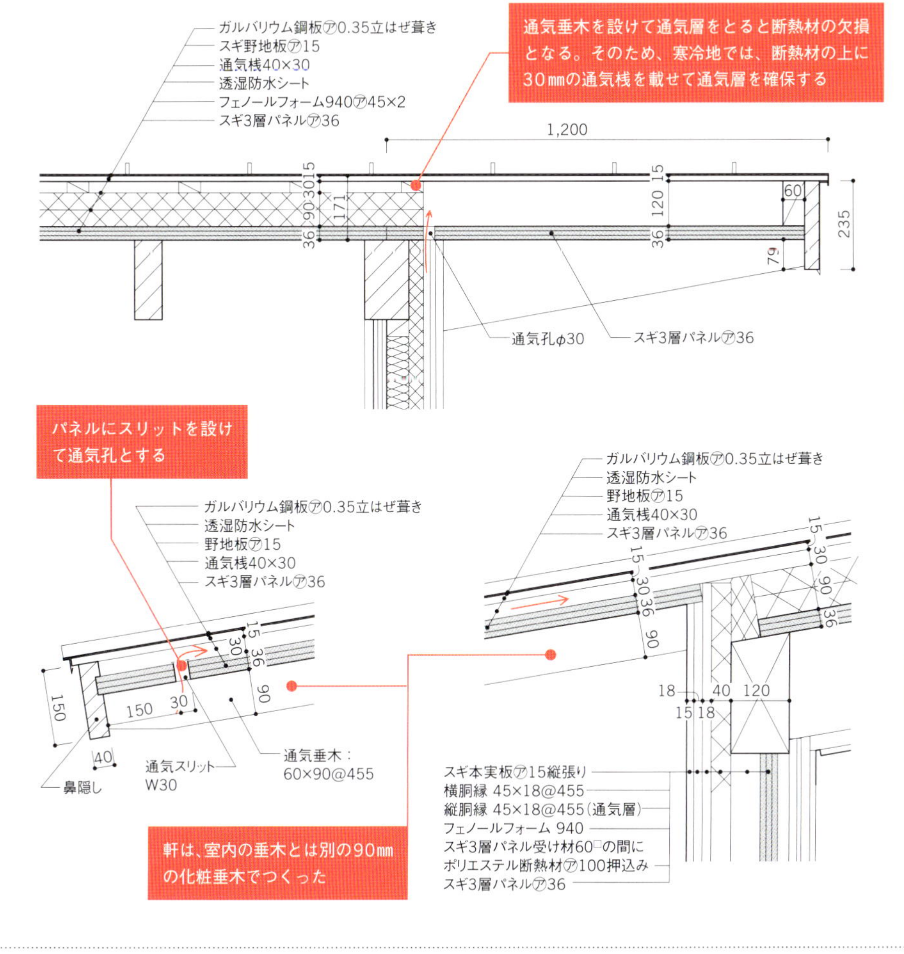

ガルバリウム鋼板㋐0.35立はぜ葺き
スギ野地板㋐15
通気桟40×30
透湿防水シート
フェノールフォーム940㋐45×2
スギ3層パネル㋐36
通気垂木を設けて通気層をとると断熱材の欠損となる。そのため、寒冷地では、断熱材の上に30㎜の通気桟を載せて通気層を確保する
1,200
15
30
90
36
171
15
120
36
60
79
235
通気孔φ30
スギ3層パネル㋐36
パネルにスリットを設けて通気孔とする
ガルバリウム鋼板㋐0.35立はぜ葺き
透湿防水シート
野地板㋐15
通気桟40×30
スギ3層パネル㋐36
15
30
36
90
150
150
30
40
通気スリット
W30
鼻隠し
通気垂木：
60×90@455
軒は、室内の垂木とは別の90㎜の化粧垂木でつくった
ガルバリウム鋼板㋐0.35立はぜ葺き
透湿防水シート
野地板㋐15
通気桟40×30
スギ3層パネル㋐36
18
40
120
15
18
スギ本実板㋐15縦張り
横胴縁 45×18@455
縦胴縁 45×18@455（通気層）
フェノールフォーム 940
スギ3層パネル受け材60□の間に
ポリエステル断熱材㋐100押込み
スギ3層パネル㋐36

軒先の化粧垂木を見る。軒のみをつくる化粧垂木は成が小さくてよいため、細く繊細な印象に見せることができる。写真は南側屋根。一部をポリカツインカーボ㋐10として採光を得た

5章

素材

木や石、金属、瓦、FRPなど
屋根の仕上げにはさまざまな素材を使うことが可能だ。
外観のイメージに合わせて素材を使い分けたい。
ここでは、素材の特性を生かした個性的な事例を集めている。
素材ごとに必要な屋根勾配、
設計上のポイントなどを確認されたい

茶室は銅板葺きで軽快に見せる

葺き板の裁ち寸法が小さいほど格式が高い！

茶室などの数寄屋造は、外観を軽快に見せるのが好ましい。スギをそいで重ねた柿(こけら)葺きとするのが理想だが、建築基準法22条区域内に建築する場合は、不燃材料にしなくてはならないので銅板葺きを採用することも多い［図1］。

ここでは茶室でよく用いられる「短冊六つ切」を採用し格式高い意匠とした。銅板は一尺二寸×四尺の定尺の板を何等分かに裁断して使い、葺き板の裁ち寸法が小さいほど上等とされている。軒先は、野地板を斜めにそいだ先端に淀を取り付けて納める。

［西大路雅司］

図1 茶室の下屋は銅板で仕上げるとよい 断面図［S＝1:50］

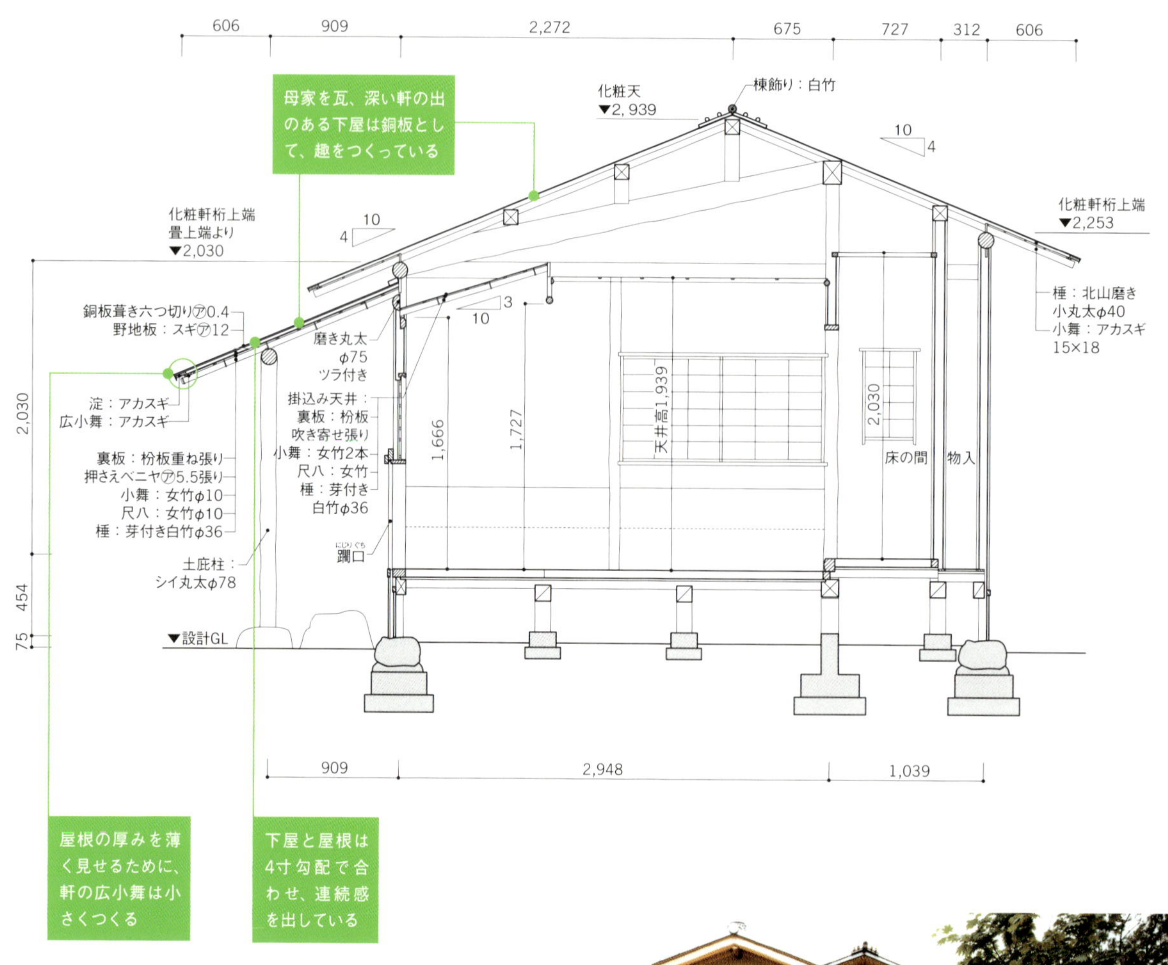
606
909
2,272
675
727
312
606
母家を瓦、深い軒の出のある下屋は銅板として、趣をつくっている
化粧天
▼2,939
棟飾り：白竹
10
4
化粧軒桁上端
畳上端より
▼2,030
化粧軒桁上端
▼2,253
銅板葺き六つ切り㋐0.4
野地板：スギ㋐12
3
10
磨き丸太
φ75
ツラ付き
垂：北山磨き
小丸太φ40
小舞：アカスギ
15×18
淀：アカスギ
広小舞：アカスギ
掛込み天井：
裏板：杉板
吹き寄せ張り
小舞：女竹2本
尺八：女竹
垂：芽付き
白竹φ36
裏板：杉板重ね張り
押さえベニヤ㋐5.5張り
小舞：女竹φ10
尺八：女竹φ10
垂：芽付き白竹φ36
土庇柱：
シイ丸太φ78
躙口
1,666
1,727
天井高1,939
2,030
床の間
物入
2,030
454
75
▼設計GL
909
2,948
1,039
屋根の厚みを薄く見せるために、軒の広小舞は小さくつくる
下屋と屋根は4寸勾配で合わせ、連続感を出している

銅板は腐食に強く、表面に塗装する必要もない。年を重ねて緑青が表れる姿が美しい

図2 軒先に淀を取付けて陰影をつくる 断面詳細図[S＝1:12]｜軒先拡大図[S＝1:6]

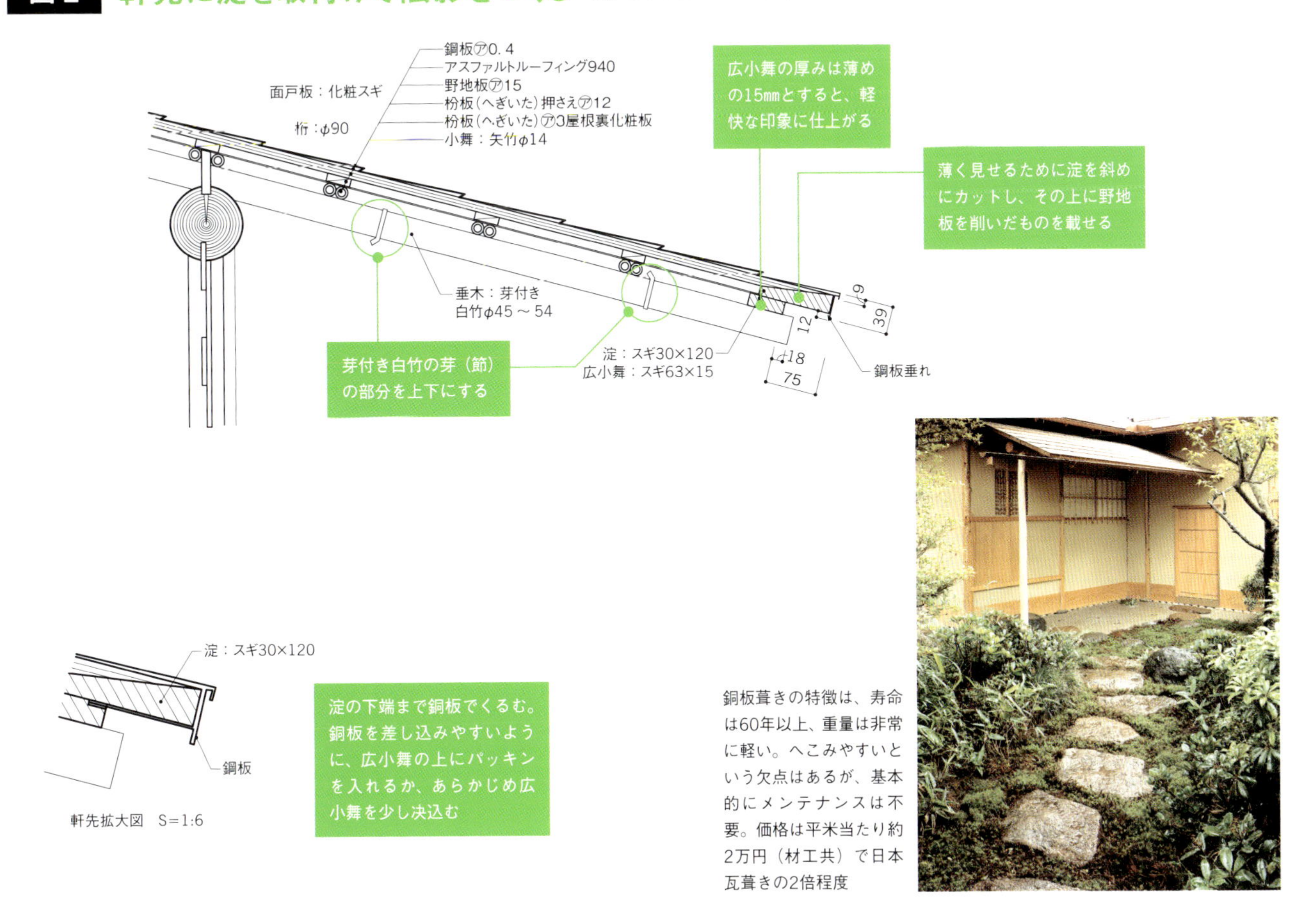

銅板㋐0.4
アスファルトルーフィング940
野地板㋐15
枌板(へぎいた)押さえ㋐12
枌板(へぎいた)㋐3屋根裏化粧板
小舞：矢竹φ14
面戸板：化粧スギ
桁：φ90
広小舞の厚みは薄めの15mmとすると、軽快な印象に仕上がる
薄く見せるために淀を斜めにカットし、その上に野地板を削いだものを載せる
垂木：芽付き白竹φ45～54
芽付き白竹の芽（節）の部分を上下にする
淀：スギ30×120
広小舞：スギ63×15
銅板垂れ
9
39
12
18
75
淀：スギ30×120
銅板
軒先拡大図 S=1:6
淀の下端まで銅板でくるむ。銅板を差し込みやすいように、広小舞の上にパッキンを入れるか、あらかじめ広小舞を少し決込む

銅板葺きの特徴は、寿命は60年以上、重量は非常に軽い。へこみやすいという欠点はあるが、基本的にメンテナンスは不要。価格は平米当たり約2万円（材工共）で日本瓦葺きの2倍程度

図3 客の動線と亭主の動線を分ける 平面図[S＝1:100]

客の動線
茶室
亭主の動線
客の動線
亭主の動線
玄関
広縁
客間
客の動線と亭主の動線は、交わらないように平面を計画する
2,948
2,727
10,220
3,636
909
909
1,818
1,236
1,212
2,272

天然石スレートの自然にとけこむ屋根

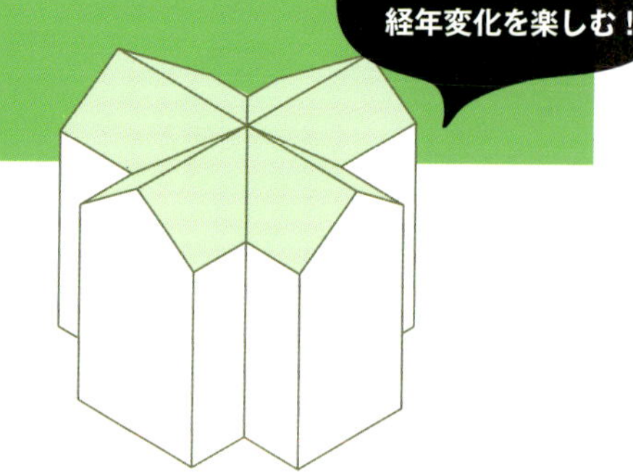
自然素材の
経年変化を楽しむ！

緑豊かな自然に囲まれた敷地に計画。自然に溶け込むよう、屋根を天然石スレートとした。ヨーロッパ古来の天然石スレート葺きは防水の都合上、3枚葺きであるが、今回は2枚葺きに外部からは見えないような捨て板金を合わせ、軽量化と防水性能を向上させている［図1］。

ベイスギ羽目板の外壁と天然石スレートの屋根は直接取合っているように見せるため、軒樋は内樋に、竪樋は外壁内に隠して納めた［図2・3］。また、けらばの水切りは唐草板金を使わずに天然石スレートとし、建物全体を素朴に見せている［図4］。［浅利幸男］

図1 全方位がファサードになる十字形の屋根

断面図［S=1:150］｜屋根伏図［S=1:150］

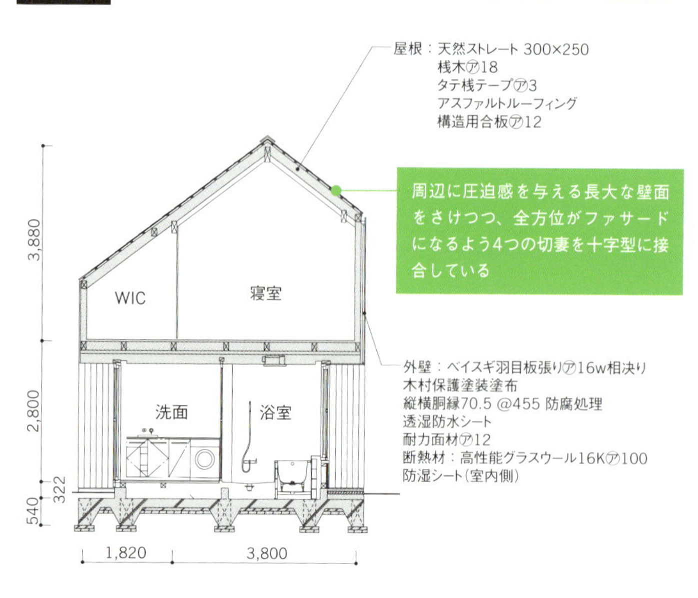
屋根：天然ストレート 300×250
桟木㋐18
タテ桟テープ㋐3
アスファルトルーフィング
構造用合板㋐12
周辺に圧迫感を与える長大な壁面をさけつつ、全方位がファサードになるよう4つの切妻を十字型に接合している
WIC
寝室
洗面
浴室
外壁：ベイスギ羽目板張り㋐16w相决り
木材保護塗装塗布
縦横胴縁70.5 @455 防腐処理
透湿防水シート
耐力面材㋐12
断熱材：高性能グラスウール16K㋐100
防湿シート(室内側)
3,880
2,800
322
540
1,820
3,800

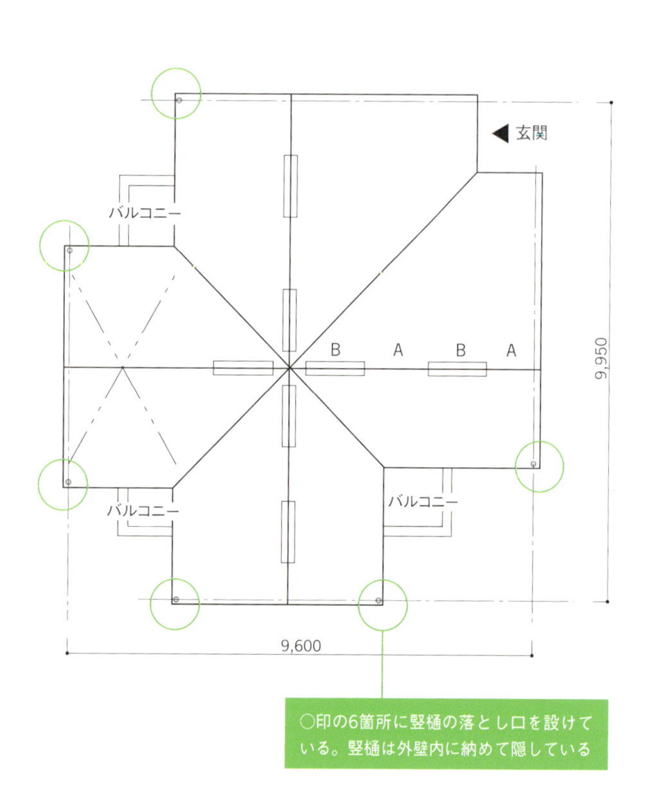
玄関
バルコニー
B
A
B
A
バルコニー
バルコニー
9,950
9,600
○印の6箇所に竪樋の落とし口を設けている。竪樋は外壁内に納めて隠している

上：外壁はベイスギ。赤褐色の天然石スレートの屋根とともに経年変化が楽しめる｜下：天然素材であるため、灰色のものや赤褐色のものなど色にばらつきがあり複雑な風合いがある

図2 屋根頂部には既製の換気部材を取付ける 棟部分詳細図[S=1:10]

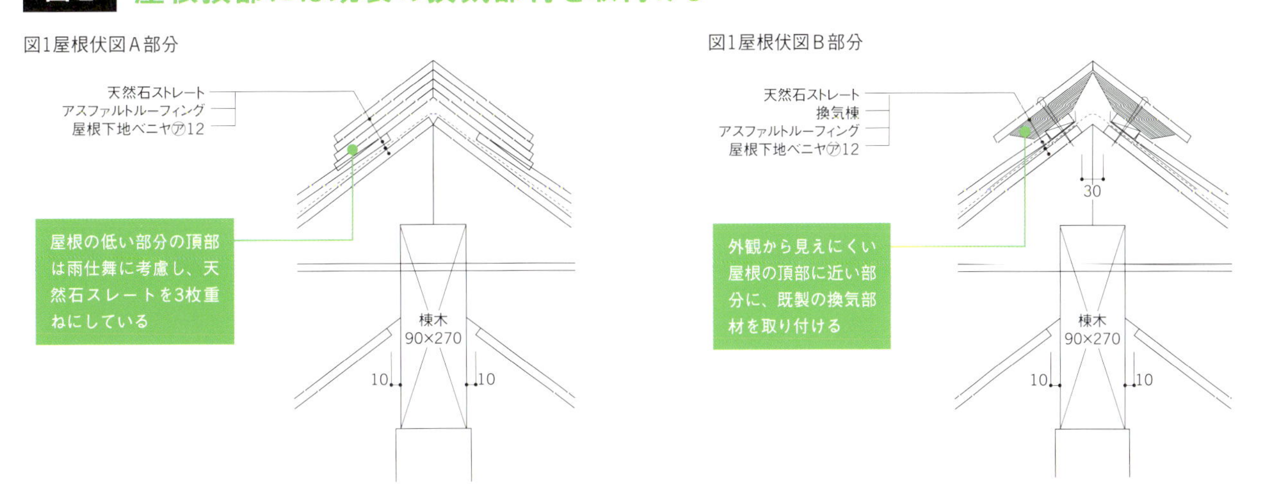

図1屋根伏図A部分
天然石ストレート
アスファルトルーフィング
屋根下地ベニヤ㋐12
屋根の低い部分の頂部は雨仕舞に考慮し、天然石スレートを3枚重ねにしている
棟木
90×270
10
10
図1屋根伏図B部分
天然石ストレート
換気棟
アスファルトルーフィング
屋根下地ベニヤ㋐12
30
外観から見えにくい屋根の頂部に近い部分に、既製の換気部材を取り付ける
棟木
90×270
10
10

図3 軒樋を外壁に隠す 軒部分詳細図[S=1:10]

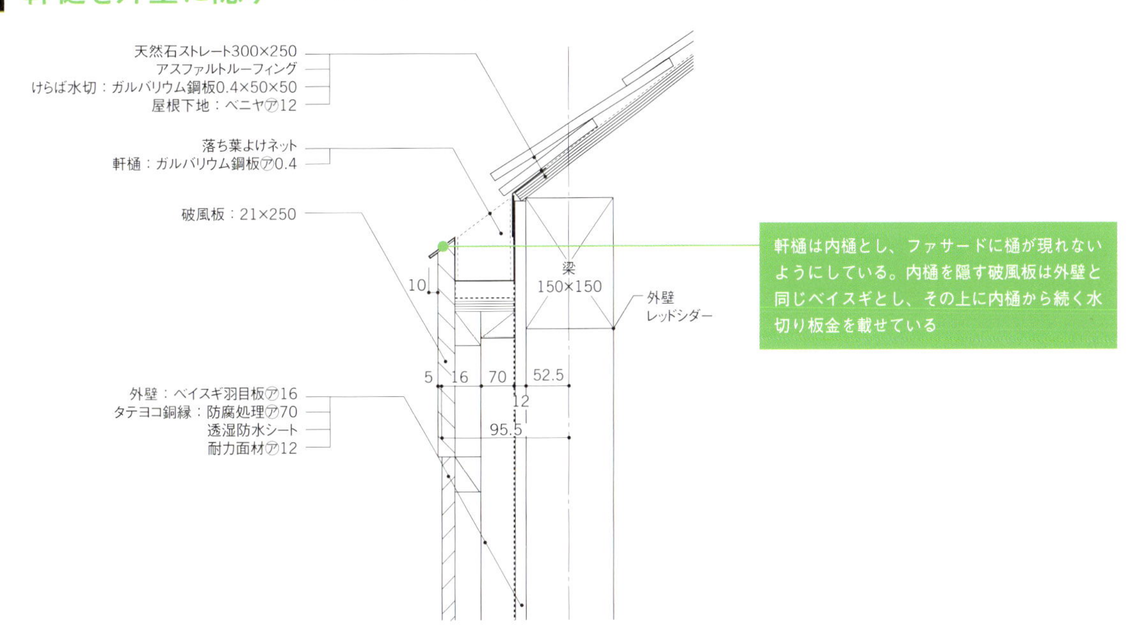

天然石ストレート300×250
アスファルトルーフィング
けらば水切：ガルバリウム鋼板0.4×50×50
屋根下地：ベニヤ㋐12
落ち葉よけネット
軒樋：ガルバリウム鋼板㋐0.4
破風板：21×250
10
梁
150×150
外壁
レッドシダー
軒樋は内樋とし、ファサードに樋が現れないようにしている。内樋を隠す破風板は外壁と同じベイスギとし、その上に内樋から続く水切り板金を載せている
5
16
70
52.5
12
95.5
外壁：ベイスギ羽目板㋐16
タテヨコ胴縁：防腐処理㋐70
透湿防水シート
耐力面材㋐12

図4 屋根と同素材のけらば水切り けらば部分詳細図[S=1:10]

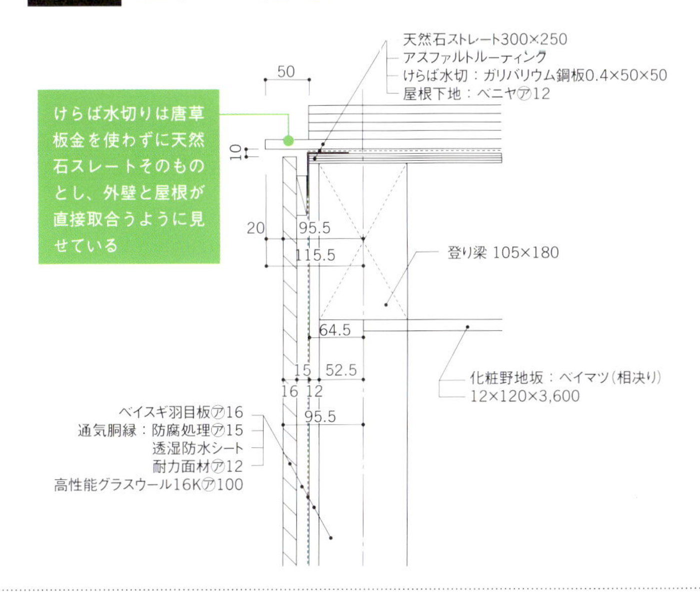

天然石ストレート300×250
アスファルトルーティング
けらば水切：ガリバリウム鋼板0.4×50×50
屋根下地：ベニヤ㋐12
50
けらば水切りは唐草板金を使わずに天然石スレートそのものとし、外壁と屋根が直接取合うように見せている
10
20
95.5
115.5
登り梁 105×180
64.5
5
52.5
16
12
95.5
化粧野地板：ベイマツ(相决り)
12×120×3,600
ベイスギ羽目板㋐16
通気胴縁：防腐処理㋐15
透湿防水シート
耐力面材㋐12
高性能グラスウール16K㋐100

屋根と外壁の間にほかの部材が現れないため、外壁と屋根の素材感が際立って見える。凹凸のある素材なので建築に陰影ができ重厚感のあるファサードに仕上がっている

複雑な形状の屋根はFRPで弱点をなくす

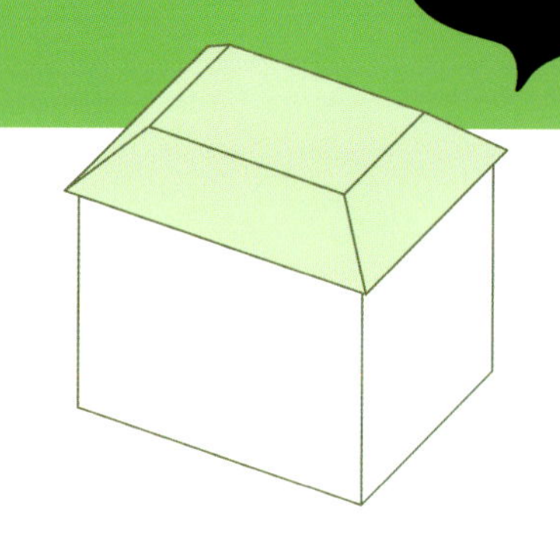
複雑な取合い部も
FRPなら安心！

複雑な形状の屋根は、防水上の問題が発生しやすい。ここでは、45度の勾配の寄棟の頂部をフラットに切った屋根をFRP[※]で仕上げて漏水のリスクを軽減した［図1］。

これまでは木造でFRP防水を採用する場合、木造の変形に対しての追随性に懸念があったが、近年普及している木造下地部とFRP層の間に緩衝マットを敷いた下地追従型緩衝工法を採用すれば仕上げにひび割れが発生する心配が少ない。また、寄棟部の雪止めは、一般的な雪止金物が使用できなかったため、三角形に加工した木材を取り付けて、FRP防水で一体的に仕上げた［図2］。 ［松尾宙＋由希］

図1 住宅にも店舗にも見える屋根 断面図[S=1:200]｜屋根伏図[S=1:200]

レストラン兼住宅。住宅に多い寄棟の頂部をカットした屋根形状は、住宅と非住宅が複合したイメージ

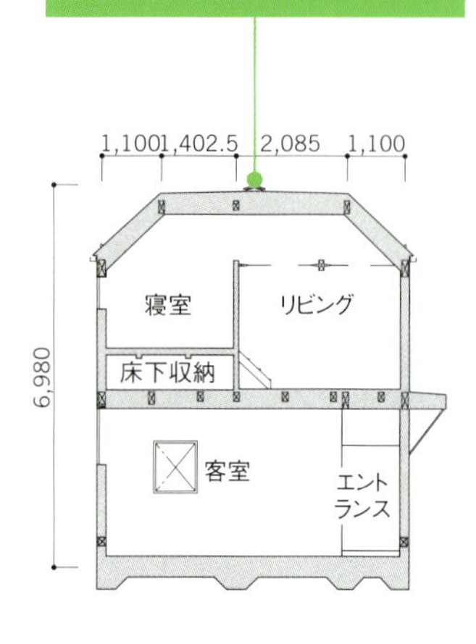
1,100
1,402.5
2,085
1,100
寝室
リビング
床下収納
6,980
客室
エントランス

屋根の頂部には既製の換気棟を設け、屋根通気の排出口としている

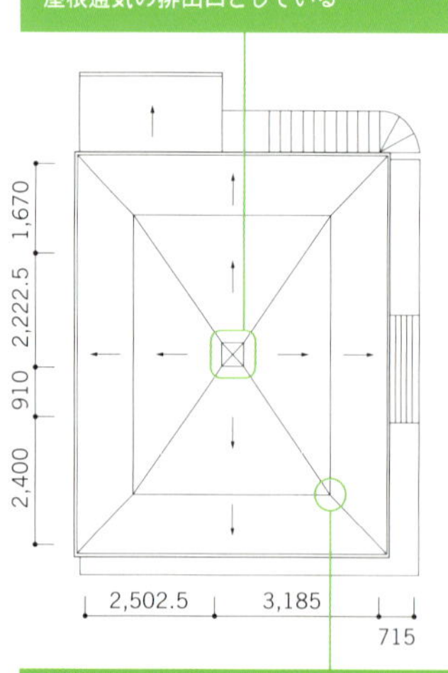
1,670
2,222.5
910
2,400
2,502.5
3,185
715

寄棟の頂部を水平に切取り、1/50勾配の陸屋根としている。屋根の4隅は複雑に部材が取合い防水上の弱点になりやすいため、板金などの仕上げとすることは難しかった

外壁の仕上げは赤茶色のリシン吹付とし、白のFRPと対比させている。2階床レベルには庇とエキスパンドメッシュを設け、レストランと住宅アプローチの雨よけとして活用するとともに夜間は行灯のように光るアイキャッチとしている

図2 木材を加工した雪止 断面図[S=1:10]

弾性FRP防水リマスター木造対応RB-M2(R)工法 飛び火認定品
耐水合板㋐12+12
通気垂木H65㋐455（垂木間押出方ポリスチレンフォーム保温板3種b㋐50敷込）
構造用合板㋐12

三角形に切りとったツガ集成材を屋根面に垂直に取り付け雪止とした。屋根面にFRP塗装を施す際に、雪止も屋根と一体としてFRPを施工している

250
250
50
90
約56

雪止め：加工木材の上
FRP防水塗り廻し
W100

FRPは施工の際に臭いが発生するなどの問題が起こる。近隣の住民にはあらかじめ説明をしておく必要がある

防水用FRPアングルカット
トップコート塗り

ケイカル板㋐6+6

▼軒天レベル
▼軒高
12
30
50
30

外壁：弾性リシン吹付け
ラスモルタル㋐15
通気胴縁㋐12
透湿防水紙
構造用合板㋐9

雨樋は屋根と一体的に見えるように形状や取付け位置に気をつけた

※ 大臣認定を取得した防火地域・準防火地域に対応したもの

『王子のレストラン』（設計・写真：アンブレアーキテクツ）

アスファルトシングルで柿葺き風に仕上げる

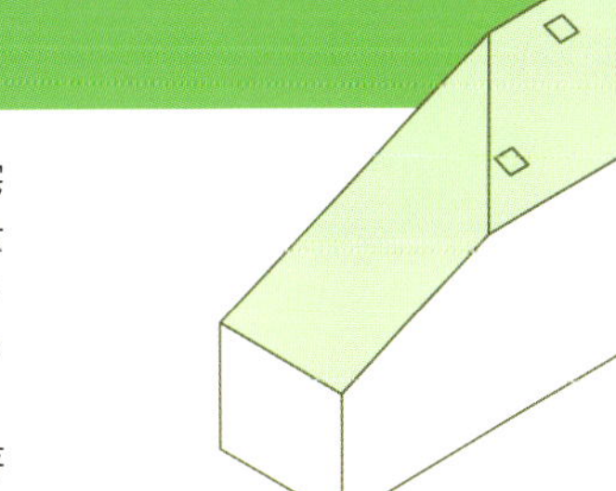

重ね代を長くして
ボリューム感を出す！

親世帯の住む既存住宅の北側に、2×6間の小さな小屋を建築する計画。既存の住宅に寄り添いつつも個性的な外観に仕上げたいとの思いがあった。ここでは、屋根材に大量のアスファルトシングルを用い、葺き足を短く（重ね代を長く）葺いて柿葺き（こけら）のように見せている。アスファルトシングルならば、防火地域などでも伝統的和風建築のような雰囲気にすることができるという一例である。

屋根は、長方形のプランに対し斜めにかけた下り棟で折り返すような形状とし、既存の寄棟の住宅に寄り添うようなイメージとした。 [山本成一郎]

図1 斜めの下り棟で折り返す屋根 屋根伏せ図[S＝1:200]

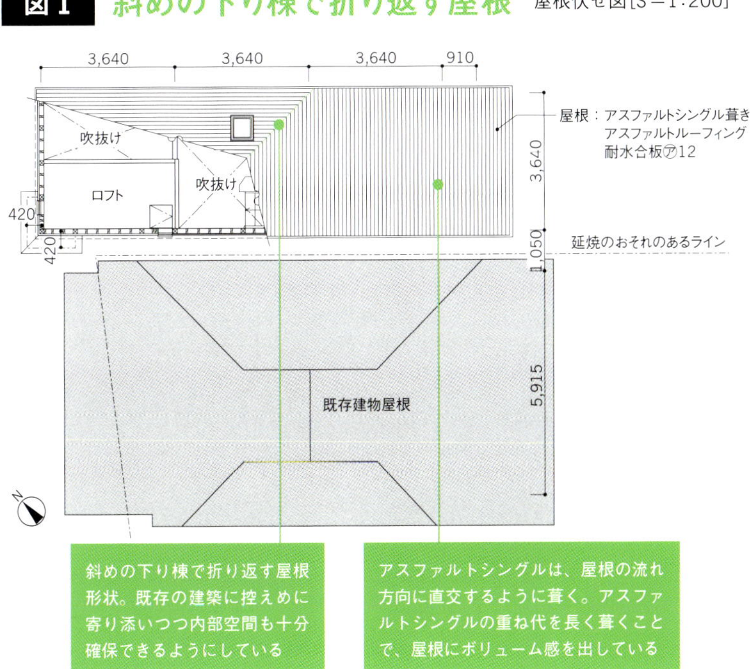

3,640
3,640
3,640
910
屋根：アスファルトシングル葺き
アスファルトルーフィング
耐水合板⑦12
吹抜け
ロフト
吹抜け
420
420
3,640
1,050
延焼のおそれのあるライン
5,915
既存建物屋根
N

斜めの下り棟で折り返す屋根形状。既存の建築に控えめに寄り添いつつ内部空間も十分確保できるようにしている

アスファルトシングルは、屋根の流れ方向に直交するように葺く。アスファルトシングルの重ね代を長く葺くことで、屋根にボリューム感を出している

左：屋根の頂部には、銅板葺きのようにアスファルトシングルをハマグリ形にカットした役物の部材をつくって納め、防水上の弱点にならないようにしている｜右上：けらば側の様子。アスファルトシングルの重なりが屋根にボリューム感を出している｜右下：軒先側の様子。軒先には、ガルバリウム鋼板製の雪止材を設けた

図2 アスファルトシングルとスギの羽目板を組み合わせる 東側立面図[S＝1:200]｜北側立面図[S＝1:200]

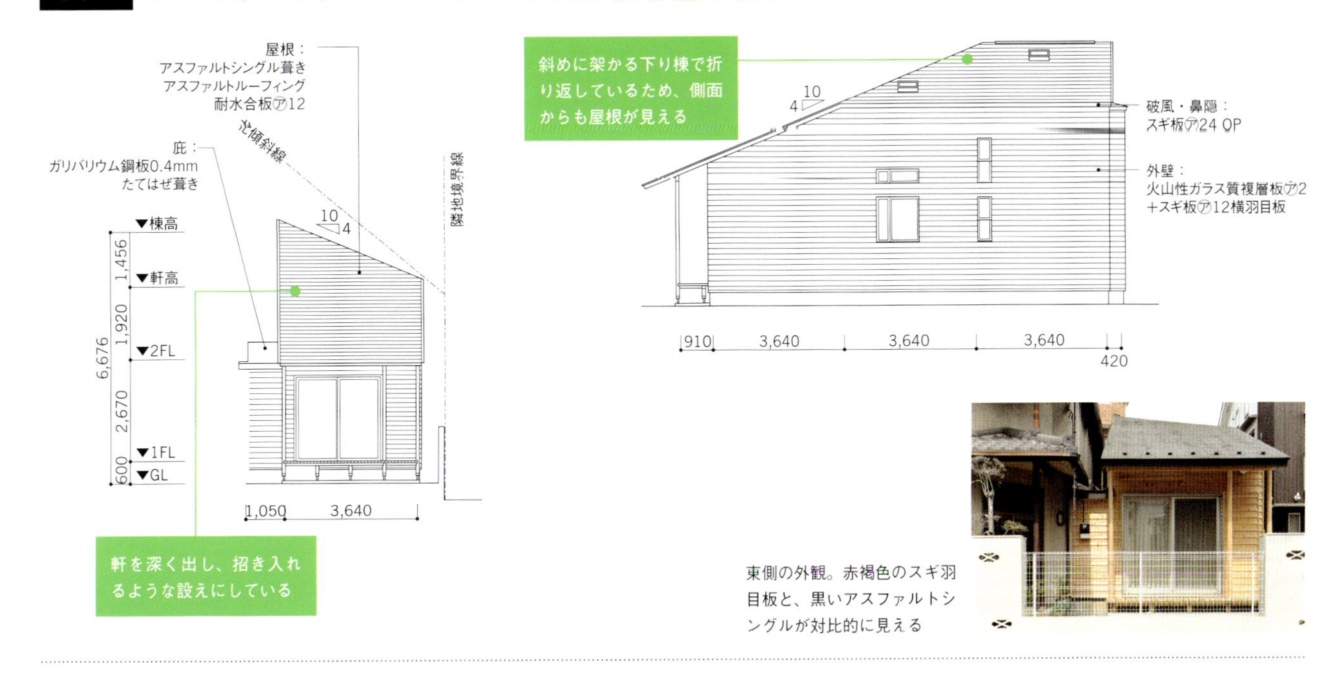

屋根：
アスファルトシングル葺き
アスファルトルーフィング
耐水合板⑦12
北側斜線
庇：
ガリバリウム鋼板0.4mm
たてはぜ葺き
隣地境界線
10
4
▼棟高
1,456
▼軒高
1,920
▼2FL
6,676
2,670
▼1FL
600
▼GL
1,050
3,640
軒を深く出し、招き入れるような設えにしている
斜めに架かる下り棟で折り返しているため、側面からも屋根が見える
10
4
破風・鼻隠：
スギ板⑦24 OP
外壁：
火山性ガラス質複層板⑦2
+スギ板⑦12横羽目板
910
3,640
3,640
3,640
420

東側の外観。赤褐色のスギ羽目板と、黒いアスファルトシングルが対比的に見える

瓦で風情のある住宅をつくる

下り棟をアクセントにする！

道路拡張に伴う建て替えで、既存の土蔵を曳家し、離れとして再生した事例。既存の屋根はセメント桟瓦（当初材かは不明）葺きだったが、一部瓦が破損していたり雨漏りが発生したりしていたため、既存の瓦をすべて撤去し、腐った野地板を張り替えた後、防水紙を張り新しい陶器瓦で葺き直した［図1］。瓦は、部材に厚みがあるため、雨音が室内に響きにくい。また、板金に比べ輻射熱が小さいので室内が暑くなりにくいなど性能も高いので快適な室内空間をつくることができる。単純な切妻屋根なので、意匠上のアクセントとして両端部に下り棟を設けた。［山本成一郎］

図1 土蔵の屋根を陶器瓦で葺き直す 矩計図［S＝1:60］

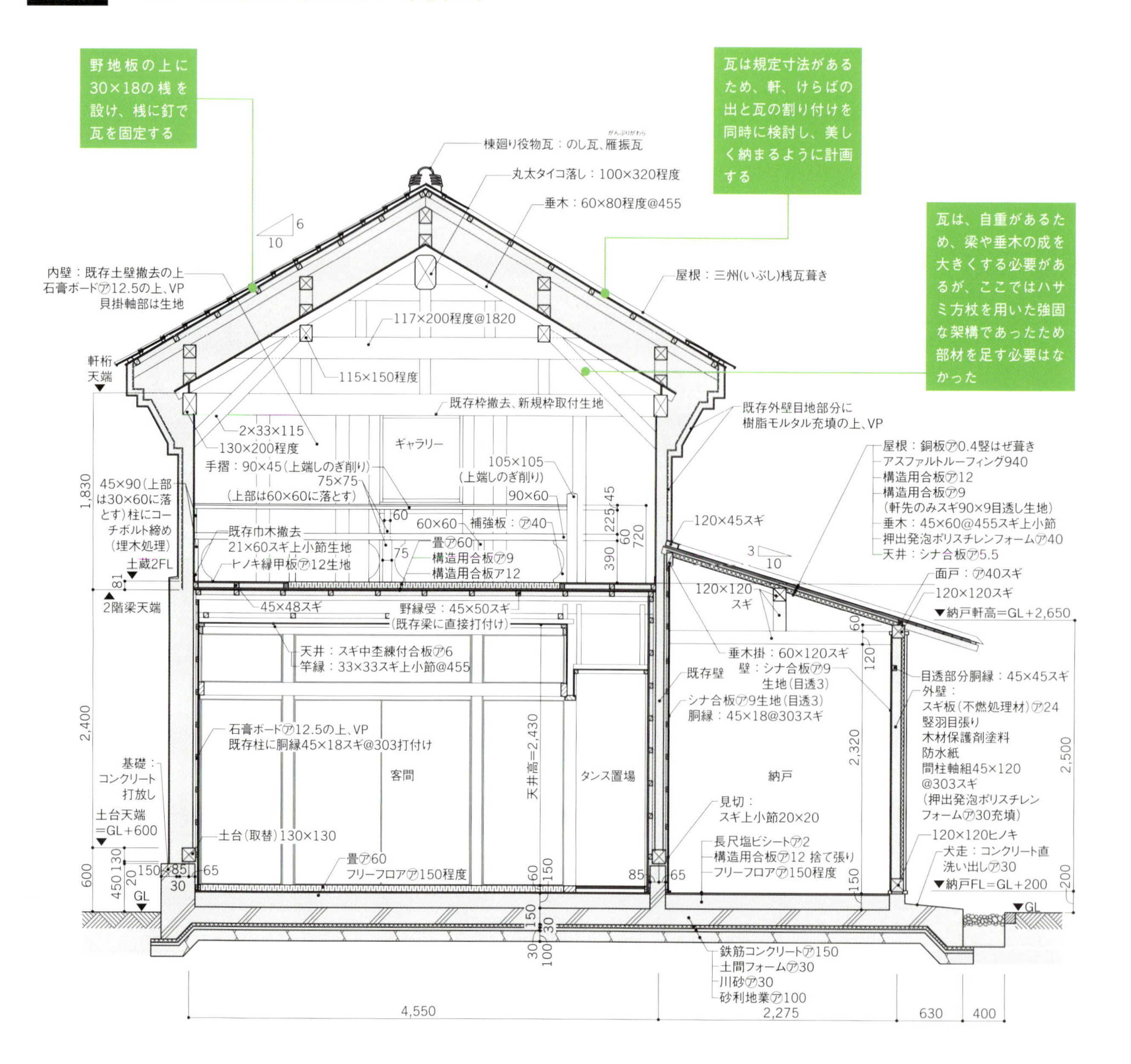

野地板の上に30×18の桟を設け、桟に釘で瓦を固定する
瓦は規定寸法があるため、軒、けらばの出と瓦の割り付けを同時に検討し、美しく納まるように計画する
瓦は、自重があるため、梁や垂木の成を大きくする必要があるが、ここではハサミ方杖を用いた強固な架構であったため部材を足す必要はなかった
棟廻り役物瓦：のし瓦、雁振瓦
丸太タイコ落し：100×320程度
垂木：60×80程度@455
屋根：三州(いぶし)桟瓦葺き
内壁：既存土壁撤去の上石膏ボードㇳ12.5の上、VP 貝掛軸部は生地
117×200程度@1820
115×150程度
既存枠撤去、新規枠取付生地
既存外壁目地部分に樹脂モルタル充填の上、VP
軒桁天端
2×33×115
130×200程度
ギャラリー
手摺：90×45（上端しのぎ削り）
105×105（上端しのぎ削り）
75×75（上部は60×60に落とす）
90×60
45×90（上部は30×60に落とす）柱にコーチボルト締め（埋木処理）
60×60 補強板：ㇳ40
既存巾木撤去
21×60スギ上小節生地
ヒノキ縁甲板ㇳ12生地
畳ㇳ60
構造用合板ㇳ9
構造用合板ㇳ12
土蔵2FL
2階梁天端
45×48スギ
野縁受：45×50スギ（既存梁に直接打付け）
天井：スギ中杢練付合板ㇳ6
竿縁：33×33スギ上小節@455
石膏ボードㇳ12.5の上、VP
既存柱に胴縁45×18スギ@303打付け
客間
天井高＝2,430
タンス置場
基礎：コンクリート打放し
土台天端＝GL＋600
土台（取替）130×130
畳ㇳ60
フリーフロアㇳ150程度
120×45スギ
屋根：銅板ㇳ0.4竪はぜ葺き
アスファルトルーフィング940
構造用合板ㇳ12
構造用合板ㇳ9
（軒先のみスギ90×9目透し生地）
垂木：45×60@455スギ上小節
押出発泡ポリスチレンフォームㇳ40
天井：シナ合板ㇳ5.5
面戸：ㇳ40スギ
120×120スギ
▼納戸軒高＝GL＋2,650
垂木掛：60×120スギ
壁：シナ合板ㇳ9
生地（目透3）
既存壁
シナ合板ㇳ9生地（目透3）
胴縁：45×18@303スギ
目透部分胴縁：45×45スギ
外壁：
スギ板（不燃処理材）ㇳ24
竪羽目張り
木材保護剤塗料
防水紙
間柱軸組45×120
@303スギ
（押出発泡ポリスチレンフォームㇳ30充填）
納戸
見切：スギ上小節20×20
長尺塩ビシートㇳ2
構造用合板ㇳ12 捨て張り
フリーフロアㇳ150程度
120×120ヒノキ
犬走：コンクリート直
洗い出しㇳ30
▼納戸FL＝GL＋200
GL
鉄筋コンクリートㇳ150
土間フォームㇳ30
川砂ㇳ30
砂利地業ㇳ100
4,550
2,275
630
400
1,830
2,400
2,320
2,500

図2 吹抜けを設けて2階を開放的な空間に 平面図[S＝1:200]

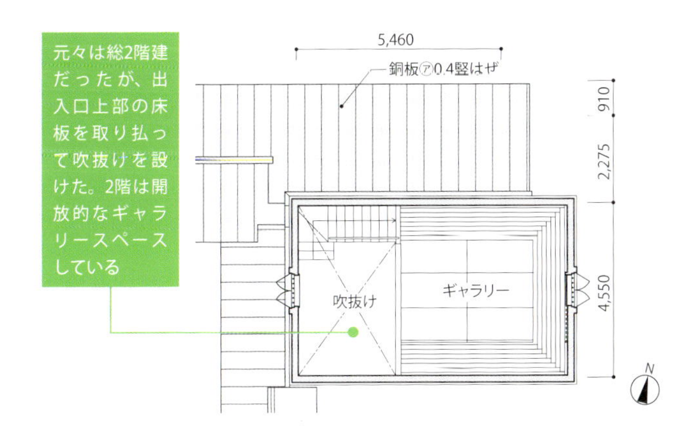

元々は総2階建だったが、出入口上部の床板を取り払って吹抜けを設けた。2階は開放的なギャラリースペースしている
5,460
銅板⑦0.4竪はぜ
910
2,275
4,550
吹抜け
ギャラリー
N

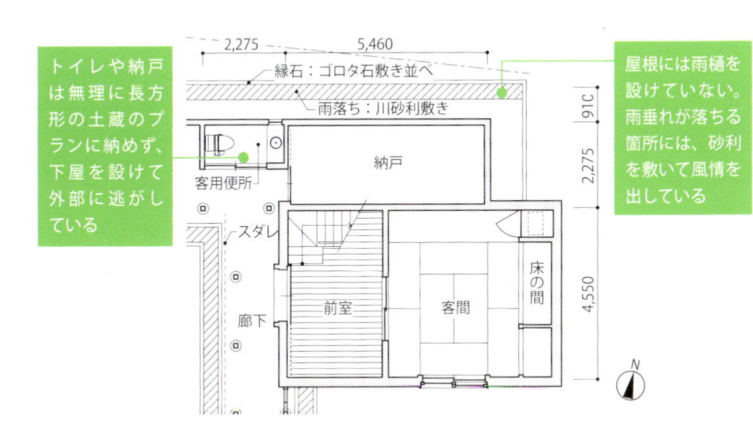

トイレや納戸は無理に長方形の土蔵のプランに納めず、下屋を設けて外部に逃がしている
2,275
5,460
縁石：ゴロタ石敷き並べ
雨落ち：川砂利敷き
屋根には雨樋を設けていない。雨垂れが落ちる箇所には、砂利を敷いて風情を出している
910
2,275
4,550
納戸
客用便所
スダレ
前室
客間
床の間
廊下
N

上：2階のギャラリーからは、ハサミ方杖のあるダイナミックな架構を露しで見せている。内壁は土壁を撤去し、貫を固定し直したうえで胴縁組石膏ボード張りとしてペイントで仕上げた｜下：2階の床を撤去した際に不要になったマツの梁材は、挽き直して階段に再利用した

図3 妻側に下がり棟でアクセントをつくる 東側立面図[S＝1:100]

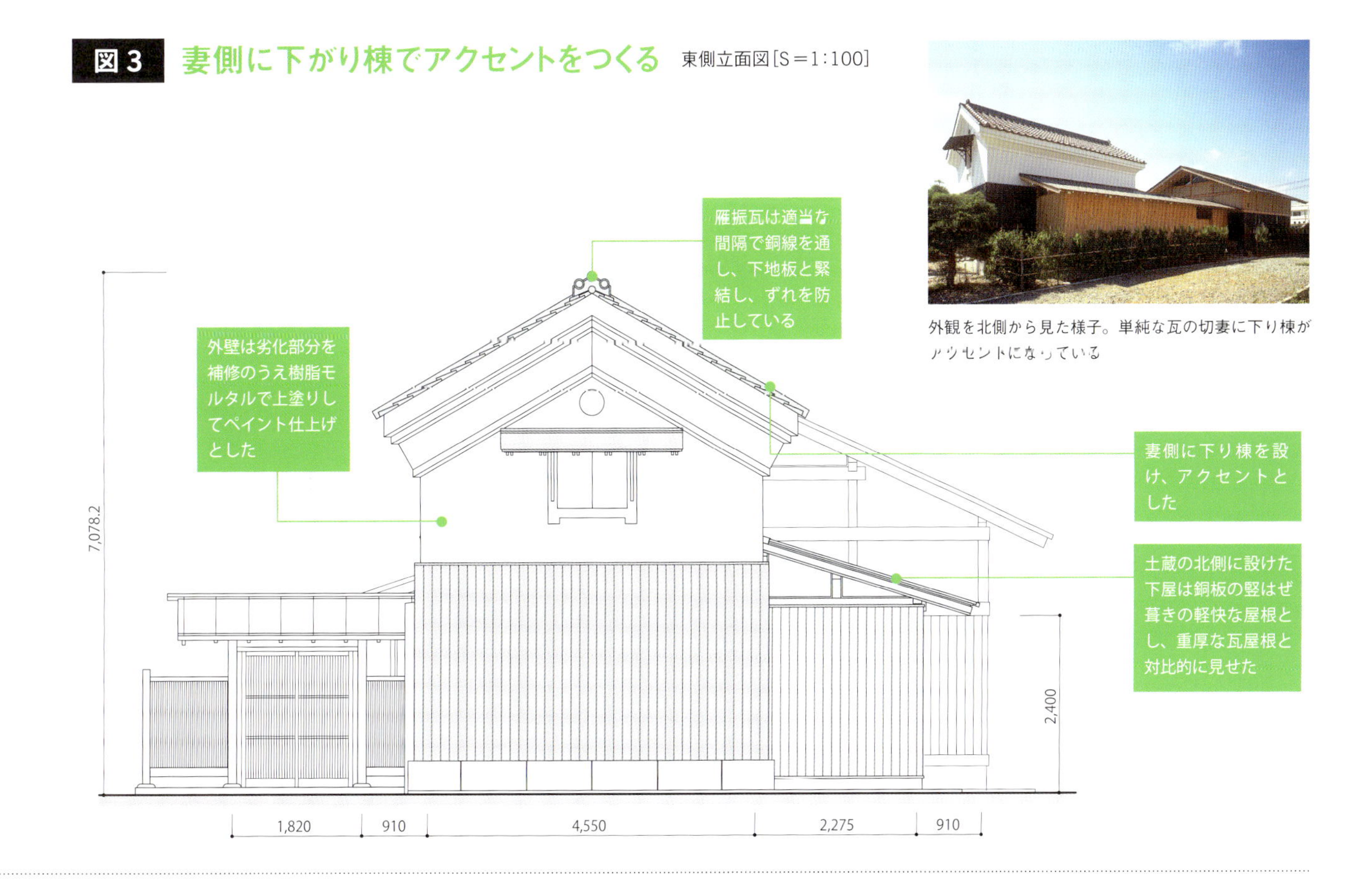

雁振瓦は適当な間隔で銅線を通し、下地板と緊結し、ずれを防止している
外壁は劣化部分を補修のうえ樹脂モルタルで上塗りしてペイント仕上げとした
妻側に下り棟を設け、アクセントとした
土蔵の北側に設けた下屋は銅板の竪はぜ葺きの軽快な屋根とし、重厚な瓦屋根と対比的に見せた
7,078.2
2,400
1,820
910
4,550
2,275
910

外観を北側から見た様子。単純な瓦の切妻に下り棟がアクセントになっている

6章

架構

同じ屋根形状であってもその架構には
さまざまなバリエーションがある。
内部空間のイメージ、コストなどに
合わせて架構も自由な発想で設計したい。
ここでは特徴的な架構を露しとして
内部空間の意匠に生かした事例を紹介する

屋根と天井の勾配を自由に操作する

屋根には屋根の、天井は天井の勾配を！

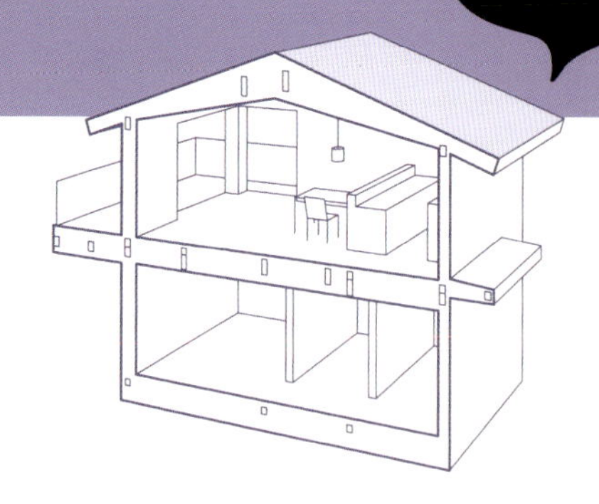

屋根なりの勾配天井にすれば、内部空間を大きく使うことができる。しかし、意匠上の理由で屋根と天井の勾配を変えたい場合も少なくない。本事例は、遠くに山並みを見渡せる高台に計画された。遠望の稜線に合わせた3寸5分勾配の屋根に対し、天井は屋根より緩やかな2寸勾配として、窓外の景色に視線を誘導している［図1］。

内部は一切の構造材が見えない柔らかな空間とするため、屋根を登り梁形式とし、スギの野地板で水平構面をとり、火打ち梁を省略した［図2］。　［日影良孝］

図1 勾配天井で内部空間を柔らかに演出 断面図［S＝1:80］

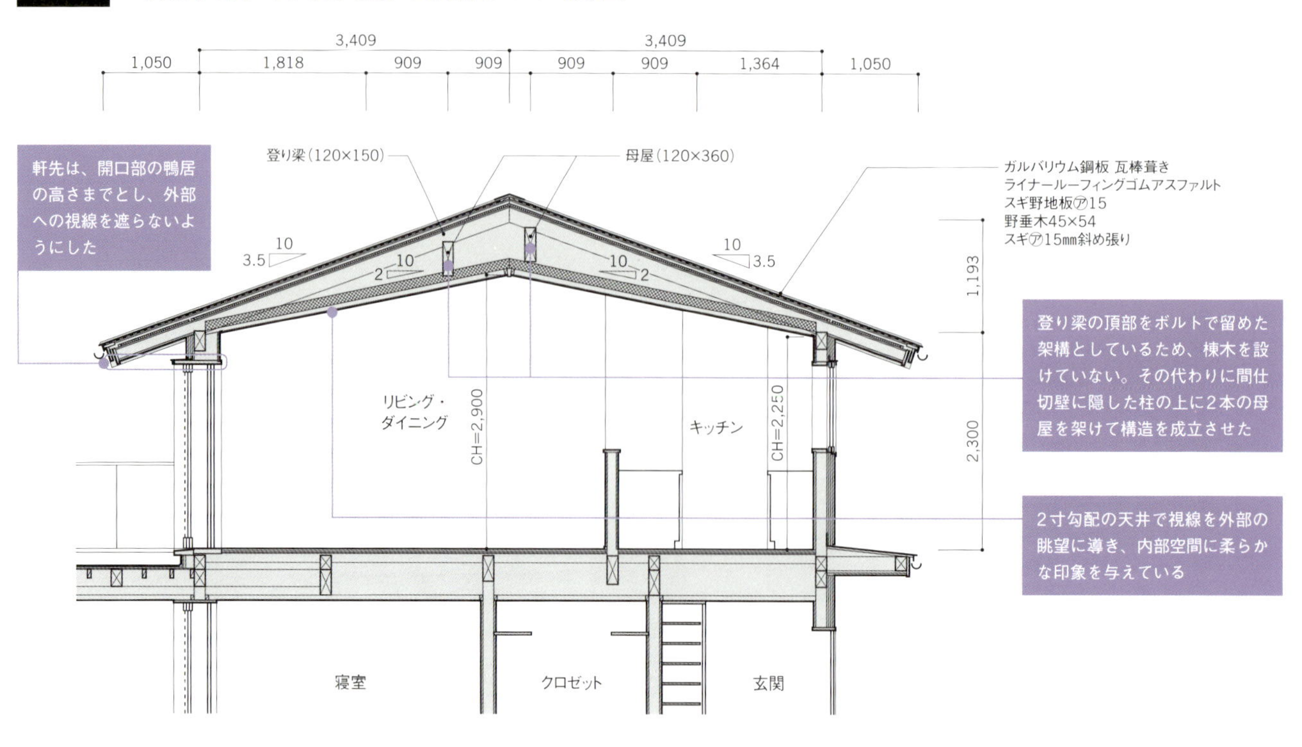
3,409
3,409
1,050
1,818
909
909
909
909
1,364
1,050
登り梁（120×150）
母屋（120×360）
ガルバリウム鋼板 瓦棒葺き
ライナールーフィングゴムアスファルト
スギ野地板⑦15
野垂木45×54
スギ⑦15㎜斜め張り
軒先は、開口部の鴨居の高さまでとし、外部への視線を遮らないようにした
1,193
2,300
CH=2,900
CH=2,250
リビング・ダイニング
キッチン
寝室
クロゼット
玄関
登り梁の頂部をボルトで留めた架構としているため、棟木を設けていない。その代わりに間仕切壁に隠した柱の上に2本の母屋を架けて構造を成立させた
2寸勾配の天井で視線を外部の眺望に導き、内部空間に柔らかな印象を与えている

図2 間仕切壁でスラストを抑える 平面図［S＝1:200］

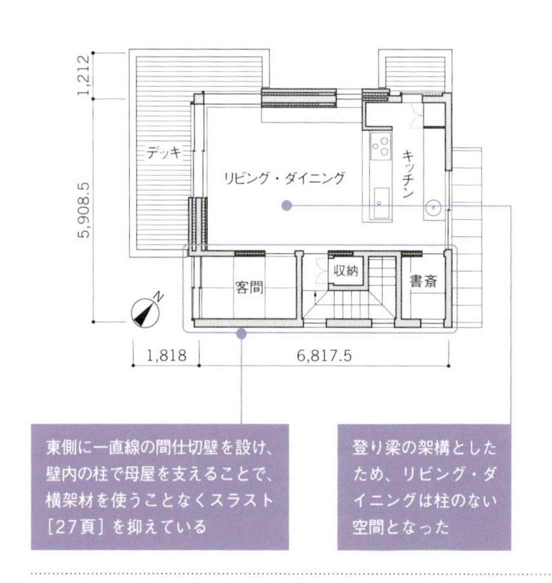
1,212
5,908.5
1,818
6,817.5
デッキ
リビング・ダイニング
キッチン
客間
収納
書斎
東側に一直線の間仕切壁を設け、壁内の柱で母屋を支えることで、横架材を使うことなくスラスト［27頁］を抑えている
登り梁の架構としたため、リビング・ダイニングは柱のない空間となった

内部に構造材を見せないことで、緩勾配の天井で軽やかに包み込まれるような雰囲気を演出できた

『細山町の家』（設計・写真：日影良孝建築アトリエ）

構造材を露さない勾配天井

登り梁＆タイバーで横架材のない空間を実現！

屋根なりの勾配天井を開放的に見せたい場合、視界を妨げる構造材を隠ぺいするという方法がある。

本事例では、外部からの視線や斜線、雨仕舞いを考慮して、東西に長い切妻の形状とし、2階は屋根勾配なりに天井を張っている。登り梁形式の切妻屋根では、軒桁側に開こうとする力（スラスト［27頁］）が働くため、通常は小屋梁などの横架材で軒桁をつなぐ。ここでは、登り梁と棟木を、アンカーボルトを応用したタイバーで接合し、小屋梁を省略した［図1〜3］。

［田井幹夫］

図1 横架材のない登り梁の切妻屋根 小屋伏図［S＝1:80］

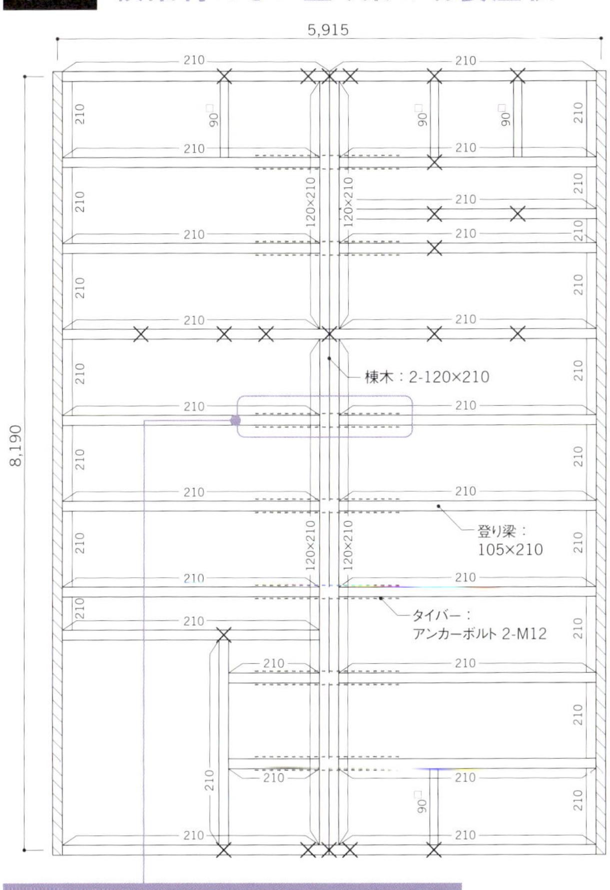

5,915
8,190
210
90
120×210
棟木：2-120×210
登り梁：105×210
タイバー：アンカーボルト 2-M12

アンカーボルトを利用したタイバーでスラストに対抗し、登り梁や棟木の成を抑えつつ、小屋梁を省略した

上：敷地は南面と東面で接道する角地。南面にはマンションが建ち交通量も多いため、東西にトンネル状に抜ける空間を目指した｜下：タイバーは構造的には梁の片面に1本のみの設置でも問題なかったが、天井内部に隠された登り梁の存在がそれとなく感じられるデザインとするため、2本で梁を挟むかたちとした

図2 タイバーでスラストを抑える A部詳細図［S＝1:30］

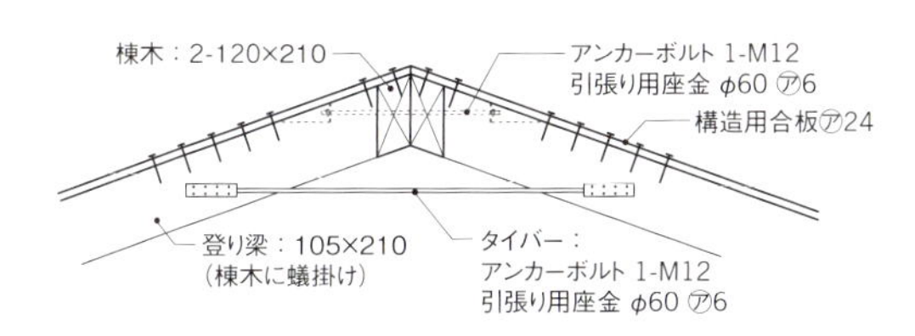

棟木：2-120×210
アンカーボルト 1-M12
引張り用座金 φ60 ㋐6
構造用合板㋐24
登り梁：105×210
（棟木に蟻掛け）
タイバー：
アンカーボルト 1-M12
引張り用座金 φ60 ㋐6

タイバーは登り梁の頂部に棟木を貫通するように1本、登り梁の両側面に1本ずつ取り付けた。柱・土台用のホールダウン金物（アンカーボルト）を応用したことで、信頼性が高まりコストも抑えられる

図3 タイバーをシンプルに見せる 断面図［S＝1:60］

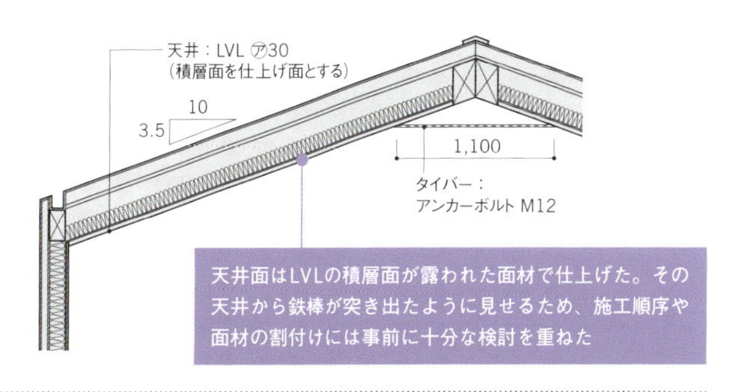

天井：LVL ㋐30
（積層面を仕上げ面とする）
10
3.5
1,100
タイバー：
アンカーボルト M12

天井面はLVLの積層面が露われた面材で仕上げた。その天井から鉄棒が突き出たように見せるため、施工順序や面材の割付けには事前に十分な検討を重ねた

『松原の切妻』（設計：アーキテクトカフェ／写真：淺川敏）

タイロッドで横架材のない空間をつくる

ダイナミックな無柱空間！小屋梁も省略！

本事例のような別荘建築では、周囲の豊かな自然環境との調和や、非日常が味わえる自由でダイナミックな空間が求められることも多い。

ここでは、切妻屋根を露しの登り梁で組み、小屋梁や束などのない開放的な無柱空間とすることで、これらの要求に応えた。梁間方向に働くスラスト［27頁］には鋼製のタイロッド［※］で対処している［図1］。これにより、断面寸法の大きな横架材が見えない大空間が実現した。妻面には三角形の開口を設け、視線を東西に大きく抜いている。

［井上尚夫］

図1 登り梁＋タイロッドで横架材を省略 断面図［S＝1:100］

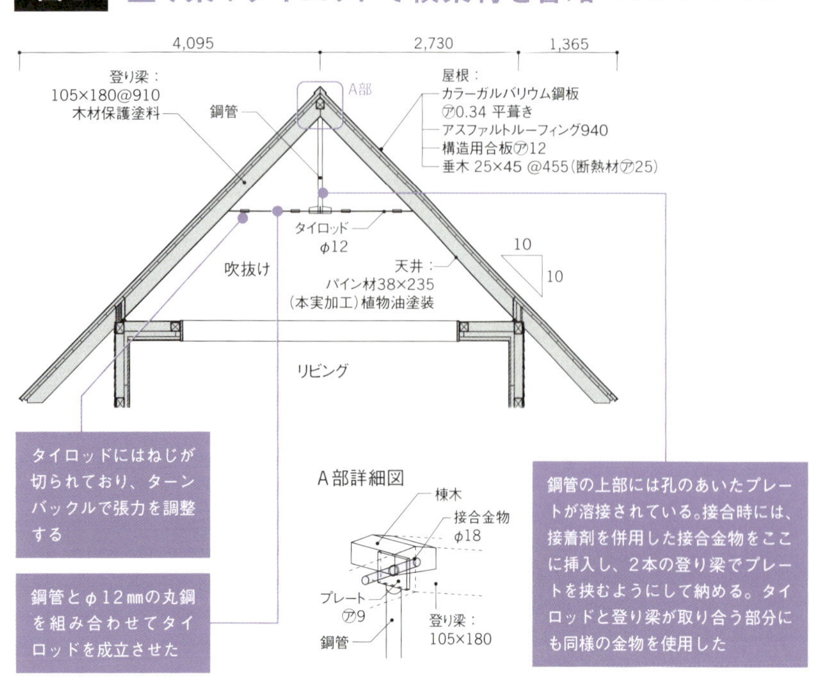
4,095
2,730
1,365
登り梁：
105×180@910
木材保護塗料
鋼管
A部
屋根：
カラーガルバリウム鋼板
㋐0.34 平葺き
アスファルトルーフィング940
構造用合板㋐12
垂木 25×45 @455（断熱材㋐25）
タイロッド
φ12
10
10
吹抜け
天井：
パイン材38×235
（本実加工）植物油塗装
リビング
タイロッドにはねじが切られており、ターンバックルで張力を調整する
鋼管とφ12㎜の丸鋼を組み合わせてタイロッドを成立させた
A部詳細図
棟木
接合金物
φ18
プレート
㋐9
鋼管
登り梁：
105×180
鋼管の上部には孔のあいたプレートが溶接されている。接合時には、接着剤を併用した接合金物をここに挿入し、2本の登り梁でプレートを挟むようにして納める。タイロッドと登り梁が取り合う部分にも同様の金物を使用した

1階リビングの吹抜けから西方向を見る。910㎜ピッチで架けられた登り梁＋タイロッドの架構により小屋梁などの横架材がない大空間が実現し、大きく視界が開けた

図2 「く」の字形に折れ曲がる形状 小屋伏図［S＝1:300］

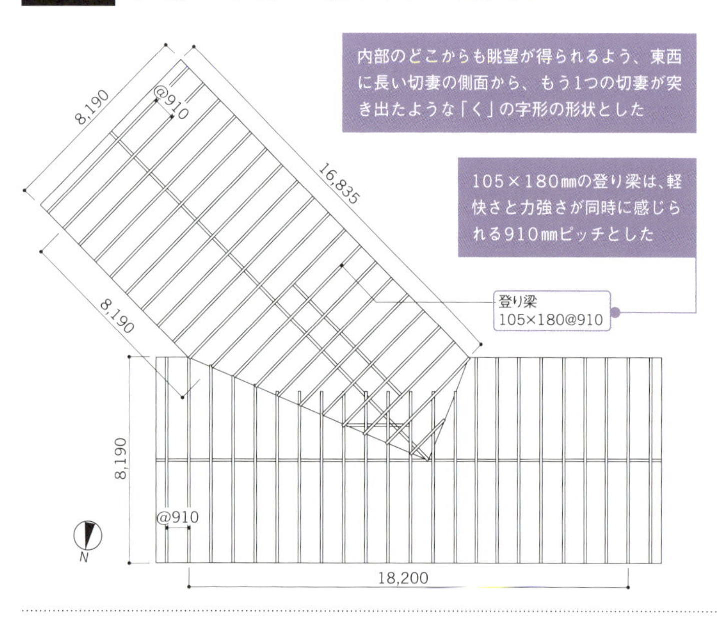
8,190
@910
16,835
8,190
8,190
@910
18,200
N
内部のどこからも眺望が得られるよう、東西に長い切妻の側面から、もう1つの切妻が突き出たような「く」の字形の形状とした
105×180㎜の登り梁は、軽快さと力強さが同時に感じられる910㎜ピッチとした
登り梁
105×180@910

2階多目的室中央、2つの切妻が分岐するポイントから東を見る。タイロッド・登り梁は共に黒に近い茶色に塗装することで、妻面のハイサイドライトへの視線の抜けを強調した

※ 鋼材などをつなぎ合わせた引張材

『三笠通りの別荘 -2』（設計：井上尚夫総合計画事務所／写真：新写真工房 堀内広治）

鉄骨の隅木で大スパンを飛ばす

柱のない大空間を実現！

純粋な木造では、通常、梁間方向のスパンは2～2.5間程度が限界であり、敷地に十分な余裕があっても木造のスケール感からの脱却は難しい。

本事例では、広い敷地に一部を寄棟状とした平屋を建て、その上に小さな片流れのボリュームを載せた。リビング・ダイニングの上にかかる隅木はH形鋼として天井内に隠すことで、柱のない大空間を実現している。内部の勾配天井から軒天井までを連続させ、隅木先端の下部は大きなFIX窓として、外部への広がり感を演出した。 ［藤原昭夫］

図1 H形鋼の隅木でスパンを飛ばす 小屋伏図［S＝1:150］

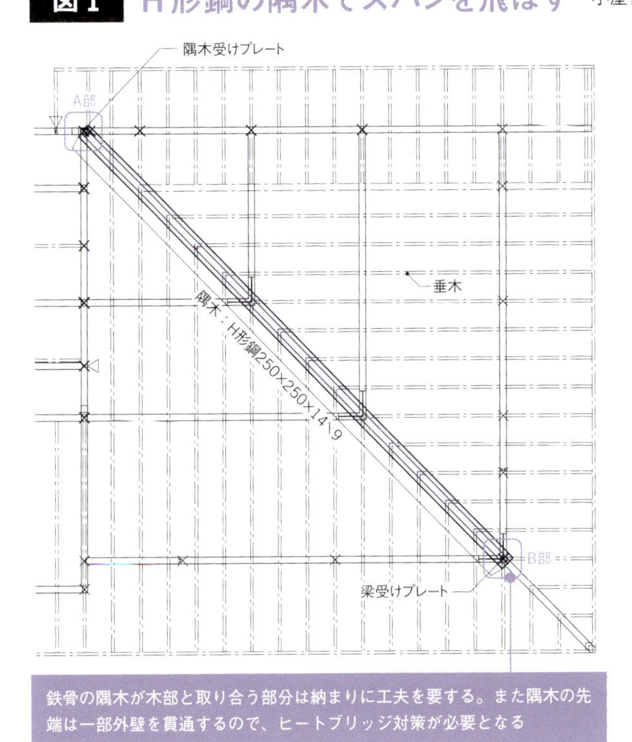

隅木受けプレート
A部
垂木
隅木：H形鋼250×250×14×9
B部
梁受けプレート

鉄骨の隅木が木部と取り合う部分は納まりに工夫を要する。また隅木の先端は一部外壁を貫通するので、ヒートブリッジ対策が必要となる

A部断面詳細図［S＝1:15］

柱：105

隅木受けプレート

ボルトM12

H形鋼

平形鋼をボックス状に溶接したもので柱を包み、H形鋼とボルトで接合する

B部断面詳細図［S＝1:15］

H形鋼

現場発泡ウレタン吹付け

CT鋼 125×125×9×6

軒桁の下にCT鋼を差し込み、H形鋼と溶接してたわみを抑える。H形鋼の先端には現場発泡ウレタンで断熱補強を施した

図2 柱のない大空間 1階平面図［S＝1:200］

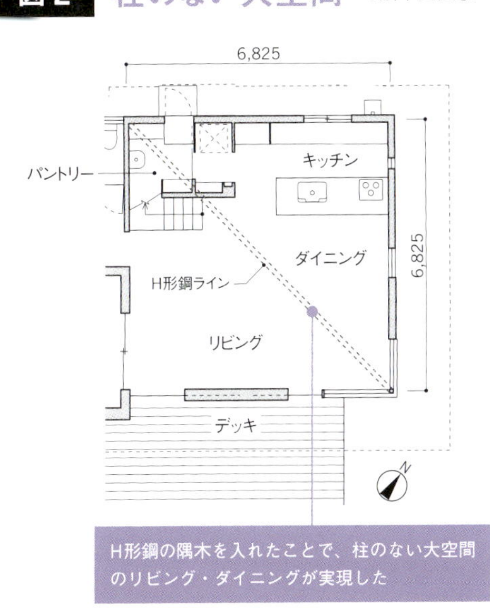

6,825
パントリー
キッチン
ダイニング
H形鋼ライン
6,825
リビング
デッキ

H形鋼の隅木を入れたことで、柱のない大空間のリビング・ダイニングが実現した

3寸勾配の屋根なりに張られたリビング・ダイニングの天井。ベイマツの小幅板を目透かし張りで仕上げた。水平に伸びる軒天井も同じ材で仕上げ、内外に連続感のある空間となっている

鉄骨を挟んだ登り梁で大空間を実現

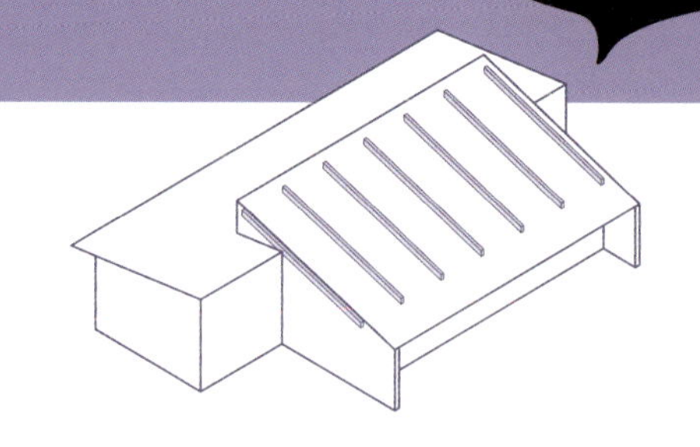
柱のない
大空間を実現！

リビングなどを柱や横架材のない大空間としたい場合、屋根の架構を構成する登り梁の断面は300㎜以上と大きくなってしまい、露しにすると軽やかな印象になりにくい。

本事例では、LDKに緩やかな片流れ屋根をかけ、成210㎜の2本のLVLでフラットバーを挟んだ登り梁を採用した。これにより、登り梁の成を抑えつつ、梁間方向に約5.4mのスパンを飛ばしている。フラットバーの厚さは6㎜程度なので、露しにしてもその存在が気になることはない。 ［関本竜太］

図1 LVLとフラットバーの「ハイブリッド梁」 小屋伏図［S＝1:150］

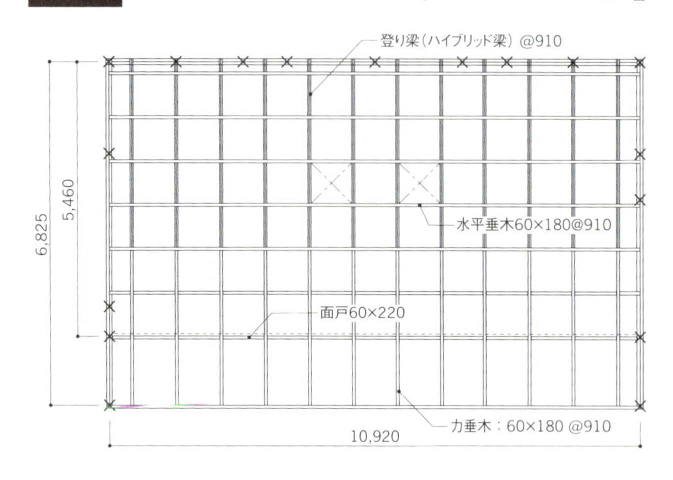
登り梁（ハイブリッド梁）@910
水平垂木60×180@910
面戸60×220
力垂木：60×180 @910
6,825
5,460
10,920

登り梁断面詳細図［S＝1:8］

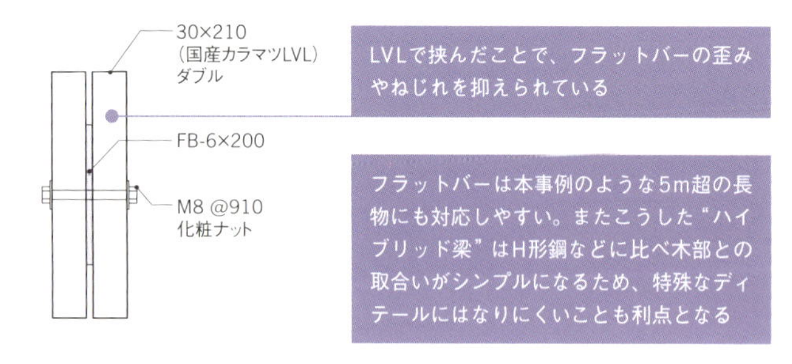
30×210
（国産カラマツLVL）
ダブル
FB-6×200
M8 @910
化粧ナット
LVLで挟んだことで、フラットバーの歪みやねじれを抑えられている
フラットバーは本事例のような5m超の長物にも対応しやすい。またこうした"ハイブリッド梁"はH形鋼などに比べ木部との取合いがシンプルになるため、特殊なディテールにはなりにくいことも利点となる

上：外観。2つの片流れ屋根が取り合う「差しかけ屋根」｜下：リビングは3寸勾配の屋根なりに天井材を張り、910㎜ピッチに架けられた登り梁を露しとした

図2 合板の受け材を見せない 断面図［S＝1:40］

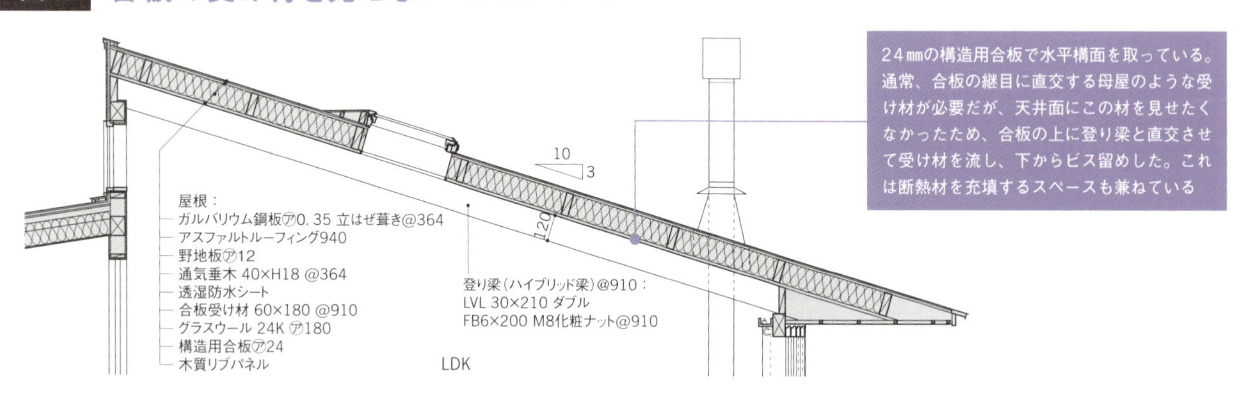
24㎜の構造用合板で水平構面を取っている。通常、合板の継目に直交する母屋のような受け材が必要だが、天井面にこの材を見せたくなかったため、合板の上に登り梁と直交させて受け材を流し、下からビス留めした。これは断熱材を充填するスペースも兼ねている
10
3
120
屋根：
ガルバリウム鋼板⑦0.35 立はぜ葺き@364
アスファルトルーフィング940
野地板⑦12
通気垂木 40×H18 @364
透湿防水シート
合板受け材 60×180 @910
グラスウール 24K ⑦180
構造用合板⑦24
木質リブパネル
登り梁（ハイブリッド梁）@910：
LVL 30×210 ダブル
FB6×200 M8化粧ナット@910
LDK

『緩斜面の家』（設計：リオタデザイン／写真：新澤一平）

化粧梁で和小屋風の架構をつくる

非構造部材を小屋梁のように見せる！

6寸勾配の切妻屋根が架けられた住宅。内部は垂木を露しとしたほか、化粧梁を設けて、和小屋のような架構を表現した。この化粧梁は構造材ではなく、上部の垂木や棟木から径12㎜の丸鋼で吊っている。化粧梁は欄間のガラスを支持し、引戸の鴨居も兼ねている。

無駄な材は省くのが架構のセオリーだが、構造上は不要な部材をあえて化粧材として効果的に使用することで、造作材のような役割をもたせたり、架構全体を軽やかに見せたりすることが可能となる。 ［関本竜太］

図1 化粧梁を造作材のように使う

小屋伏図［S＝1:120］

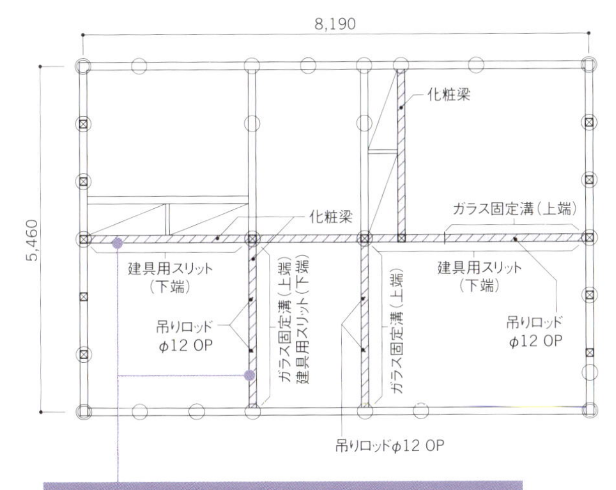
8,190
5,460
化粧梁
化粧梁
ガラス固定溝（上端）
建具用スリット（下端）
建具用スリット（下端）
吊りロッド φ12 OP
吊りロッド φ12 OP
ガラス固定溝（上端）建具用スリット（下端）
ガラス固定溝（上端）
吊りロッドφ12 OP

桁行方向には棟木の直下に、梁間方向には3本、それぞれ化粧梁を設けた。桁行方向の化粧梁は棟木から、梁間方向の化粧梁は垂木から、いずれも丸鋼で吊って支持している

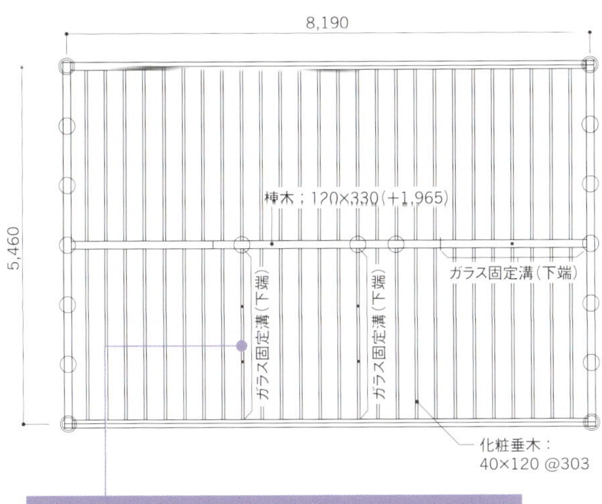
8,190
5,460
棟木；120×330(+1,965)
ガラス固定溝（下端）
ガラス固定溝（下端）
ガラス固定溝（下端）
化粧垂木：
40×120 @303

化粧梁と上部の棟木・垂木には欠込みを施してガラスをはめ込み、視線や光を通す欄間とした

図2 垂木を丸鋼で吊る

部分詳細図［S＝1:5］

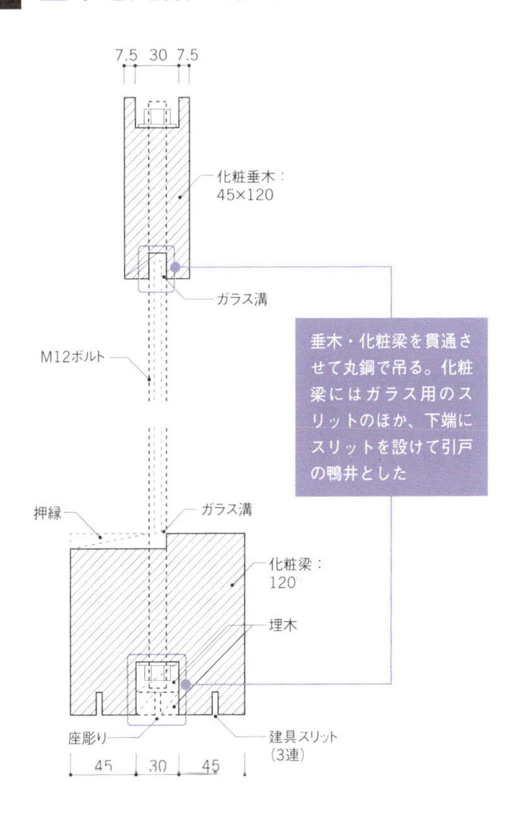
7.5 30 7.5
化粧垂木：
45×120
ガラス溝
M12ボルト
垂木・化粧梁を貫通させて丸鋼で吊る。化粧梁にはガラス用のスリットのほか、下端にスリットを設けて引戸の鴨井とした
押縁
ガラス溝
化粧梁：
120
埋木
座彫り
建具スリット
(3連)
45 30 45

120㎜角の化粧梁を小屋梁のように見せ、断面の小さな材で構造を成立させているかのような軽快さが生まれている

LVLの梁で陸屋根を支える

方立と梁が連続した架構！

建物外周に面する吹抜けには、通常、風圧力に対抗する耐風梁が必要となり、開口はこれを避けて計画しなければならない。

本事例では、吹抜けのある壁面の高い位置に複数の開口を設けるために、フラットな陸屋根の形状としたうえで、壁面にLVLの方立を複数本立てることで、耐風梁を省略した。これにより自由な開口計画が実現できた。

陸屋根の梁には方立と同材のLVLを使用し、壁の方立が天井の梁へと連続するような架構とした。 ［北野博宣］

図1 方立を天井まで連続させて見せる 断面図［S＝1:120］

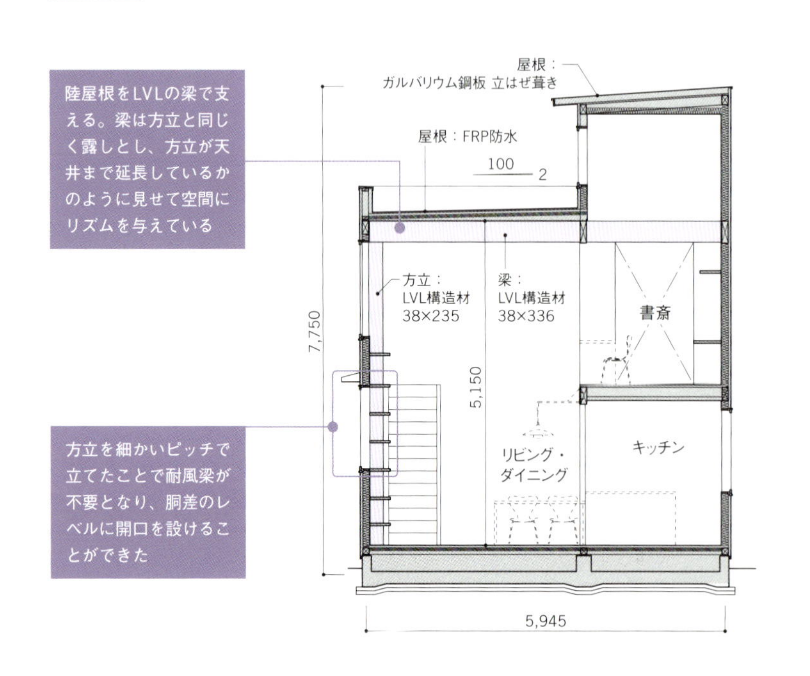
陸屋根をLVLの梁で支える。梁は方立と同じく露しとし、方立が天井まで延長しているかのように見せて空間にリズムを与えている
方立を細かいピッチで立てたことで耐風梁が不要となり、胴差のレベルに開口を設けることができた
屋根：ガルバリウム鋼板 立はぜ葺き
屋根：FRP防水
100
2
方立：LVL構造材38×235
梁：LVL構造材38×336
書斎
7,750
5,150
リビング・ダイニング
キッチン
5,945

壁から天井までLVLが連続する。壁面には方立に直交させてLVLを差し込み、壁全体を大きな棚収納としている

図2 ピッチを変えて開口に対応させる 断面図［S＝1:120］

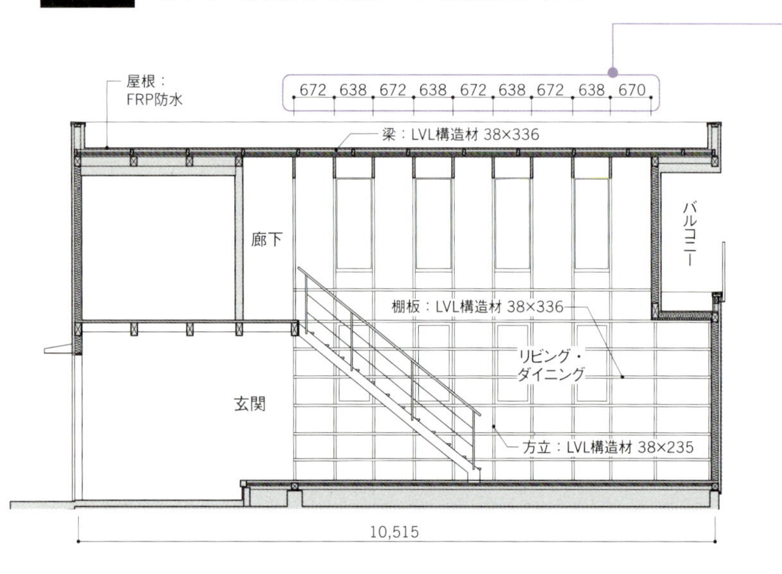
屋根：FRP防水
672 638 672 638 672 638 672 638 670
梁：LVL構造材 38×336
廊下
バルコニー
棚板：LVL構造材 38×336
リビング・ダイニング
玄関
方立：LVL構造材 38×235
10,515

方立・梁のピッチは開口部分で638㎜、壁面部分で672㎜として変化を付けている

上棟時の桁部分。桁には梁のピッチに合わせた欠込みが、方立の上端にはホゾ加工が、それぞれプレカットの段階で施されている

『藤沢の家』（設計・現場写真：北野博宣建築設計事務所／写真：小川重雄）

金物を見せない
納まりで
さらに美しく！

登り梁を ルーバーのように見せる

登り梁を露しにすると、開放的でダイナミックな空間をつくることができる。この場合、登り梁の寸法やピッチを十分に検討するほか、登り梁と桁が取り合う部分に金物が露出しないよう、納まりに工夫が必要となる。

本事例は、敷地の傾斜に合わせて架けた片流れの屋根を「く」の字形に折り曲げた形状。内部では細かいピッチで架けた登り梁をルーバーのように見せ、リズム感と軽快さをだした。桁との取合い部には接着剤を併用した金物を使用し、美しく納めている。

［望月新］

図1 登り梁をルーバーのように見せる 小屋伏図［S＝1:150］

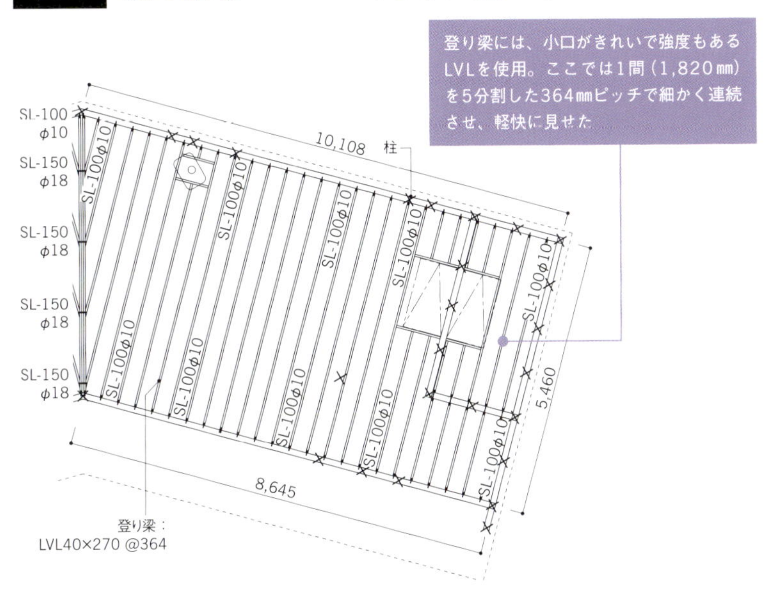

登り梁には、小口がきれいで強度もあるLVLを使用。ここでは1間（1,820㎜）を5分割した364㎜ピッチで細かく連続させ、軽快に見せた
SL-100 φ10
SL-150 φ18
SL-150 φ18
SL-150 φ18
SL-150 φ18
10,108
柱
SL-100φ10
5,460
8,645
登り梁：
LVL40×270 @364

南に傾斜する敷地に合わせ、2.5寸勾配の片流れ屋根を架けた。天井面は露しの登り梁を連続させるとともに、床面に段差を設けて、リビング（手前）とダイニング（奥）を緩やかに区分している

図2 桁との取合いに金物を見せない 断面詳細図［S＝1:20］

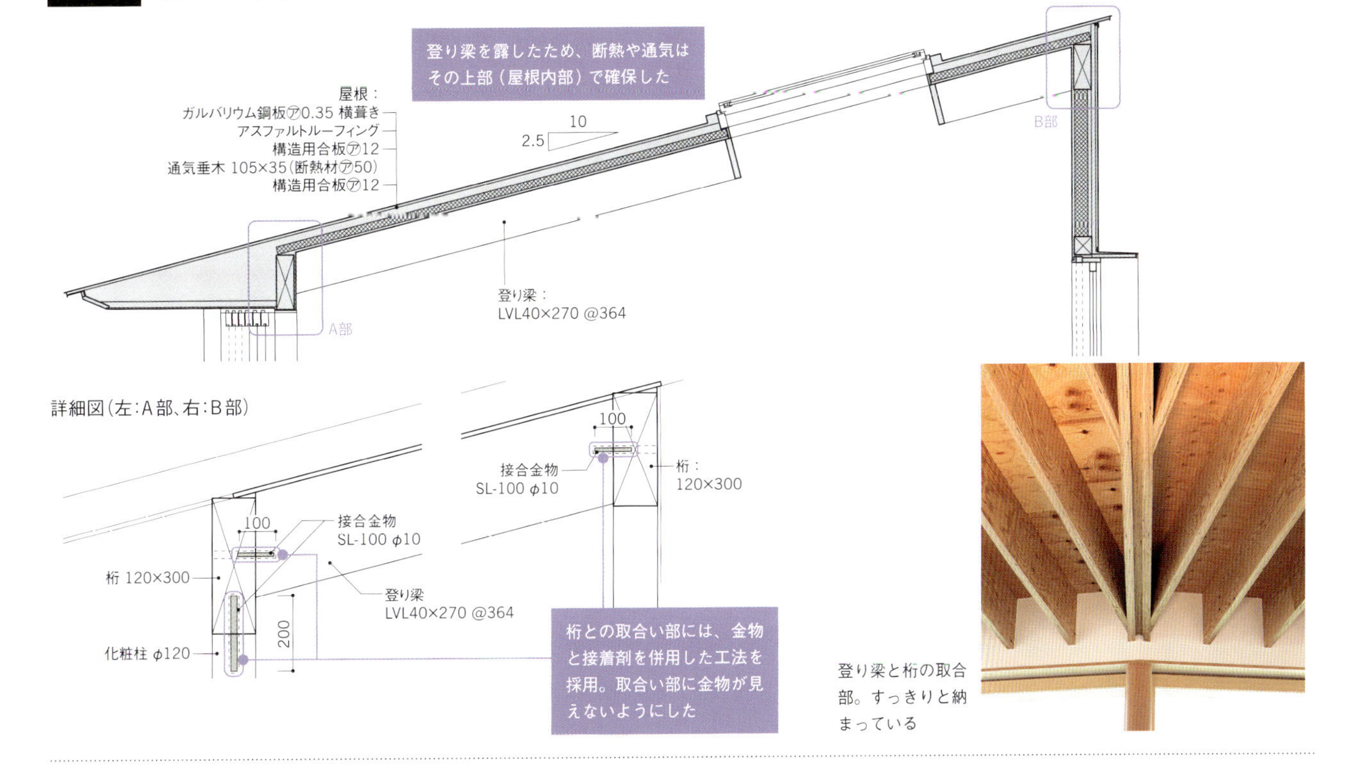

登り梁を露したため、断熱や通気はその上部（屋根内部）で確保した
屋根：
ガルバリウム鋼板㋐0.35 横葺き
アスファルトルーフィング
構造用合板㋐12
通気垂木 105×35（断熱材㋐50）
構造用合板㋐12
10
2.5
B部
A部
登り梁：
LVL40×270 @364
詳細図（左：A部、右：B部）
100
接合金物
SL-100 φ10
桁 120×300
登り梁
LVL40×270 @364
化粧柱 φ120
200
接合金物
SL-100 φ10
桁：
120×300
桁との取合い部には、金物と接着剤を併用した工法を採用。取合い部に金物が見えないようにした

登り梁と桁の取合部。すっきりと納まっている

変形シザーストラスでつくる個性的な大空間

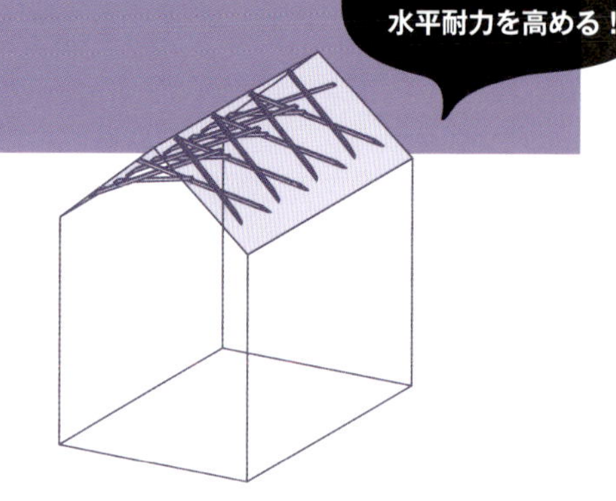
梁を立体交差させて
水平耐力を高める！

シザーストラスの引張材を立体的に交差させた「ツイストトラス」で、柱や間仕切りを最小限とした大空間を実現した［図1］。トラスは一見複雑に見えるが、合掌に取合う斜材を互違いに交差させた単純な構成である［図2］。斜材を立体的に交差させることで、通常のシザーストラスよりも水平力を高めることができる。

登り梁と斜材の取り合い部が立体的になるため、基本単位となる一間分の原寸大模型を作成し、各仕口の納まりを共有してから施工をすすめた［図3］。伝統的な屋根架構の発展系を追求し、構造がより強固でイメージも新しい架構が生まれた。　［佐藤宏尚］

図1　引張材を立体的に交差させる　断面図［S＝1:200］｜断面図［S＝1:200］

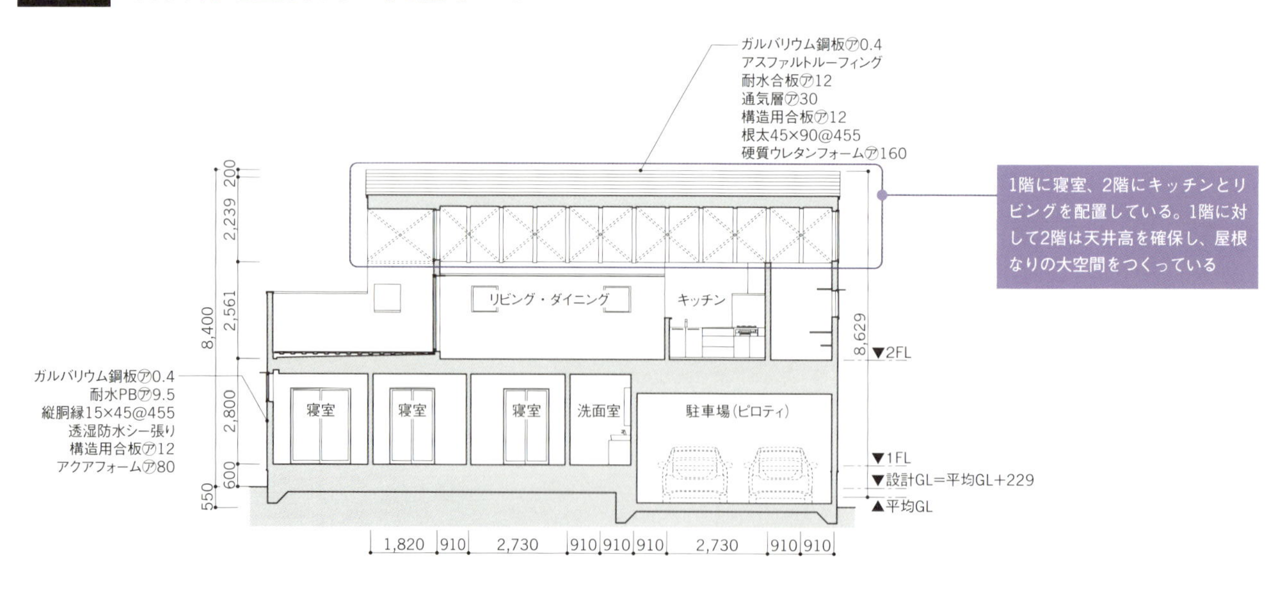
ガルバリウム鋼板㋐0.4
アスファルトルーフィング
耐水合板㋐12
通気層㋐30
構造用合板㋐12
根太45×90@455
硬質ウレタンフォーム㋐160
1階に寝室、2階にキッチンとリビングを配置している。1階に対して2階は天井高を確保し、屋根なりの大空間をつくっている
リビング・ダイニング
キッチン
寝室
寝室
寝室
洗面室
駐車場（ピロティ）
ガルバリウム鋼板㋐0.4
耐水PB㋐9.5
縦胴縁15×45@455
透湿防水シー張り
構造用合板㋐12
アクアフォーム㋐80
200
2,239
2,561
8,400
2,800
600
550
8,629
▼2FL
▼1FL
▼設計GL＝平均GL＋229
▲平均GL
1,820
910
2,730
910
910
910
2,730
910
910

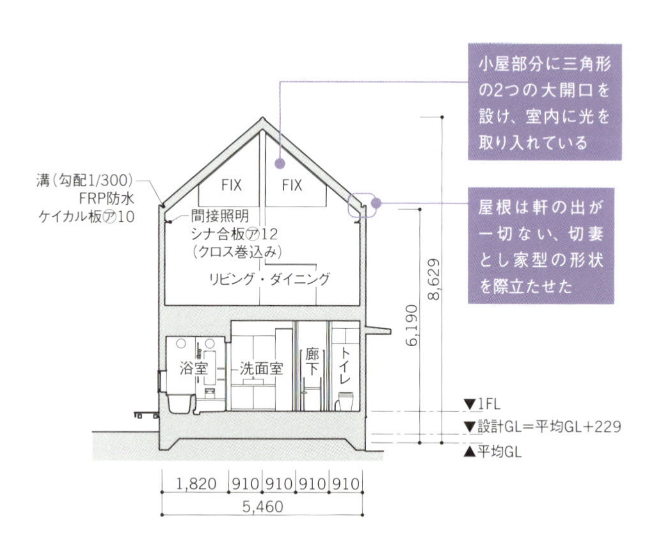
小屋部分に三角形の2つの大開口を設け、室内に光を取り入れている
屋根は軒の出が一切ない、切妻とし家型の形状を際立たせた
溝（勾配1/300）
FRP防水
ケイカル板㋐10
FIX
FIX
間接照明
シナ合板㋐12
（クロス巻込み）
リビング・ダイニング
浴室
洗面室
廊下
トイレ
8,629
6,190
▼1FL
▼設計GL＝平均GL＋229
▲平均GL
1,820
910
910
910
910
5,460

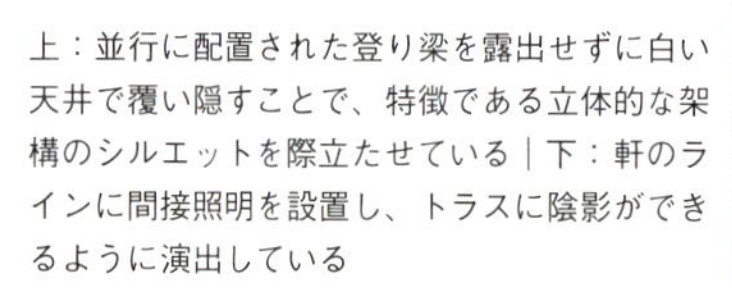

上：並行に配置された登り梁を露出せずに白い天井で覆い隠すことで、特徴である立体的な架構のシルエットを際立たせている｜下：軒のラインに間接照明を設置し、トラスに陰影ができるように演出している

図2 斜材は羽子板ボルトとドリフトピンで留める 軸組図[S＝1:100]

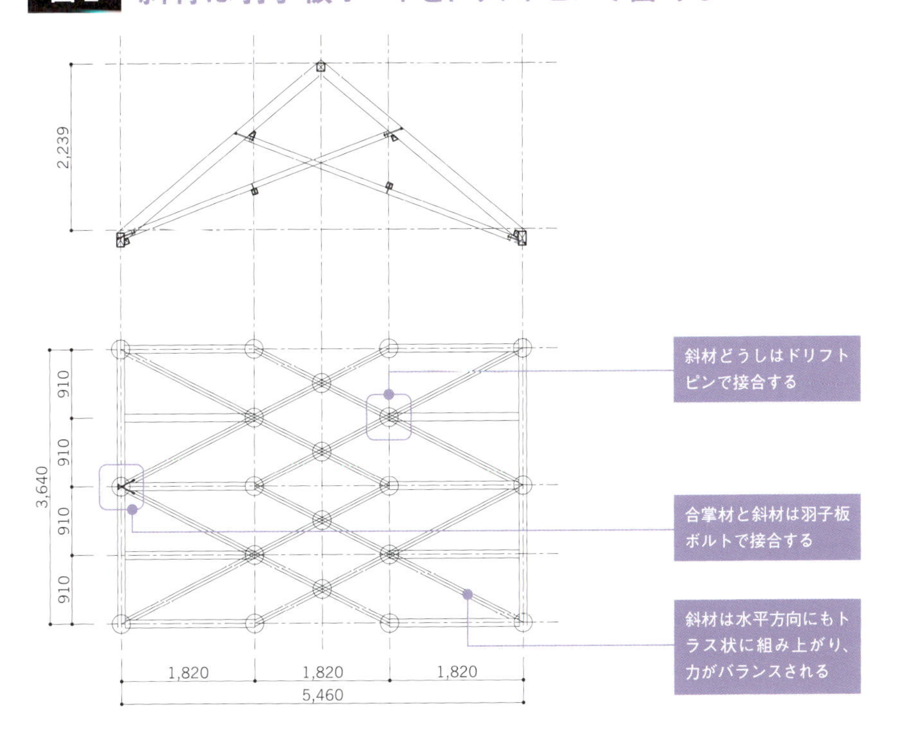
2,239
3,640
910
910
910
910
1,820
1,820
1,820
5,460
斜材どうしはドリフトピンで接合する
合掌材と斜材は羽子板ボルトで接合する
斜材は水平方向にもトラス状に組み上がり、力がバランスされる

1間分のモックアップ。原寸大模型では、接合部の取り合いについて検証した

図3 2階は柱のない大空間となる 平面図[S＝1:200]

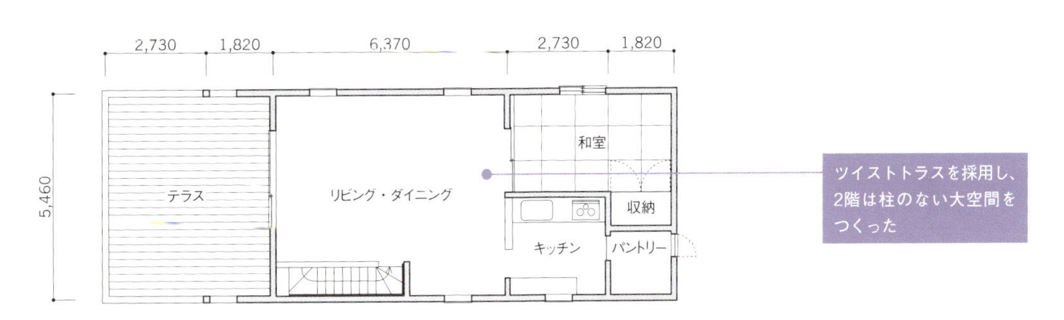
2,730
1,820
6,370
2,730
1,820
5,460
テラス
リビング・ダイニング
和室
収納
キッチン
パントリー
ツイストトラスを採用し、2階は柱のない大空間をつくった

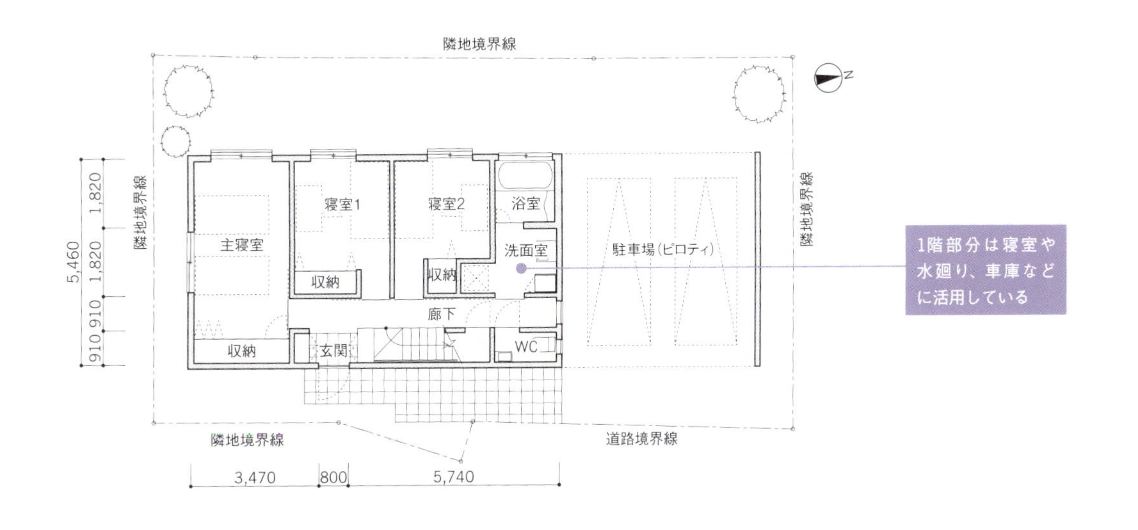
隣地境界線
隣地境界線
隣地境界線
隣地境界線
道路境界線
1,820
1,820
910
910
5,460
主寝室
寝室1
寝室2
浴室
洗面室
収納
収納
収納
廊下
玄関
WC
駐車場(ピロティ)
3,470
800
5,740
1階部分は寝室や水廻り、車庫などに活用している

アプローチに趣を添える トラス屋根

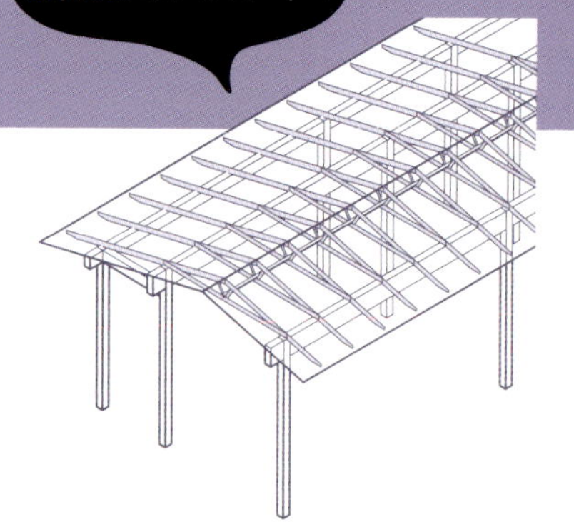
トラス架構の露しで
表情豊かなアプローチ！

小屋裏空間の活用、天井高の確保などの観点から、近年では洋小屋の屋根が減る方向にある。しかし、居住空間以外の屋根では、連続したトラスの美しい架構を見せることも検討したい。

本事例では、全長約12ｍのアプローチにトラス架構の屋根を架けた。露しの架構が、屋根の上げ裏に軽快でリズミカルな陰影をつくりだしている。母屋（おもや）はRC造で切妻の屋根が架かる和洋折衷の意匠だが、このアプローチは茶庭に面しているため、和の趣を強めに表現した。［井上尚夫］

図1 トラス架構を露したアプローチの屋根 小屋組詳細図[S＝1:10]

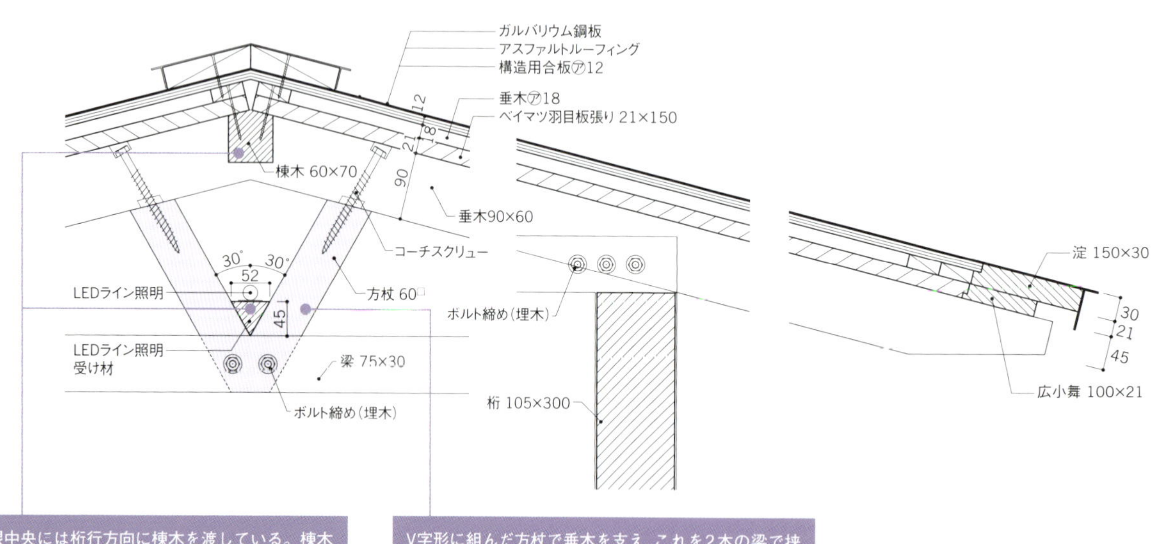
ガルバリウム鋼板
アスファルトルーフィング
構造用合板㋐12
垂木㋐18
ベイマツ羽目板張り 21×150
12
18
21
90
棟木 60×70
垂木90×60
コーチスクリュー
30°
30°
52
LEDライン照明
方杖 60□
45
LEDライン照明
受け材
梁 75×30
ボルト締め（埋木）
ボルト締め（埋木）
桁 105×300
淀 150×30
30
21
45
広小舞 100×21

屋根中央には桁行方向に棟木を渡している。棟木の成は垂木より20㎜ほど小さくし、軽快に見せた。方杖の中央、入隅部分には三角形の受け材を流し、その上にLEDライン照明を仕込んでいる

V字形に組んだ方杖で垂木を支え、これを2本の梁で挟み、中央と桁上部をボルトで留める。ボルトの孔は埋木で隠す。この架構を600㎜ピッチで約12ｍ、露しで連続させ、アプローチの上げ裏に趣をだした

図2 待合の庇としても利用する 1階平面図[S＝1:250]

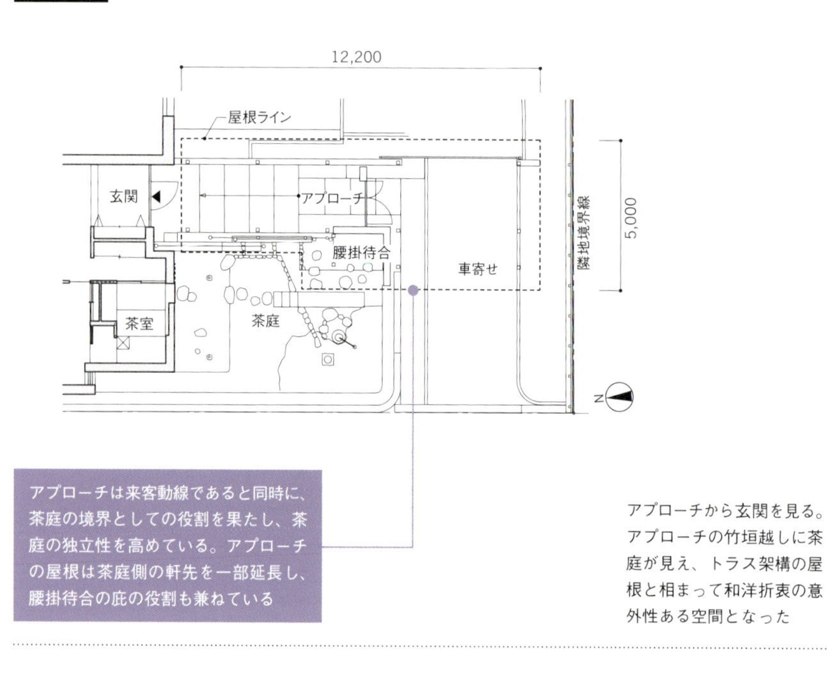
12,200
屋根ライン
玄関
アプローチ
腰掛待合
車寄せ
隣地境界線
5,000
茶室
茶庭
N

アプローチは来客動線であると同時に、茶庭の境界としての役割を果たし、茶庭の独立性を高めている。アプローチの屋根は茶庭側の軒先を一部延長し、腰掛待合の庇の役割も兼ねている

アプローチから玄関を見る。アプローチの竹垣越しに茶庭が見え、トラス架構の屋根と相まって和洋折衷の意外性ある空間となった

『百日紅のある家』（設計：井上尚夫総合計画事務所／写真：ヴィブラフォト 浅田美浩）

2重の下屋で軒下に光を届ける

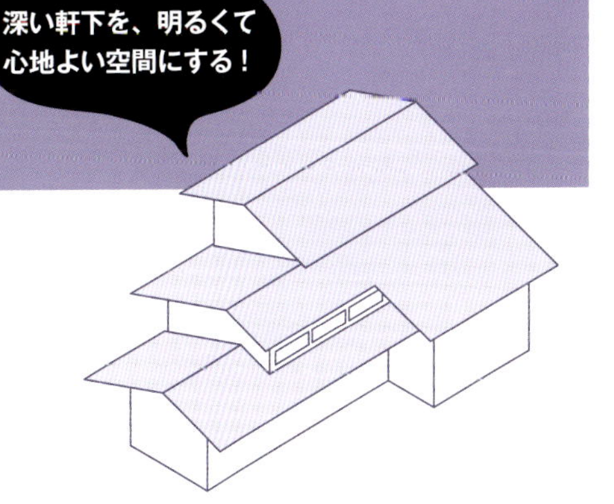
深い軒下を、明るくて心地よい空間にする！

心地よい縁側には、低く、深い軒下空間が欠かせない。2階建てでこうした縁側を実現するには、縁側部分に下屋を設ける方法があるが、下屋の軒を深く出すと内部に光が届かず、暗い空間となってしまう。

本事例は、大きな平屋の一部に、部分2階の切妻を載せた形状の住宅［図1］。縁側のある平屋部分は深く軒を出し、しかもその内部に光が届くよう、1階と2階の中間にもう1層の切妻を挿入して、この壁面にハイサイドライトを設けている［図2］。

［大島健二］

図1 切妻を重ねて軒を低くつくる 屋根伏図［S＝1:200］

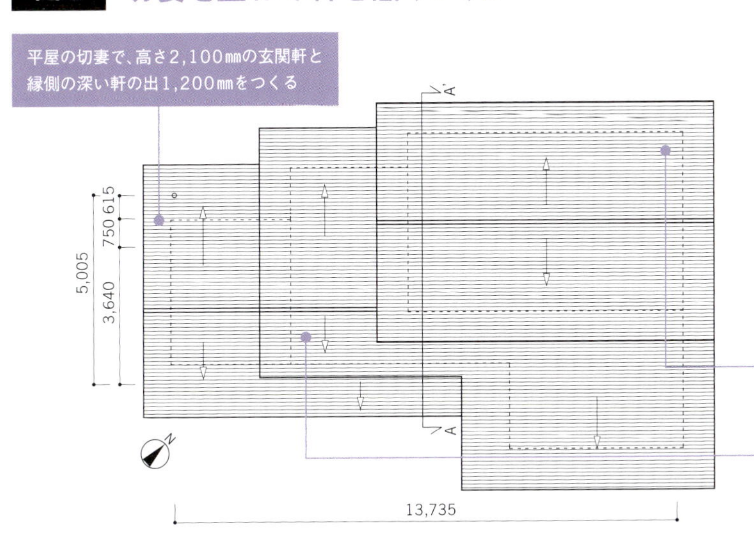
平屋の切妻で、高さ2,100㎜の玄関軒と縁側の深い軒の出1,200㎜をつくる
5,005
750
615
3,640
13,735
A
A'
2階の切妻。部分2階とすることで、必要な容積を確保した
中間の切妻。ハイサイドライトを設けた切妻を挿入することで、深い縁側での採光が可能に

外観。低く深い軒下空間をつくることで、和の趣を醸し出している。深い軒下は、外壁を保護する役割も果たすので、木質系や左官などの軟らかい外壁材との相性もよい

図2 中間に下屋を設け、ハイサイドライトで採光を得る A-A' 断面図［S＝1:80］

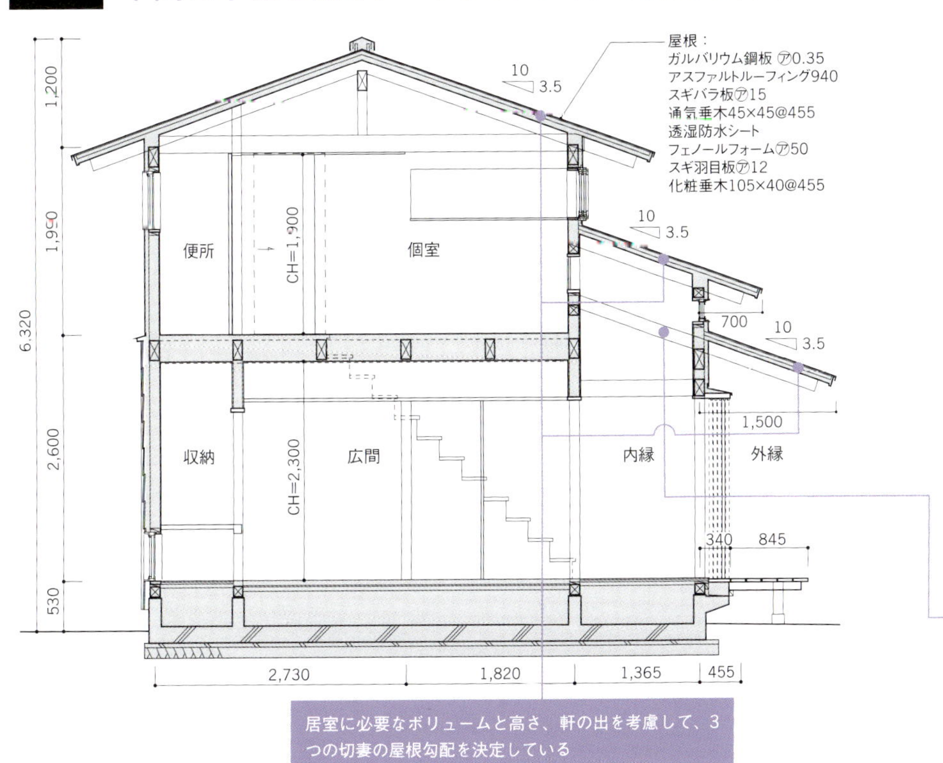
屋根：
ガルバリウム鋼板 ⑦0.35
アスファルトルーフィング940
スギバラ板⑦15
通気垂木45×45@455
透湿防水シート
フェノールフォーム⑦50
スギ羽目板⑦12
化粧垂木105×40@455
10
3.5
1,200
1,900
2,600
530
6,320
便所
個室
CH=1,900
収納
広間
CH=2,300
内縁
外縁
700
1,500
340
845
2,730
1,820
1,365
455
居室に必要なボリュームと高さ、軒の出を考慮して、3つの切妻の屋根勾配を決定している
支柱なしで深い軒を出す場合には、垂木を室内まで貫通させて支える必要がある。105×40の細い垂木の連続（455㎜ピッチ）を見せることで、奥行きを演出をした

縁側から和室を見る。切妻を重ねて部屋をつくっていくことで、内部と外部の中間領域を生みだし、日本的で曖昧な空間をつくっている

『下総中山の家』（設計・写真：OCM一級建築士事務所）

付け垂木で下階も露しに見せる

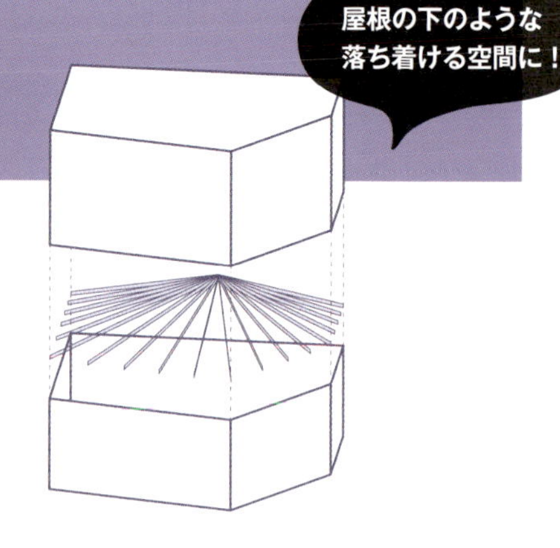
屋根の下のような
落ち着ける空間に！

架構露しの天井は空間に大らかな印象を与える。しかし、2階建てで1階をリビングにした場合には斜め材の架構を露しにできないため、天井の仕上げを工夫したい。

本事例は、周囲の緑地との一体感を得るため、2階建ての1階にリビングを計画。リビングの天井には放射状に広がる付け垂木を設け、屋根の下のような雰囲気に見せている［図1］。付け垂木は、緑地につながる開口部に向かって緩やかに傾斜させ、視線を外部へと導くことで、広がり感を演出した［図2］。［西久保毅人］

図1 開口部に向けて放射状に化粧梁を架ける 1階天井伏図［S＝1:100］

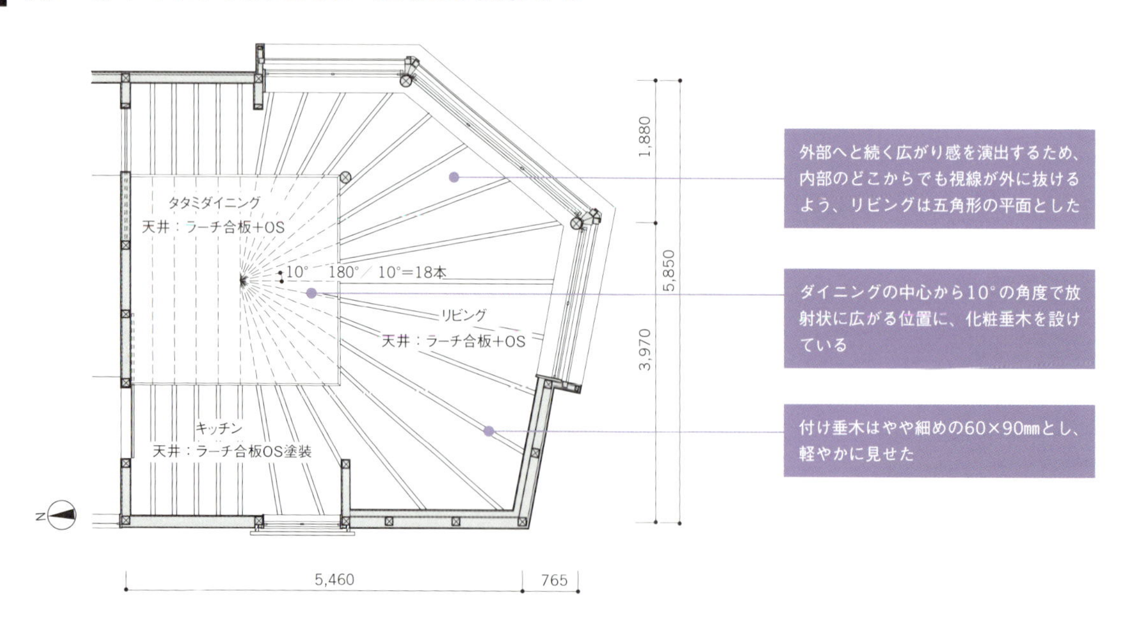
タタミダイニング
天井：ラーチ合板＋OS
10°　180°／10°=18本
リビング
天井：ラーチ合板＋OS
キッチン
天井：ラーチ合板OS塗装
N
1,880
5,850
3,970
5,460
765
外部へと続く広がり感を演出するため、内部のどこからでも視線が外に抜けるよう、リビングは五角形の平面とした
ダイニングの中心から10°の角度で放射状に広がる位置に、化粧垂木を設けている
付け垂木はやや細めの60×90㎜とし、軽やかに見せた

図2 梁の傾斜で視線を誘導する 断面図［S＝1:150］

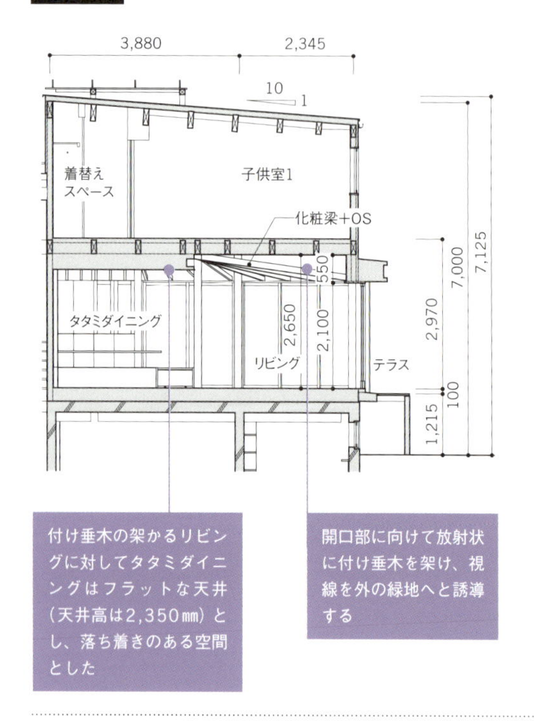
3,880
2,345
10
1
着替え
スペース
子供室1
化粧梁＋OS
タタミダイニング
リビング
テラス
550
2,650
2,100
2,970
7,000
7,125
100
1,215
付け垂木の架かるリビングに対してタタミダイニングはフラットな天井（天井高は2,350㎜）とし、落ち着きのある空間とした
開口部に向けて放射状に付け垂木を架け、視線を外の緑地へと誘導する

ダイニングから外の緑地を見る。天井面は黒く塗装し、トーンを落とすことで、付け垂木が浮き上がって見えるようにしている

『三輪さんの家』（設計・写真：ニコ設計室）

付け垂木を美しく見せる方法

コストをかけずに露しの空間を表現！

屋根なりの勾配天井とした住宅などでは、垂木や梁を露しにしてダイナミックな空間をつくりたい。しかし、節のない木をそろえ、断熱や通気の問題もクリアする必要があるなど、材料費や施工費がかさみがちだ。

こうした空間を、コストを抑えて演出したい場合は、本事例のように実際の垂木は天井懐に隠し、付け垂木を見せる方法を検討するとよい。ただし、いかにも「取って付けた」雰囲気にならないよう、付け垂木の寸法や天井面の見え方には工夫が必要だ。

［泉幸甫］

図1 付け垂木を「本物」に見せる 天井伏図［S＝1：150］

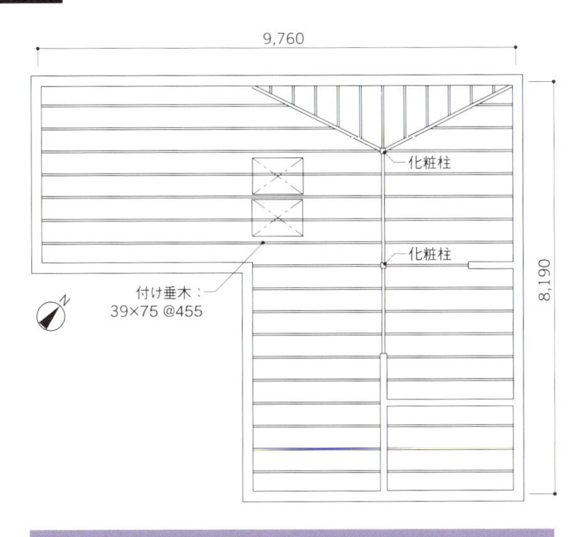
9,760
化粧柱
化粧柱
付け垂木：
39×75 @455
8,190

本物の垂木が天井面から顔を出しているように見せるには、ある程度成のある材を使う必要がある。ここでは39×75㎜のスギ材を455㎜ピッチで配し、隠し釘で留め付けた

屋根頂部直下のリビング。北側（写真奥）は斜線制限の影響で一部寄棟状となっている。付け垂木もこれに合わせて向きを変えたことで、空間のリズムに変化が生まれた

図2 大屋根×付け垂木 断面図［S＝1：100］

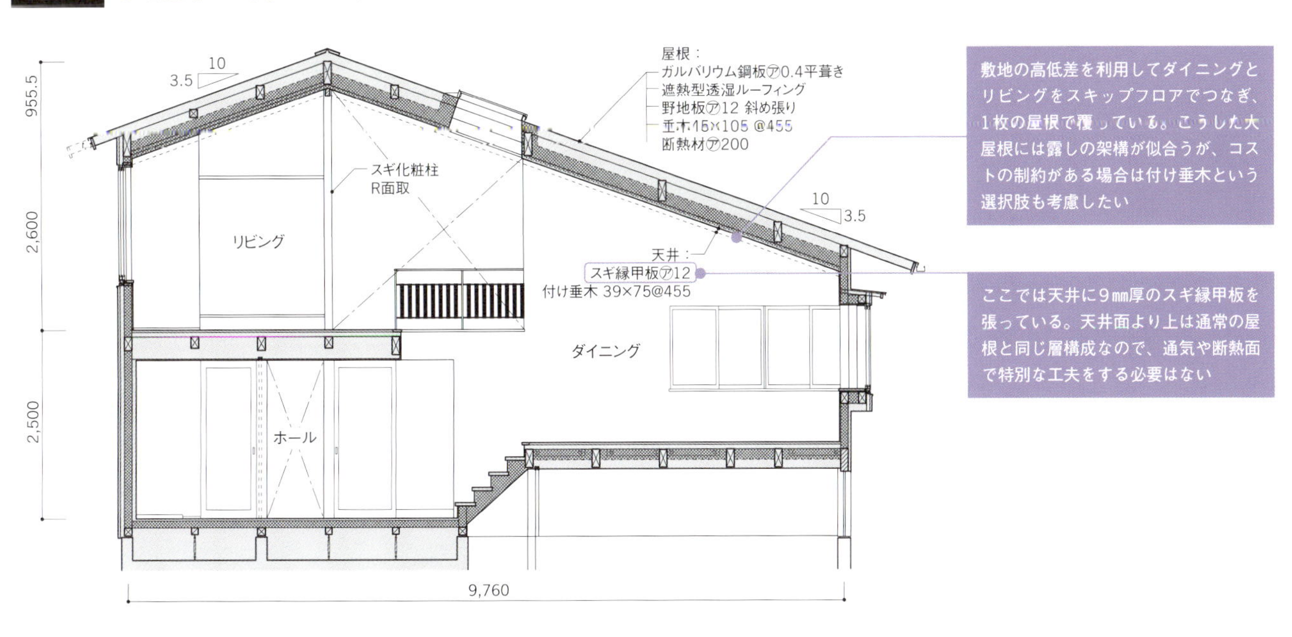
955.5
2,600
2,500
10
3.5
屋根：
ガルバリウム鋼板㋐0.4平葺き
遮熱型透湿ルーフィング
野地板㋐12 斜め張り
垂木45×105 @455
断熱材㋐200
スギ化粧柱
R面取
リビング
10
3.5
天井：
スギ縁甲板㋐12
付け垂木 39×75@455
ダイニング
ホール
9,760

敷地の高低差を利用してダイニングとリビングをスキップフロアでつなぎ、1枚の屋根で覆っている。こうした大屋根には露しの架構が似合うが、コストの制約がある場合は付け垂木という選択肢も考慮したい

ここでは天井に9㎜厚のスギ縁甲板を張っている。天井面より上は通常の屋根と同じ層構成なので、通気や断熱面で特別な工夫をする必要はない

けらばを薄くすっきり見せる方法

水平垂木で片流れの妻側をシンプルにかつ美しく！

片流れで妻側にファサードをもつ建物の場合、けらばの見え方は外観の印象に大きく影響する。

本事例は海岸線にほど近い静かな住宅街にあり、2階からは海が望める。風光明媚なこの地域の雰囲気に合わせ、青空に斜めの直線が走るような4寸勾配の片流れ屋根を架けた。ファサードとなる西側の妻面はできるだけシンプルに見せたい。そこで破風板の見付けが厚くならないよう、母屋は外壁から跳ね出さず、けらば部分に水平垂木を流している。 [望月新]

図1 母屋を外壁に跳ね出さない 小屋伏図[S＝1:100]

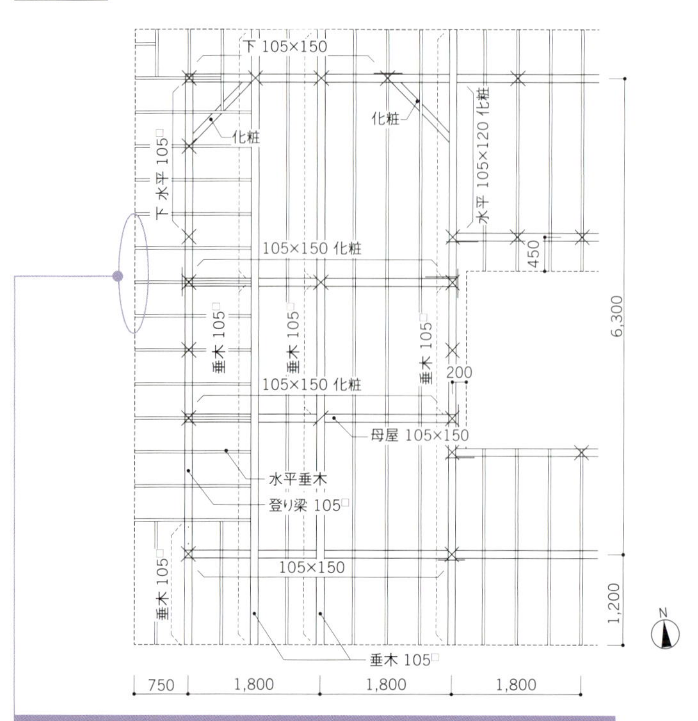
下 105×150
化粧
化粧
水平 105×120 化粧
下 水平 105□
105×150 化粧
450
6,300
垂木 105□
垂木 105□
垂木 105□
200
105×150 化粧
母屋 105×150
水平垂木
登り梁 105□
105×150
垂木 105□
1,200
垂木 105□
N
750
1,800
1,800
1,800

通常、破風板は外壁から跳ね出した母屋（105×150㎜）を隠すために見付け寸法が厚くなるが、ここでは母屋を外壁ラインの手前で止め、母屋の代わりに水平垂木（105×105㎜）を跳ね出すことでけらばを出している

西側のファサード。斜線などの法規制が緩かったので、軒の深いシンプルな片流れ屋根を架けることができた。破風板の見付け寸法を120㎜に抑えたことで、薄い1枚の板を載せたようなシャープな屋根となった

図2 破風板の見付け寸法を抑える けらば詳細図[S＝1:12]

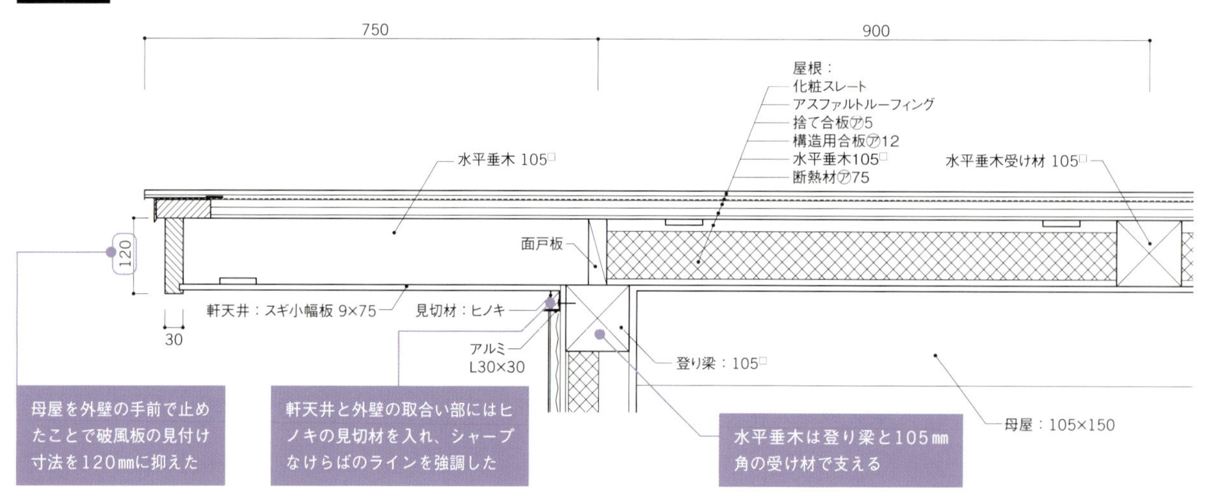
750
900
屋根：
化粧スレート
アスファルトルーフィング
捨て合板㋐5
構造用合板㋐12
水平垂木105□
断熱材㋐75
水平垂木 105□
水平垂木受け材 105□
120
面戸板
軒天井：スギ小幅板 9×75
見切材：ヒノキ
30
アルミ
L30×30
登り梁：105□
母屋：105×150

母屋を外壁の手前で止めたことで破風板の見付け寸法を120㎜に抑えた

軒天井と外壁の取合い部にはヒノキの見切材を入れ、シャープなけらばのラインを強調した

水平垂木は登り梁と105㎜角の受け材で支える

『材木座の家』（設計：望月建築アトリエ／写真：atelierR 畑耕）

桁行が広い切妻は軒先を細くつくる

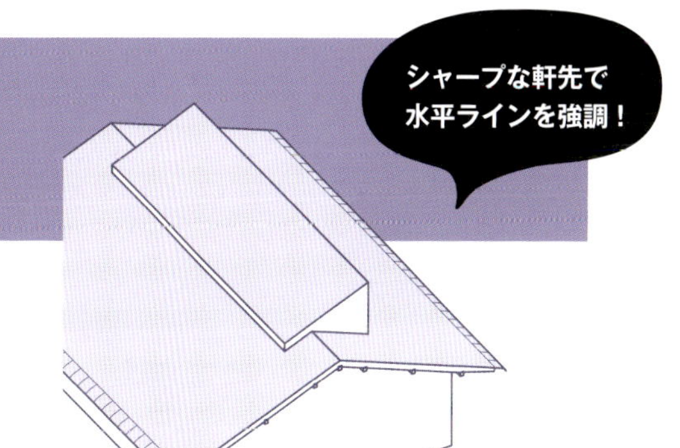

シャープな軒先で
水平ラインを強調！

切妻の平屋では、軒先がシャープに見えるよう、ディテールを工夫したい。本事例は、桁行方向に長い切妻の平屋。平側の軒（軒の出1.8m）の水平ラインを強調するため、軒天井に露しになった垂木の下端を斜めに削って細く見せた。さらに垂木の先端に、R加工をした広小舞を設けることで、軒先を薄く見せている［図1］。

屋根の仕上げはガルバリウム鋼板の立平はぜ葺きとしているが、軒先420㎜のみ平葺きとして緩やかな曲面をつくり、軒先の細さを強調した［図2］。［瀬野和広］

図1 軒を深く低く出す 断面図［S＝1:100］

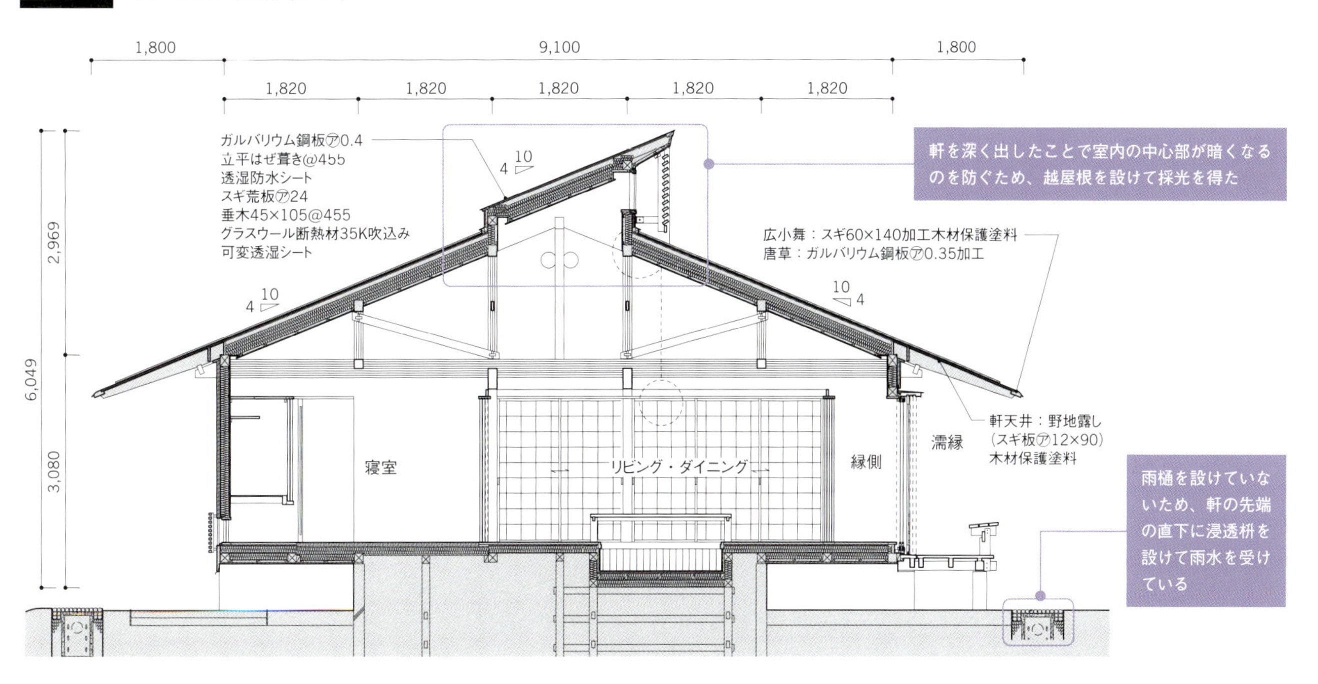

1,800
9,100
1,800
1,820
1,820
1,820
1,820
1,820
ガルバリウム鋼板㋐0.4
立平はぜ葺き@455
透湿防水シート
スギ荒板㋐24
垂木45×105@455
グラスウール断熱材35K吹込み
可変透湿シート
軒を深く出したことで室内の中心部が暗くなるのを防ぐため、越屋根を設けて採光を得た
広小舞：スギ60×140加工木材保護塗料
唐草：ガルバリウム鋼板㋐0.35加工
2,969
6,049
3,080
寝室
リビング・ダイニング
縁側
濡縁
軒天井：野地露し
（スギ板㋐12×90）
木材保護塗料
雨樋を設けていないため、軒の先端の直下に浸透桝を設けて雨水を受けている

図2 軒先を薄く見せる 軒先詳細図［S＝1:10］

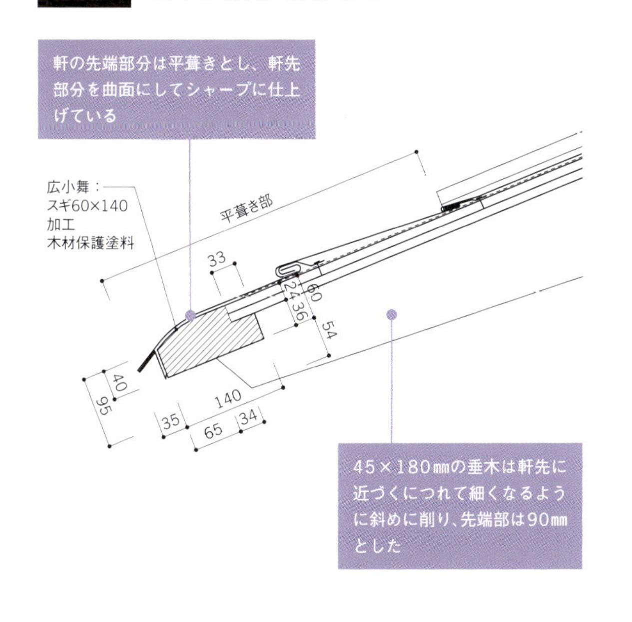

軒の先端部分は平葺きとし、軒先部分を曲面にしてシャープに仕上げている
広小舞：
スギ60×140
加工
木材保護塗料
平葺き部
33
60
24
36
54
40
95
140
35
65
34
45×180㎜の垂木は軒先に近づくにつれて細くなるように斜めに削り、先端部は90㎜とした

外観。軒を深く出すことで、やや傾斜地で基礎高さが気になる外観に、軒の出で包み込むような安定感を演出している。深い軒は、木質系の外壁材を風雨から保護している

自然素材で美しい屋根をつくる

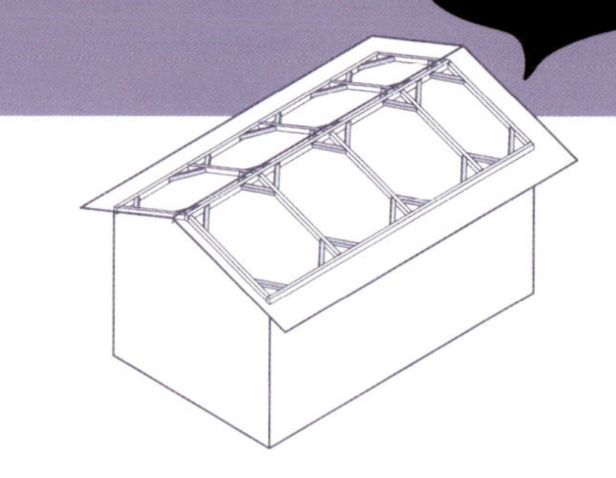
構造用合板なしで
水平構面を確保！

自然素材を重視することが要望された場合、屋根の水平構面を、構造用合板を用いて確保することは難しくなる。こうしたケースでは、斜めの火打ち梁や、接着剤をできる限り使わない積層パネルなどを使っている［図1〜3］。登り梁や野地板を露し、自然素材の質感を生かした空間も演出できる。

こうした質感を外観にも表現したい場合は、軒天井やけらばに野地板を露す方法がある。野地板を持ち出して、厚くなりがちなけらばをすっきり見せることも可能だ［図4］。

［田中敏溥］

図1 斜めの火打ち梁で水平構面を確保

屋根伏図［S＝1:120］｜断面図［S＝1:30］

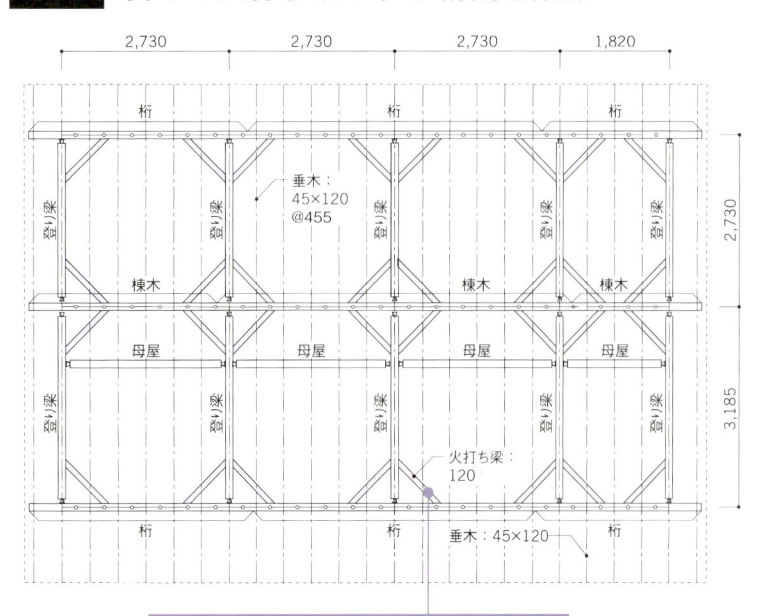
2,730
2,730
2,730
1,820
桁
垂木：45×120 @455
登り梁
棟木
母屋
火打ち梁：120
垂木：45×120
2,730
3,185

軒桁や棟木、登り梁に合わせて斜めに火打ち梁を入れ、構造用合板を張ることなく水平構面を確保した

この住宅の2階は構造のグリッドに合わせて細かく区分されたプランのため、露しの火打ち梁も視覚的に気にならない

断熱材も自然素材であることを優先し、石油製品でない樹皮断熱材を使用して外張り断熱としたため、天井面にスギの野地板を露している

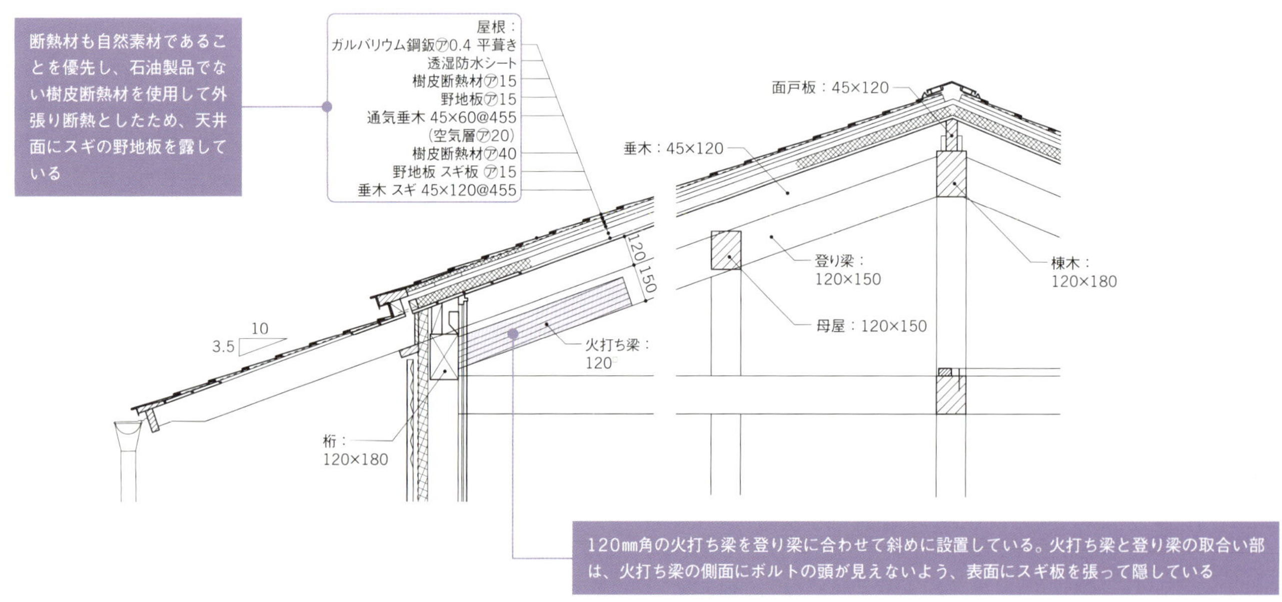
屋根：
ガルバリウム鋼鈑㋐0.4 平葺き
透湿防水シート
樹皮断熱材㋐15
野地板㋐15
通気垂木 45×60@455
（空気層㋐20）
樹皮断熱材㋐40
野地板 スギ板 ㋐15
垂木 スギ 45×120@455
120
150
3.5
10
火打ち梁：120
桁：120×180
面戸板：45×120
垂木：45×120
登り梁：120×150
母屋：120×150
棟木：120×180

120㎜角の火打ち梁を登り梁に合わせて斜めに設置している。火打ち梁と登り梁の取合い部は、火打ち梁の側面にボルトの頭が見えないよう、表面にスギ板を張って隠している

『広島の家』（設計：田中敏溥建築設計事務所／写真：垂見孔士）

図2 スギの積層パネルで水平構面を確保

断面図[S＝1:50]

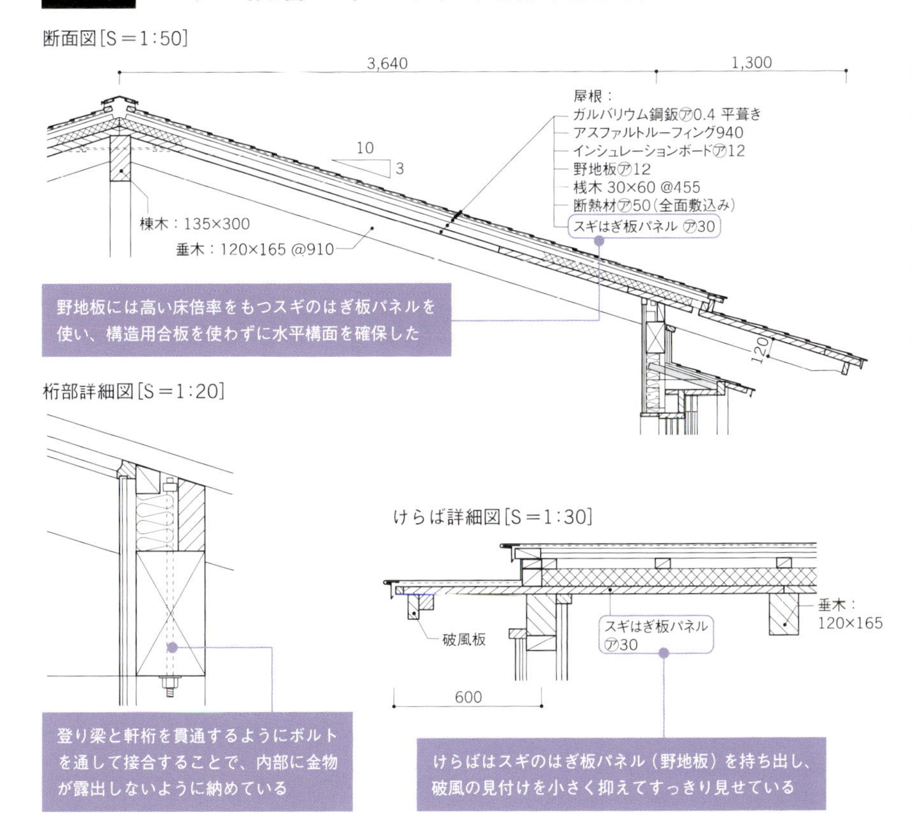

3,640
1,300
屋根：
ガルバリウム鋼鈑⑦0.4 平葺き
アスファルトルーフィング940
インシュレーションボード⑦12
野地板⑦12
桟木 30×60 @455
断熱材⑦50(全面敷込み)
スギはぎ板パネル ⑦30
10
3
棟木：135×300
垂木：120×165 @910
120
桁部詳細図[S＝1:20]
けらば詳細図[S＝1:30]
垂木：
120×165
スギはぎ板パネル
⑦30
破風板
600

野地板には高い床倍率をもつスギのはぎ板パネルを使い、構造用合板を使わずに水平構面を確保した

登り梁と軒桁を貫通するようにボルトを通して接合することで、内部に金物が露出しないように納めている

けらばはスギのはぎ板パネル（野地板）を持ち出し、破風の見付けを小さく抑えてすっきり見せている

この住宅では、2階リビングに開放感が生まれるよう、垂木を兼ねる登り梁と、水平構面をつくるはぎ板のパネルをともに露しにして、力強い架構を表現した

図3 棟木と軒桁を持ち出してけらばをすっきり見せる

小屋伏図[S＝1:100]

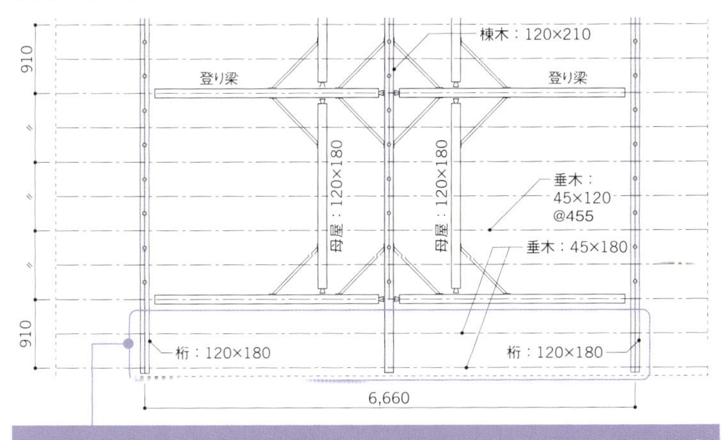

910
棟木：120×210
登り梁
登り梁
母屋：120×180
母屋：120×180
垂木：
45×120
@455
垂木：45×180
910
桁：120×180
桁：120×180
6,660

棟木と2本の軒桁を910㎜持ち出してけらばを大きく出した。母屋は外壁の手前で止め、成を180㎜に上げた垂木でけらばの出を支えている。軒天井は張らず、野地板を露しとした

この住宅ではけらばを大きく出し、天井を張らずに野地板を露し、すっきりと見せた

軒先詳細図[S＝1:25]

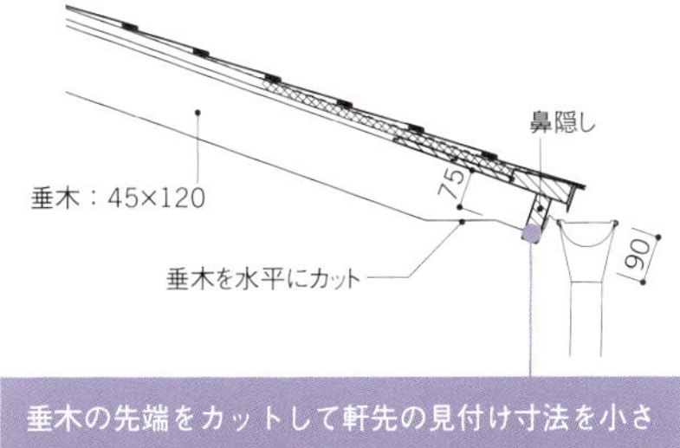

鼻隠し
垂木：45×120
75
90
垂木を水平にカット

垂木の先端をカットして軒先の見付け寸法を小さく抑えた。これにより鼻隠しに合わせてけらばに廻された破風板も小さくなり、けらばの印象をより軽快にしている

けらば詳細図[S＝1:25]

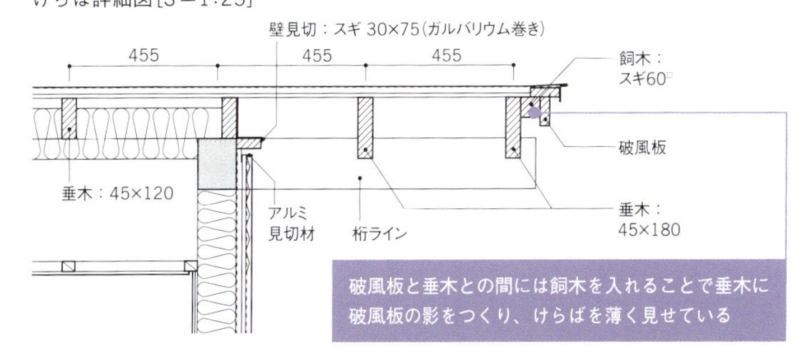

壁見切：スギ 30×75(ガルバリウム巻き)
455
455
455
飼木：
スギ60□
破風板
垂木：45×120
アルミ
見切材
桁ライン
垂木：
45×180

破風板と垂木との間には飼木を入れることで垂木に破風板の影をつくり、けらばを薄く見せている

『湘南の家』（設計：田中敏溥建築設計事務所／写真：垂見孔士）
『稲沢の家』（設計：田中敏溥建築設計事務所／写真：垂見孔士）

DVDビデオ

「木造住宅の屋根・小屋組」

動画でわかる!【DVDビデオ】

構造家による模型を用いた解説や、建築現場で架構を見ながらの設計者の解説など、
すぐに実践で活かせる知識が満載です。本文とDVDビデオを合わせて見れば、より理解が深まります！

第1部

屋根の形状と構造［16分］

切妻や片流れ、陸屋根など、木造住宅でよく用いられる基本的な屋根形状について、それぞれの利点や注意点を紹介。さらに、精巧な軸組模型で木造の屋根架構を徹底解剖します。部材の名称や役割の説明はもちろん、「小屋梁のない空間をつくりたい」「屋根を支える柱を省略したい」といった意匠上の要望について、構造設計者が丁寧に解説します。

第2部

屋根に求められる性能［28分］

防水や断熱、通気など、屋根に必要な性能を確保する方法について、現場監理の経験豊富な意匠設計者と、数々の木造住宅を手がけてきたベテラン工務店が、それぞれの立場から解説します。普段はなかなか見ることができない屋根の施工現場や、模型を使った板金屋根の仕組みなど、現場監理入門者にはうってつけの内容です。

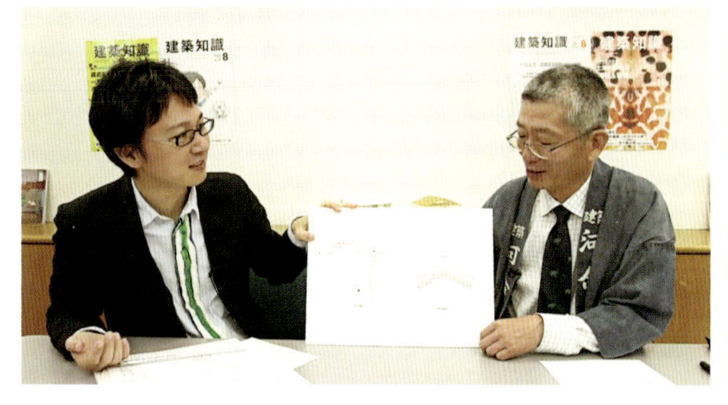
建築知識
建築知識

第3部

竣工事例紹介［16分］

意匠設計者と構造設計者のコラボレーションで生まれた屋根の事例を紹介。鉄骨とLVLを組み合わせたハイブリッドな登り梁で大スパンを飛ばす方法や、八角形の屋根＋立体トラスで無柱の大空間をつくる方法など、“ワンランク上の屋根”に挑戦したい設計者必見の内容です。

ビデオ解説で使用した軸組模型をパースで再現！

（左：和小屋　右：登り梁）

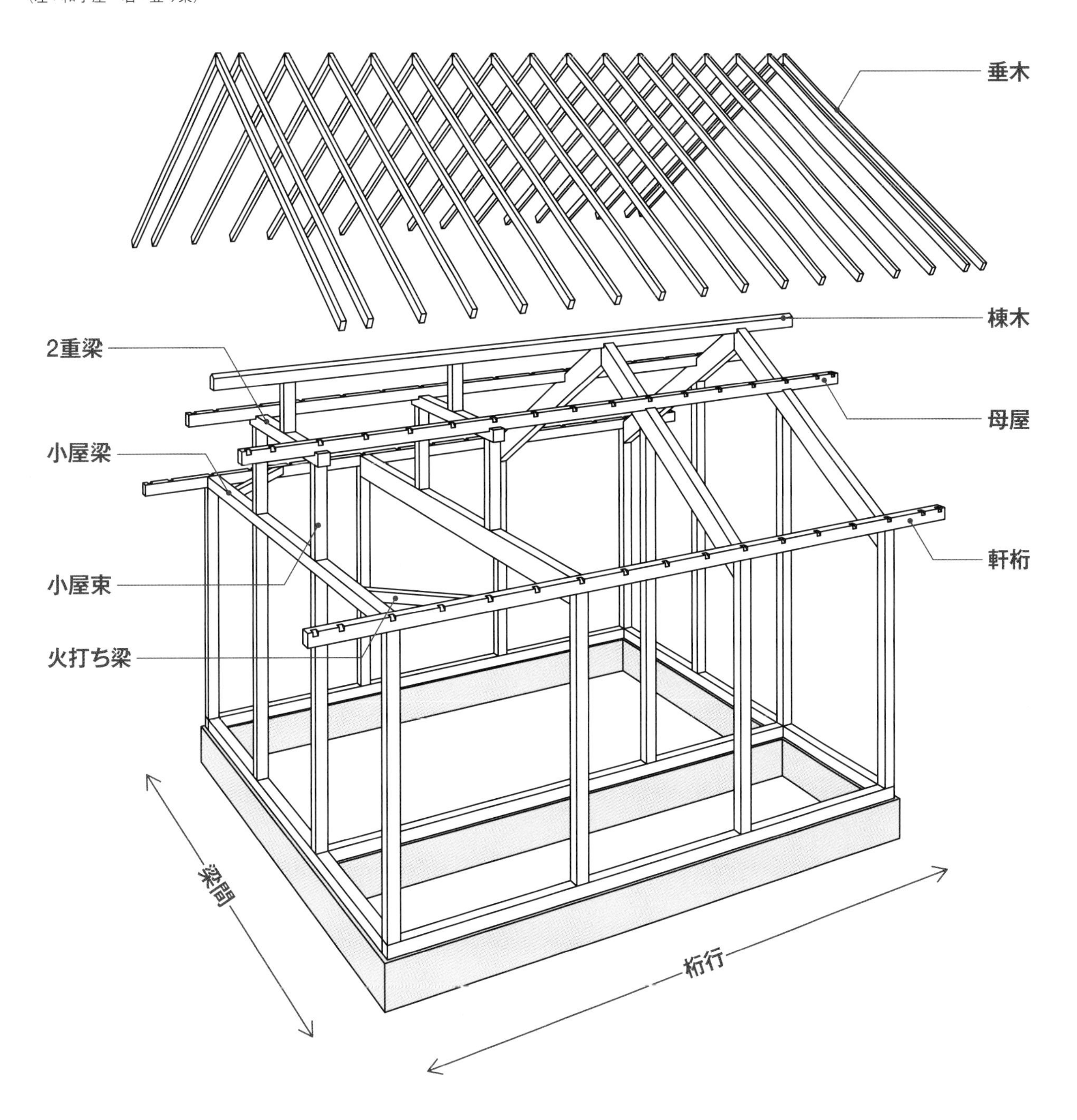

垂木
棟木
2重梁
母屋
小屋梁
軒桁
小屋束
火打ち梁
梁間
桁行

今回のビデオでは、便宜上、左半分を和小屋形式、右半分を登り梁形式にした模型を使用している。上図に、それらをパースで再現した。

［和小屋］

柱の上に小屋梁・桁を渡し、その小屋梁の上に束を立てて勾配をつくる小屋組。屋根形状の自由度が高く、また丸太などの不成形な材も利用できる利点がある。梁断面を大きくするか、敷梁や柱などで支えることで、スパンを大きくすることが可能。

［登り梁］

屋根勾配に沿って斜めに架けられた梁による屋根構造。水平に架け渡される小屋組が省略されるため、内部空間を高くとれる利点がある。梁を配置する間隔を小さくすることで、母屋・垂木を省略することも可能。

〈部材名〉

垂木……… 軒桁、母屋、棟木の上に載せ架ける小断面の部材。野地板の下地となる

母屋……… 軒桁と棟木の間にある、垂木を受ける横架材

小屋束…… 小屋梁の上に立てられ、母屋を受ける垂直材

2重梁…… 小屋梁の上部に架けられた梁

小屋梁…… 小屋組の梁間方向に水平に架け渡す梁材の総称

火打ち梁… 小屋組の入隅部に斜めに留め付けて、水平面を固める横架材

棟木……… 小屋組の頂部で軒桁に平行に置かれる横架材

軒桁……… 外壁を構成する軸組の最頂部にある横架材で、垂木を受ける

KEYWORD

屋根・小屋組がよく分かる キーワード85

PROFILE

執筆者プロフィール（五十音順）

浅利幸男（あさり・ゆきお）
ラブアーキテクチャー

1969年東京都生まれ。'94年武蔵野美術大学造形学部建築学科卒業。'96年芝浦工業大学大学院建築工学科修士課程修了。相和技術研究所を経て、2001年ラブアーキテクチャーを設立

赤坂真一郎（あかさか・しんいちろう）
アカサカシンイチロウアトリエ

1970年北海道生まれ。'93年北海学園大学工学部建築学科卒業。同年、中井仁実建築研究所入所。2000年アカサカシンイチロウアトリエ設立

飯塚豊（いいづか・ゆたか）
i+i設計事務所

1966年東京都生まれ。'90年早稲田大学理工学部建築学科卒業。都市設計研究所、大高建築設計事務所を経て、2004年にi＋i設計事務所設立。'11年～法政大学デザイン工学部兼任講師

石黒隆康（いしぐろ・たかやす）
BUILTLOGIC

1970年神奈川県生まれ。'93年日本大学生産工学部建築学科卒業。'95年同大学大学院生産工学研究科博士前期課程修了、'95年奥村珪一建築設計事務所勤務。2002年BUILTLOGIC（ビルトロジック）設立

泉幸甫（いずみ・こうすけ）
泉幸甫建築研究所

1947年熊本県生まれ。'73年日本大学大学院修士課程修了後、同大学助手を経てアトリエR。'77年泉幸甫建築研究所設立、主宰。2007年千葉大学後期博士課程修了。'08年より日本大学教授を経て現在同大学客員教授（生産工学部建築工学科）

伊藤寛（いとう・ひろし）
伊藤寛アトリエ

1956年長野県生まれ。'79年神奈川大学工学部建築学科卒業。'79～'82年長谷川敬アトリエ勤務。'82～'84年小宮山昭＋アトリエR勤務。'86～'87年ミラノ工科大学留学。'88年早稲田大学大学院修了。同年、伊藤寛アトリエ設立。現在、京都造形芸術大学 大学院教授

井上尚夫（いのうえ・たかお）
井上尚夫総合計画事務所

1945年栃木県生まれ。'72年東京藝術大学大学院環境造形デザイン専攻修士課程修了。'72年内井昭蔵建築設計事務所入所。'83年井上総合計画事務所設立。'88年井上尚夫総合計画事務所に改称

大島健二（おおしま・けんじ）
OCM一級建築士事務所

1965年兵庫県生まれ。'91年神戸大学大学院建築学科西洋近代建築史専攻修了。'91～'94年日建設計勤務、超高層ビル・官公庁・研究所などを担当。'95年独立。2000年OCM一級建築士事務所設立

岡村裕次（おかむら・ゆうじ）
TKO-M.architects

1973年三重県生まれ。'97年横浜国立大学工学部建設学科建築学コース卒業。2000年同大学大学院修士課程修了。'00～'04年多摩美術大学造形表現学部デザイン学科助手。'03年TKO-M.architects共同設立

奥野公章（おくの・まさあき）
奥野公章建築設計室

1973年山梨県生まれ。'96年東洋大学工学部建築学科卒業。'98年同大学大学院修了。同年、スタジオ建築計画入所。2002年建築・家具設計ユニットホワイトベース共同設立。'04年奥野公章建築設計室設立

岸本和彦（きしもと・かずひこ）
acaa

1968年鳥取県生まれ。'91年東海大学工学部建築学科卒業後、早稲田大学理工学術院修士課程修了。'98年ATELIER CINQU設立。2007年acaaに改称

北野博宣（きたの・ひろのぶ）
北野博宣建築設計事務所

1973年大阪府生まれ。'97年東北大学工学部建築学科卒業、2000年早稲田大学大学院修士課程修了。'00～'06年内藤廣建築設計事務所勤務。'06年に北野博宣建築設計事務所設立

熊澤安子（くまざわ・やすこ）
熊澤安子建築設計室

1971年奈良県生まれ。'95年大阪大学工学部建築工学科卒業。'96〜2000年、DON工房一級建築士事務所勤務。2000年より熊澤安子建築設計室主宰

佐藤森（さとう・しん）
＋0一級建築士事務所

1973年神奈川県生まれ。'96年早稲田大学理工学部建築学科卒業。'98年同大学大学院修了。同年、年ユーラシア大陸を陸路で横断。2000年〜アーツ&クラフツ建築研究所勤務。'06年再びアーツ&クラフツ建築研究所勤務。'08年＋0一級建築士事務所設立

杉浦充（すぎうら・みつる）
充総合計画一級建築士事務所

1971年千葉県生まれ。'94年多摩美術大学美術学部建築科卒業。同年ナカノコーポレーション（現：ナカノフドー建設）入社。'99年多摩美術大学大学院修士課程修了。同年復職。2002年JYU ARCHITECT充総合計画一級建築士事務所設立。'10年京都芸術大学非常勤講師。'21年日本大学非常勤講師。'22年ICSカレッジオブアーツ非常勤講師

佐藤宏尚（さとう・ひろたか）
佐藤宏尚建築デザイン事務所

1972年兵庫県生まれ。'96年東京大学工学部建築学科卒業。'98年東京大学大学院修士課程修了。同年プランテック総合計画事務所入社。2001年佐藤宏尚建築デザイン事務所設立。'14年〜慶應義塾大学大学院非常勤講師。'16年東京大学・東京大学大学院特別講師

関本竜太（せきもと・りょうた）
リオタデザイン

1971年埼玉県生まれ。'94年日本大学理工学部建築学科卒業後、'99年までエーディーネットワーク建築研究所に勤務。2000〜'01年、フィンランドのヘルシンキ工科大学（現・アールト大学）に留学。帰国後、'02年にリオタデザイン設立

瀬野和広（せの・かずひろ）
瀬野和広＋設計アトリエ

1957年山形県生まれ。'78年東京デザイナー学院卒業、大成建設設計本部を経て、'88年設計アトリエ一級建築士事務所開設

田井幹夫（たい・みきお）
アーキテクトカフェ

1968年東京都生まれ。'92年横浜国立大学工学部建設学科建築学コース卒業。ベルラーへ・インスティテュート・アムステルダム、内藤廣建築設計事務所を経て、'99年〜アーキテクトカフェ主宰

田中敏溥（たなか・としひろ）
田中敏溥建築設計事務所

1944年新潟県生まれ。'69年東京藝術大学建築科卒業。'71年東京藝術大学大学院修了。茂木計一郎氏のもとで環境計画および建築設計活動に従事。'77年田中敏溥建築設計事務所設立

辻充孝（つじ・みつたか）
岐阜県立森林文化アカデミー准教授

1973年兵庫県生まれ。'96年大阪芸術大学芸術学部卒業。Ms建築設計事務所を経て、岐阜県立森林文化アカデミー教授。一級建築・バウビオローゲBIJ。スマートウェルネス住宅等推進調査事業委員

永峰昌治（ながみね・まさはる）
若原アトリエ

1975年神奈川県生まれ。'97年工学院大学工学部建築学科卒業。2000年若原アトリエに設立から参加

西大路雅司（にしおおじ・まさじ）
西大路建築設計室

1972年千葉大学工学部建築学科卒業。'72〜'81年日新設計勤務。'82〜'84年京都工芸繊維大学工芸学部建築学科中村昌生研究室にて数寄屋の研究を行う。'84年西大路建築設計室開設。町田ひろ子インテリアコーディネーターアカデミー講師

西方里見（にしかた・さとみ）
西方設計

1951年秋田県生まれ。'75年室蘭工業大学建築工学科卒業。'75年青野環境設計研究所を経て、'81年西方設計工房開所。'93年西方設計に組織変更し、現在に至る。2004年地域の設計組合「設計チーム木」を結成（代表理事）。著書に『最高の断熱・エコ住宅をつくる方法』（エクスナレッジ刊）などがある

PROFILE

西久保毅人（にしくぼ・たけと）
ニコ設計室

1973年佐賀県生まれ。'95年明治大学理工学部建築学科卒業。'97年同大学大学院修了。同年、象設計集団に入所、'98年アトリエハルに入所後、2001年に独立し、ニコ設計室を設立

西島正樹（にしじま・まさき）
プライム一級建築士事務所

1959年東京都生まれ。'82年東京大学建築学科卒業。'84年同大学大学院修了。同年石本建築事務所勤務。'89年プライム一級建築士事務所設立

林美樹（はやし・みき）
Studio PRANA

東京都生まれ。'83年武蔵野美術大学造形学部建築学科卒業。'85年同大学大学院修了。'85～'96年日本設計インテリア設計部勤務。'92～'94年ヴェネチア建築大学に留学。'96年Studio PRANA設立

日影良孝（ひかげ・よしたか）
日影良孝建築アトリエ

1962年岩手県生まれ。'82年中央工学校卒業。'96年日影良孝建築アトリエ設立

藤原昭夫（ふじわら・あきお）
結設計

1947年岩手県生まれ。'70年東京芝浦工業大学建築学科卒業。木村俊介一級建築士事務所、天城建設、丹田空間工房などを経て、'77年結設計設立

本間至（ほんま・いたる）
ブライシュティフト

1956年東京都生まれ。'79年日本大学理工学部建築学科卒業、同年林寛治設計事務所入所。'86年ブライシュティフト設立

松尾宙（まつお・ひろし）
アンブレ・アーキテクツ

1972年東京都生まれ。'95年獨協大学法学部法律学科卒業、'99年早稲田大学芸術学校卒業。石田敏明建築設計事務所勤務を経て、'09年アンブレ・アーキテクツを設立

松尾由希（まつお・ゆき）
アンブレ・アーキテクツ

1973年東京都生まれ。'97年成蹊大学文学部英米文学科卒業。'99年早稲田大学芸術学校卒業。大塚聡アトリエ勤務を経て、'09年アンブレ・アーキテクツを設立

丸山弾（まるやま・だん）
丸山弾建築設計事務所

1975年東京都生まれ。'98年成蹊大学卒業。2003年堀部安嗣建築設計事務所入所。'07年丸山弾建築設計事務所設立

三澤文子（みさわ・ふみこ）
MSD

1956年静岡県生まれ。'79年奈良女子大学理学部物理学科卒業。'82年現代計画研究所を経て、'85年Ms建築設計事務所共同設立。'09年MSD設立

向山博（むこうやま・ひろし）
向山建築設計事務所

1972年神奈川県生まれ。'95年東京理科大学工学部建築学科卒業。鹿島建設、シーラカンスK&Hを経て、2003年向山建築設計事務所設立

村田淳（むらた・じゅん）
村田淳建築研究室

1971年東京都生まれ。'95年東京工業大学工学部建築学科卒業。'97年東京工業大学大学院建築学専攻修士課程修了後、建築研究所アーキヴィジョン入所。2006年村田靖夫建築研究室。'09年村田淳建築研究室に改称

望月新（もちづき・あらた）
望月建築アトリエ

1973年東京都生まれ。'97年東京工芸大学建築学科卒業。設計事務所勤務を経て、2008年より望月建築アトリエ代表

山本成一郎（やまもと・せいいちろう）
山本成一郎設計室

1966年東京都生まれ。'88年早稲田大学理工学部建築学科卒業。'90年早稲田大学大学院（建築材料および施工 神山幸弘研究室）修了。同年アトリエ海に勤務し、塩脇裕・中村展子に師事。'95年広瀬研究室にて広瀬鎌二に師事。2001年山本成一郎設計室を開設。'07年〜東洋大学非常勤講師。'20年〜中央工学校非常勤講師

若原一貴（わかはら・かずき）
若原アトリエ

1971年東京都生まれ。'94年日本大学芸術学部卒業。同年横河設計工房入社。2000年若原アトリエ設立。一般社団法人東京建築アクセスポイント主催。'22年〜日本大学芸術学部デザイン学科教授

DVD出演

山田憲明（やまだ・のりあき）
山田憲明構造設計事務所

1973年東京都生まれ。'97年京都大学工学部建築学科卒業後、増田建築構造事務所入所。同社チーフエンジニアを経て、2012年山田憲明構造設計事務所設立

河合孝（かわあい・たかし）
河合建築

1958年東京都生まれ。'80年日本大学法学部経営法学科卒業。'84年武蔵野美術大学造形学部建築学科卒業。現在、河合建築代表取締役。一級建築士・二級建築大工技能士・一級建築施工管理技士

神成健（かんなり・けん）
神成建築計画事務所

1961年宮城県生まれ。'86年東京理科大学大学院理工学研究科建築学専攻修士課程修了。'86〜2007年日建設計勤務を経て、'07年神成建築計画事務所設立

岡村裕次［TKO-M.architects］／杉浦充［充総合計画］／
関本竜太［リオタデザイン］／向山博［向山建築設計事務所］

〈軸組模型製作〉 中太郎［元山田憲明構造設計事務所］
〈取材協力〉 アートホーム湘南／原住建

ブックデザイン：武田康裕（株式会社スタジオデイズ）

最もくわしい屋根・小屋組の図鑑
改訂版

2022年7月19日　初版第1刷発行

発行者　澤井聖一

発行所　株式会社エクスナレッジ
〒106-0032 東京都港区六本木7-2-26
https://www.xknowledge.co.jp/

問合せ先

編　集　Tel：03-3403-6796
Fax：03-3403-0582
info@xknowledge.co.jp

販　売　Tel：03-3403-1321
Fax：03-3403-1829